TAJEMNICA SZKOŁY
DLA PANIEN

Joanna Szwechłowicz

Tajemnica szkoły dla panien

Prószyński i S-ka

Projekt okładki
Paweł Panczakiewicz
www.panczakiewicz.pl

Zdjęcia na okładce
Everett Collection/Shutterstock
Vitaly Korovin/Shutterstock

Redaktor prowadzący
Agata Pieniążek
Anna Derengowska

Redakcja
Marianna Sokołowska

Korekta
Grażyna Nawrocka

Łamanie
Ewa Wójcik

ISBN 978-83-7839-691-8

Warszawa 2014

Wydawca
Prószyński Media Sp. z o.o.
02-697 Warszawa, ul. Rzymowskiego 28
www.proszynski.pl

Druk i oprawa
Drukarnia Wydawnicza im. W. L. Anczyca S.A.
30 – 011 Kraków, ul. Wrocławska 53

NIEDZIELA,
26 LISTOPADA 1922 ROKU

Nos był jednoznaczny. Ani przybliżanie się do lustra, ani patrzenie na siebie pod różnymi kątami nic Łucji Kalinowskiej nie dawało. Wujek Jakub jak malowany. Nie była to dobra prognoza na przyszłość, zważywszy, że już w wieku lat pięćdziesięciu pan Stadnicki był w zasadzie jednym wielkim nosem. A potem zmarł na gruźlicę.

Łucja od ósmego roku życia była przekonana, że z panem Kalinowskim ma wspólne jedynie roztargnienie i niechęć do kwiatów ciętych. Przyrodnik amator (w zasadzie żaden wujek) Stadnicki przypominał jej się za każdym razem, gdy spojrzała w lustro. A nos był oczywiście źródłem ciągłych upokorzeń na niwie damsko-męskiej i nim właśnie życzliwi tłumaczyli jej staropanieństwo. Do tego, że wydawał się z roku na rok coraz większy, zdążyła się przyzwyczaić. W tym roku jednak osiągnął już rozmiary wręcz nieprzyzwoite, które doprowadzały ją do rozpaczy. No i zawsze to jednak smutno pozbywać się ostatnich złudzeń co do własnej matki.

Westchnęła. Meandry dziedziczenia to kiepski temat na późne niedzielne popołudnie. Zwłaszcza jeśli się siedzi w pokoju na poddaszu szkoły żeńskiej i nasłuchuje odgłosów towarzyszących powrotowi uczennic. Były dokładnie takie jak wtedy, gdy sama chodziła w mundurku. Jedna po drugiej, z wrzaskiem, piskiem lub zawstydzonym milczeniem, dziewczynki wpadały albo wkradały się do sypialni, budząc entuzjazm nieszczęśniczek, które mieszkały zbyt daleko, by wyjeżdżać do domów. Część dziewczynek rodzice odprowadzali do samych drzwi. Z okna widziała właśnie, jak skrzywiona trzydziestolatka słusznej postury podchodzi do furtki, trzymając za rękę blondwłosą dziewczynkę. Pani kołysała się na obcasach z niedawno zapewne nabytą dystynkcją, a mała szybko przebierała nogami. Jadzia była ulubienicą starszych dziewczynek, bo ze stoickim spokojem dawała się czesać i przebierać, rumiana i spokojna, jak duża lalka dobrej firmy. Za dwadzieścia lat będzie wyglądać jak mama, ale teraz jest urocza.

Łucja odeszła od okna i wróciła do kontemplacji własnego wizerunku.

Pomiędzy brwiami rysowała się już powoli typowa zmarszczka wieloletniej nauczycielki. Taka, która robi się podczas wypowiadania frazy: „Proszę ustawić się w pary i spokojnie przejść do klasy. Julianno, nie obgryzaj paznokci". Wchodzi to w krew na tyle, że w tym samym czasie można myśleć o kawie czy nadchodzącym deszczu. Coraz częściej widziała siebie jako stworzoną do uczenia i wychowywania maszynę, gramofon powtarzający ciągle te same zdania. Pomyśleć, że jeszcze dwa lata temu lubiła tę pracę. Przekazywanie wiedzy, kształtowanie umysłów, budzenie cnót, tresowanie do małżeństwa. Lepiej o tym nie myśleć.

Łucja była średniego wzrostu, średniej budowy i zaczynała zbliżać się powoli do wieku średniego, to znaczy do trzydziestki. Włosy miała raczej szare, czyli też, można powiedzieć, średnie. Nos więc tym bardziej rzucał się w oczy, bo nie było nic innego, co mogłoby uwagę odwracać. Przez jakiś czas wmawiała sobie, że ma długie rzęsy oraz pewien urok, ale po dwudziestym piątym roku życia spędzonym w panieństwie i te złudzenia trzeba było odrzucić. Powieści, w których bohaterki „nie były piękne, ale zachwycały otoczenie blaskiem inteligencji", zdecydowanie kłamały. Łucja miała także dyplom nauk przyrodniczych przywieziony ze Szwajcarii, co oczywiście robiło duże wrażenie na rodzicach jej podopiecznych. Na niej samej – mniejsze. Można nawet powiedzieć, że coraz mniejsze. Równie dobrze mogła skończyć seminarium nauczycielskie w Poznaniu, a oszczędziłaby sobie wydatków, dylematów i frustracji, które przywiozła ze Szwajcarii.

Takie oto rozmyślania stanowiły jej popołudniową rozrywkę. Nagle coś trzasnęło i gramofon na dole zaczął głośno wygrywać *Pod niebieskim niebem Argentyny*. W zasadzie w niedziele panienki nie powinny słuchać takiej muzyki, ale można przecież udawać, że się nie słyszy. Otworzyła okno i wciągnęła do płuc świeże powietrze. Robiło się coraz ciemniej, jak przystało na romantyczny zmierzch listopadowy. Do tej pory, stając w oknie, lubiła udawać, że oto wypatruje jakiegoś tajemniczego jeźdźca, który uwalnia księżniczki. Spojrzała w dół i zobac k w świetle latarni tylko pogwizdującego obdartusa. Jakiś dziwaczny i brudny na twarzy, co było bardzo rzadkim zjawiskiem w niedzielne popołudnie. Co jak co, ale w sobotni wieczór wszyscy mieszkańcy Mańkowic się kąpali i do poniedziałkowego ranka udawało im się utrzymywać pewne standardy higieniczne. Wychyliła się bardziej z okna i przyjrzała. Całym sobą mężczyzna sugerował, że jest biednym obdartusem, miał nawet dziurę na kolanie. Może przyjezdny, z Kongresówki na przykład. Facet doszedł do końca ulicy i zawrócił. Potem jeszcze raz. Wyczuł chyba wzrok Łucji, podniósł głowę i spojrzał na nią z bezczelnym wyrazem twarzy. Zdecydowanie przyjezdny, żaden miejscowy łachmaniarz tak by nie zrobił.

Nie należała do osób wścibskich, ale wysunęła się trochę na zewnątrz i krzyknęła – głośno jak na swoje możliwości, bo głos miała mizerny:

– Co pan tu robi? Jakoś pomóc? Kogoś pan szuka?

Nie odpowiedział i wzruszył ramionami. Po raz kolejny doszedł do końca ulicy, ale tym razem nie zawrócił, tylko gdzieś sobie poszedł. Chyba. Natychmiast ulicę przebiegł jakiś dzieciak, ale grzecznie uchylił czapki przed Łucją, jednocześnie unosząc głowę, by jej się dość nachalnie przyjrzeć. Pobiegł za obdartusem, zachowując jednak pewien dystans.

Zaraz za nim pojawiły się panie Kaczmarkowa i Zawadzka, obie z puszkami kwestarskimi i w eleganckich, jeszcze przedwojennych kapeluszach. Ostatnia, popołudniowa msza musiała przynieść niezbyt obfity plon, bo wyglądały na zdenerwowane. O ile oczywiście godne i zacne osoby mogłyby okazywać tego typu uczucie. Łucja otrzymała od nich poważne skinienia głowy, bo nie wiedzieć czemu panie zatrzymały się przy budynku szkoły i jak na komendę spojrzały w górę.

A po chwili kolejny żeński duet, tym razem Anna Woźniakówna z Klarą Nowacką. Dwie wielbicielki literatury szły szybko, wspólnie niosąc obwiązaną sznurkiem paczkę książek. One z kolei nie podniosły głów, a nawet jeszcze przyspieszyły kroku w okolicach szkoły. Łucja już chciała je zawołać, ale głupio jej się zrobiło, że tak stoi w oknie. Jakby nie miała co robić i jakby snuła smętne staropanieńskie rozmyślania. Anna jakiś czas temu zwróciła jej uwagę, że może powinna przeznaczyć trochę czasu na pomoc w wydawaniu miejscowej gazety, Łucja jednak miała pewien wstręt do nadmiaru działalności społecznej. Była zresztą w dwóch towarzystwach, czytelniczym oraz higienicznym, i to jej w zupełności wystarczało.

Wróciła teraz do stołu i patrzyła przez chwilę na elegancko zaadresowaną kopertę. Kalinowska już od roku pełniła funkcję wychowawczyni niedzielnej, bo pozostałe nauczycielki miały niedaleko rodziny lub znajomych, do których jeździły w święta i wolne dni. Wszyscy jej krewni mieszkali w okolicach Warszawy i Łomży. Wszyscy, czyli siostra z mężem i dziećmi oraz kilka ciotek i pociotków. W tym wielkopolskim miasteczku blisko granicy z Niemcami nie miała w zasadzie nikogo, ale nie był to dla niej powód do zmartwienia. Towarzyskość była ostatnią cechą, którą wymieniłby ktoś poproszony o scharakteryzowanie Łucji. Wręcz przeciwnie, była zadowolona, że nie musi prawie nigdzie bywać, przyjmować i oddawać wizyt.

Tak więc spędzała niedzielne popołudnia, grając w szachy z co bystrzejszymi panienkami. Wcześniej szło się do kościoła, przy czym panna Kalinowska udawała, że roztargnienie nie pozwala jej zauważyć, jak dwie najstarsze skręcają do parku, a w drodze powrotnej niepostrzeżenie dołączają do pozostałych. Pobożne dziewczynki modliły się więc, niepobożne czytały w parku powieści, a Łucja zabawiała się podczas mszy rozwiązywaniem w głowie równań. Rozglądała się też czasem po ponurym gotyckim wnętrzu, przebierając w myślach wiernych w stroje z czasów powstania kościoła. Rumiane twarze parafian nie harmonizowały jednak z gotykiem. Zwłaszcza ich widoczne głębokie zadowolenie z siebie tworzyło pewien dysonans z malowidłami przedstawiającymi Sąd Ostateczny.

Resztę dnia spędzano na nieróbstwie. Około szesnastej szkołę ogarniała znana każdemu niedzielna melancholia, wyrzuty z powodu zmarnowanego czasu wymieszane ze smutkiem, że oto następna taka okazja dopiero za tydzień. I teraz właśnie panował ten nastrój. Spokojnie tykał zegar, a ona usiadła przy stole i piła herbatę z miodem, patrząc na siatkę zmarszczek na rękach. Starość? Wróciła do listu. Jej siostra Jadwiga była młodsza o rok, ale miała już trójkę dzieci i spodziewała się następnego. Tak przynajmniej wynikało z listu. Z westchnieniem rozłożyła kartkę.

Z radością Cię powiadamiam, że Pan Bóg postanowił pobłogosławić nas po raz kolejny. To szczęśliwe wydarzenie ma nastąpić w styczniu. Łucja dobrze wiedziała, że siostra nie chce mieć więcej dzieci. I że ich mieć nie powinna, bo może nie przetrzymać następnego porodu. Męża Jadwigi nienawidziła. Właśnie tak: nienawidziła, a nie na przykład: nie darzyła specjalną sympatią. To był jeden z dwóch ludzi na świecie, o których mogła powiedzieć z przekonaniem, że chętnie by ich zabiła. Przy sprzyjających okolicznościach i bez świadków, oczywiście.

Wyszła na chwilę z pokoju i zajrzała przez balustradę do holu, w którym muzyka już zamilkła. Niósł się za to młody głos obwieszczający z powagą rady z podręcznika pani Nakwaskiej:

Gdy młoda panienka ma przechodzić do stanu zupełnego wykształcenia fizycznego, jest ona nader słaba i nerwowa; u niektórych pokazują się białe upławy i bladość lica. Jest wtedy nieodzowną koniecznością ująć jej nauk, nie narażać na zbytnie utrudzenia, tak umysłowe, jak i w ruchach ciała; nawet snu jej więcej dozwalać należy; pokarmy dawać pożywne, chociażby i wina, jeżeli okazuje smak do niego. Gdy się regularność ustanowi, trzeba podczas jej trwania zachowywać się spokojnie. Konna jazda, taniec, przechadzki utrudzające, podróże są zupełnie zdrowiu wtenczas przeciwne. Oprócz gwałtownych ruchów wystrzegać się też usilnie zalecam zaziębienia. Jest ono nader niebezpiecznem, ztąd bóle maciczne, i krzyżów. Zamoczenie nóg, obuwie zbyt lekkie są złe, równie jak umywanie dolnych części ciała zimną wodą, przez co się bieg choroby wstrzymuje. Pokarmy kwasowe, owoce, lody na dalszy czas odłożyć wypada.

– Słyszałyście to „ztąd"? Tego się nie da powiedzieć, tak jak jest napisane. Wiedziałam, że wino mi służy. To jest naukowo potwierdzone. No zaraz, ale lody? Lody też mi służą, proszę, jakie rumieńce mam. Ktoś tu się nie zna jednak. Ale ująć nam nauk to by mogli, prawda? W przeciwnym razie nie znajdziemy mężów i wtedy klops. Na cóż usilne starania domu rodzinnego i grona pedagogów, a także codzienne zdrowe przechadzki? – westchnęła komicznie Helena, rudowłosa czternastolatka.

Łucja najbardziej lubiła właśnie ten wiek, koło czternastego roku życia, kiedy w uczennicach budziła się ironia i poczucie humoru. Większość traciła to w ostatniej klasie, może i z pożytkiem dla siebie. Wróciła do pokoju. Zwykle siostra pisała znacznie częściej, tworząc sążniste epistoły z wyliczeniami, komu z progenitury rosną zęby, a komu wypadają te mleczne, kto już chodzi, a kto mógłby chodzić trochę mniej, bo ciężko za nim nadążyć. Ale już na dwa wcześniejsze listy Łucja nie dostała odpowiedzi. Tyle gadania o reformie poczty, a między starymi zaborami listy kursują tak, że warto byłoby chyba wrócić do gołębi pocztowych. Ciekawe, jak Jadwiga się czuje. Trzeba mieć tylko nadzieję, że to będzie dziewczynka. W ich rodzinie kobiety były zawsze bardziej udanym potomstwem.

Pokręciła głową i postanowiła jednak zejść do panienek. Wyjrzała jeszcze raz przez okno, kontrolnie. Jakiś stary pijak ciągnął za sobą białego psa. Chyba pudel, dziwacznie ostrzyżony. Oprócz tego nic ciekawego. Za godzinę będzie panna Wachowska, trzeba sprawdzić, jak uczennice się zachowują i czy nie doszło do żadnych karygodnych czynów. W zeszłym tygodniu próbowały wystawić *Balladynę* i Alina pogryzła siostrę, gdy ta próbowała odebrać jej maliny grane przez landrynki. Ale tym razem było spokojnie, jakby powoli świadomość nadchodzącego poniedziałku nakazywała się dostroić do szkolnej atmosfery. Większość słuchała czytanej głośno *Historii męczeństw Katarzyny, świątobliwej dziewicy*. Dwie drugoklasistki objadały się łakociami z domu i chichocząc, przeglądały atlas anatomiczny. Helena czytała *Tajemnice Lwowa*, nieumiejętnie zasłaniając je podręcznikiem do łaciny. Panna Kalinowska musiała oczywiście odebrać dziewczynce lekturę, z bolejącą miną odnieść ją do swojego pokoju. Rzuciła książkę do szuflady biurka i zamarła.

Kiedy potem przypominała sobie, co się działo między piątą piętnaście a piątą trzydzieści, stwierdziła, że czas zamienił się w jakąś dziwną oblepiającą magmę. Wszystko robiła zbyt wolno, niezdarnie. Najpierw ktoś krzyczał, cienko i przeraźliwie. W pierwszej chwili roześmiała się, tak dziwacznie ten odgłos zabrzmiał. A potem usłyszała tupot stóp. Jak źrebaki, pomyślała, uczenie tych dziewcząt dystynkcji jest zajęciem beznadziejnym. Ale już wtedy zrozumiała, że coś się stało. Jej umysł zaczął pracować w oryginalny sposób. Nie wiadomo dlaczego, jakaś część mózgu uznała, że jeśli uda się myśl o źrebakach doprowadzić do końca, nic złego się nie stanie. Straszne rzeczy nie mają prawa dziać się w szkole, w której uczennice tak biegają. Ale potem i ona pobiegła, nie można się było dłużej oszukiwać.

Trupów już trochę widziała. Razem z innymi studentami legalnie i nielegalnie odwiedzała kostnicę przy szpitalu. Dzieci też tam były, najwięcej noworodków, ale i starsze. Przypomniał jej się jasny i mroźny marcowy poranek, kiedy do kostnicy przywieziono dziewczynkę pracującą przy sprzedaży pamiątek pod miejskim muzeum. Miała szeroko otwarte oczy i język na wierzchu, jakby chciała na pożegnanie powiedzieć światu, co o nim myśli. Dlatego kiedy Łucja zobaczyła postać wiszącą na podwójnie związanym sznurze, nie musiała się zastanawiać. Mimo to zbiegła po schodach do kuchni i wróciła z wielkim nożem. Weszła na krzesło, odcięła dziewczynę i ułożyła na podłodze, podkładając pod głowę swój sweter. Jakby to mogło teraz w czymś pomóc.

Dopiero wtedy spostrzegła, że przy drzwiach na strych tłoczy się dwadzieścia dziewcząt. A potem usłyszała płacz. Najpierw jednej, potem wszystkich.

PONIEDZIAŁEK, 27 LISTOPADA 1922

Usiadł i patrzył, jak facet się awanturuje. Postanowił przeznaczyć ten czas na rozmyślania. Po pierwsze, szkoła. Zakład panny Wachowskiej był jedyną taką żeńską placówką w mieście. Z definicji był więc najlepszy, ale trzeba przyznać, że dyrekcja i grono pedagogiczne nie spoczywało na laurach. Poziom nauczania matematyki, przyrody czy francuskiego był nawet lepszy niż w pobliskim gimnazjum męskim. Teraz już miejskim, ale dziewczęta w szkole na ulicy Słowackiego (dawniej Schillera) można było na razie policzyć na palcach dwóch rąk pechowego drwala. Choć podkomisarz Hieronim Ratajczak uważał się za postępowego, także nie wierzył w koedukację, więc wcale go to nie dziwiło.

Niektórym rodzicom uczennic wysoki poziom nie odpowiadał i postulowali zwiększenie ilości godzin śpiewu oraz robót ręcznych, kosztem choćby, jak to uparcie nazywali, „rachunków". Jednak panna Wachowska wyniośle odpowiadała, że po pierwsze, to matematyka, a po drugie, jej zdaniem kobieta musi w życiu sprawnie liczyć, choćby po to, żeby wiedziała, że ma liczyć na siebie. Argument ten, wypowiedziany z charakterystycznym pedagogicznym uniesieniem brwi, zamykał większości usta. Tym bardziej że rzeczywiście coś w tym było.

Właścicielka szkoły z internatem budziła szacunek głównie dlatego, że nigdy do końca nie było pewności, kiedy mówi poważnie, a kiedy kpi. Ponieważ pochodziła ze szlacheckiej rodziny, sprawiała wrażenie, jakby ekonomiczny aspekt prowadzenia zakładu naukowego zupełnie jej nie interesował. Wszyscy wiedzieli, że niesienie kaganka oświaty sprawia jej wielką przyjemność. Ale gdyby ktoś przejrzał księgi rachunkowe szkoły, dostrzegłby ze zdumieniem, że ta misja przynosi całkiem pokaźne zyski. Na konto w Zurychu corocznie wpływała pokaźna suma. Pruskich banków właścicielka szkoły nie uznawała, a i teraz odkładała na później przeniesienie swoich funduszy do kraju o tak niepewnych granicach.

To wszystko Hieronim wiedział, bo panna Wachowska nie kryła się ze swoimi poglądami na edukację i system bankowy, głosząc je podczas popołudniowych spotkań na probostwie, gdzie bywał i Ratajczak. Niewątpliwie gdyby traktować poważnie wszystko to, co mówiła, należałoby uznać ją za wielką ekscentryczkę. A nie jest to przecież specjalny komplement.

Dlatego jej głośno wygłaszana opinia, że bogaci rodzice powinni dokładać się do edukacji sierot oraz dzieci z ubogich rodzin, uznawana była za coś w rodzaju coniedzielnych napomnień księdza.

Sama szkoła była polska już od dawna. Nieoficjalnie oczywiście, ale przed wojną każda niemiecka rodzina wiedziała, że jeśli chce wykształcić córkę na młodą patriotkę, musi wysłać ją do Posen. Ci, dla których było to nie do pomyślenia, z rezygnacją przyjmowali fakt, że nauczyciele szkoły Wachowskiej będą co prawda realizować oficjalny program bez zarzutu, ale i bez zapału. Nagłe wzmożenie uczuć patriotycznych zaobserwować można było tylko w okresie wizytacji szkolnych, kiedy to witano pana inspektora na pradawnej niemieckiej ziemi. Te odwiedziny kończyły się pełnym sukcesem, a jedyne uwagi krytyczne artykułowano na temat obciążenia wąskich panieńskich barków nadmiarem bezużytecznej w przyszłym życiu rodzinnym wiedzy. Zresztą nawet inspektor uznawał to tylko za szczególny rys szkoły panny Wachowskiej. Ostatecznie przecież podobno niektóre kobiety mają głowę do nauki. Po wojnie nawet ten drobny problem zniknął i zanosiło się na to, że szkoła będzie przeżywać niczym niezmącony rozkwit.

O tym wszystkim rozmyślał więc Hieronim Ratajczak, kiedy wreszcie zjawił się, oczywiście z własnej woli, kierownik gimnazjum Zuber. Podkomisarz był przekonany, że zachowywał się on tak dziwacznie w niedzielne popołudnie, bo liczył na odkrycie kompromitujących prywatną placówkę faktów. Mimo całej kampanii na rzecz koedukacji i podkreślania zalet szkół publicznych, sam dyrektor przyznawał, że ma najmniejszy odsetek uczennic w okolicy. W dodatku „Goniec Mańkowicki" złośliwie twierdził, że ich miasto jest w awangardzie walki o emancypację kobiet: poznać to można po tym, że dziewczęta znacznie lepiej niż chłopcy radzą sobie z logarytmami. Z kolei kierownik odpowiadał pięknymi ustami swej małżonki, która dyskretnie sugerowała gronu wpływowych koleżanek, że warto się zastanowić, dlaczego ostatnio kilka absolwentek, zamiast wyjść za mąż lub iść do seminarium nauczycielskiego, grupowo wyjechało studiować medycynę do Warszawy. I zamieszkało w jakimś podejrzanym pensjonacie.

Podkomisarz wiedział to wszystko, więc teraz, ubrany w trochę za ciasny mundur (pamiątkę lepszych, choć aprowizacyjnie gorszych, czasów), przyglądał się rozmówcy z ostentacyjną ironią. Nie przychodziło mu to łatwo, bo z natury miał dobroduszny, acz dość cwany, wyraz twarzy. Ratajczak nie podejrzewał swojego rozmówcy o nic bardziej zdrożnego niż szukanie jakichś kompromitujących szkołę informacji. A już z pewnością nie o związki z trupem uczennicy. Ale zachowanie Zubera sugerowało chyba coś więcej niż urażoną niewinność, więc postanowił przeznaczyć na tę rozmowę trochę więcej czasu, niż wcześniej zakładał. W miarę możliwości.

Kierownik Zuber siedział we wskazanym fotelu i, machając jedną ręką, a drugą na zmianę wkładając i zdejmując kapelusz, zawzięcie się awanturował.

– Pan jesteś nieprawdopodobny impertynent. Powtarzam: impertynent!

Podkomisarz starał się myśleć o podręczniku anatomii, który studiował rano u znajomego księgarza. Intensywnie patrzył też na swoje krótkie palce. Zuber był już całkiem czerwony, nawet na szyi, skonstatował Ratajczak. To jak to było z tymi zatorami? Podkomisarz interesował się chorobami i różnego typu schorzeniami, choć było to zainteresowanie dość wstydliwe. Pasjami stawiał też amatorskie diagnozy lekarskie. Pewną liczbę rzadkich schorzeń widział u siebie ewentualnie u najbliższej rodziny. U tego Zubera na przykład przewidywał zejście na apopleksję przed pięćdziesiątą wiosną życia, a u siebie zauważał rozwijającą się nerwicę. Objawiała się ona teraz lekkim podskokiem w miejscu przy każdym otwarciu drzwi.

Siedzieli w budynku, który policja dzieliła z władzami powiatu. Co chwila ktoś całkowicie przypadkowo pukał albo nawet równie przypadkowo otwierał drzwi, szybkim spojrzeniem oceniał sytuację (tak, to naprawdę Zuber), a potem coś mruczał i uciekał. Każde takie wejście dodatkowo podrażniało przesłuchiwanego i przypominało Ratajczakowi, że za chwilę zapewne usłyszy znienawidzony dzwonek telefonu w gabinecie szefa. I będzie musiał tam iść jako najstarszy stopniem, aby dowiedzieć się od jakiegoś głosu z Poznania, że pan Zuber jest już spóźniony na rodzinny obiad. Ale policjant był pewien, że trzeba pytać mimo wszystko.

– Ja sobie nie pozwolę! Tyle cnót, które staram się krzewić w naszym mieście, a pan mi tutaj z jakąś panną wyskakuje! Tyle lat ciężkiej pracy dla dobra społecznego, nieposzlakowana opinia, a pan insynuuje... nie, no aż się wstydzę głośno to powiedzieć. Impertynent, powtarzam! Nie powiem nic więcej.

Z tym postanowieniem zamilknął i zaczął już tylko sapać. Czerwień twarzy tworzyła ciekawy malarsko kontrast z łysiną i resztkowymi włosami, tak jasnymi, że aż białymi.

Ratajczak poczekał, aż facet się wysapie. Im dłużej będzie milczał, tym bardziej dyrektor się skonfunduje i odruchowo odpowie szczerze na pytania. Impertynencja. Chyba wczoraj Felicja wygłosiła coś impertynenckiego. Wkładając kapelusz do kościoła, wyznała, że żałuje swojego braku doświadczeń życiowych przed ślubem. Jeżeli to znaczyło to, co on myślał, to chyba szykują się kłopoty. Czasy stanowczo się zmieniają – gdyby jego matka powiedziała coś takiego swojemu mężowi, dostałaby zwyczajnie w pysk. Ten tu łysy blondyn też dostałby w pysk. Wszyscy dostaliby w pysk, myślał, popatrując zza przymkniętych powiek. Cały świat dostałby w pysk, a potem musiałby przepraszać i dziękować za wymierzenie słusznej kary. Uśmiechnął się do Zubera i wyjął blaszaną puszkę z szuflady biurka.

– Myślę, że możemy zacząć rozmawiać. Przede wszystkim, pozwoli pan, że go poczęstuję. Niezrównane są te cukierki, nic dziwnego, że takie drogie.

Sięgnął po landrynki od Fuchsa i jak zawsze w tym momencie przemknęła mu przez głowę myśl, że dzięki Piłsudskiemu ma oto bezcłowy dostęp do tych doskonałych łakoci. Polityka to jednak poważna dziedzina. Cukierki te miały duży wpływ na egzystencję wielu ludzi, przykładowo na jego. Gdyby nie one, pewno miałby mniej w pasie.

Ku zaskoczeniu Hieronima, Zuber sięgnął po landrynkę. A nawet dwie, od razu. Potem zaczął szukać po kieszeniach chusteczki, by otrzeć pot z czoła. Ratajczak pokonał go chyba całkowicie, wręczając własną. Podkomisarz przechylił się, niby to mimochodem, w stronę rozmówcy. Starał się mówić tak, żeby przemowa nie wyglądała na przygotowaną w czasie wczorajszej nocy i zrobiła wrażenie wykwitu wrodzonej retorycznej sprawności:

– Panie Zuber, po kolei: doskonale wiem, że jest pan kierownikiem naszego miejscowego gimnazjum męskiego. Miejskiego. Tak, wszyscy tu pana znają. Mam także świadomość, że posiada pan doktorat z chemii, nadany przez uniwersytet w Berlinie. W całej rozciągłości jestem również świadom faktu, że pana żona jest córką pana burmistrza, a więc pana dzieci są wnukami burmistrza. Jest w tym wiele logiki. Także zasługi pańskie dla parafii Matki Bożej Wspomożycielki Strapionych budzą moje uznanie. Wiem, że na sumie siedzi pan w pierwszej ławce, obok teścia i małżonki. Działalność w banku spółdzielczym, którego jestem notabene członkiem, także budzi moje uszanowanie. Choć przyzna pan, że wymiar zeszłorocznych zysków trochę to uszanowanie zmniejsza. O moim podziwie dla ostatniej rozprawy opublikowanej w języku łacińskim na temat, którego nie rozumiem, i w piśmie, którego tytułu nie jestem w stanie powtórzyć, chyba pana zapewniać nie muszę. Wszystkie te fakty jednak nie wyjaśniają, co u licha robił pan wczoraj w okolicach szkoły panny Wachowskiej? I to dla niepoznaki w stroju bankruta w trzecim pokoleniu? Myślał pan, że blask cnót obywatelskich da się ukryć pod tym odzieniem?

Tu już się chyba rozpędził za bardzo, więc dodał w ramach konkluzji:

– I że nie zostanie pan rozpoznany? W naszym mieście?

To było niskie uczucie, ale był z siebie bardzo zadowolony. Policjant, obrońca cnoty i porządku, nie kłania się przed władzą i pieniędzmi. Niezła mowa.

– Jest pan bardzo elokwentny jak na dwa lata spędzone w szóstej klasie gimnazjum – Zuber wycedził nagle całkiem spokojnym głosem i spojrzał z ukosa, by sprawdzić, czy strzał był celny. Ale nie, irytujący Ratajczak odpowiedział w miarę spokojnie:

– Fakt, że musiałem dodatkowy rok zgłębiać naukę, nie ma wpływu na naszą rozmowę. Zresztą to, że się pan zainteresował gimnazjalną karierą skromnego policjanta, trochę zaskakuje – próbował być dowcipny, choć już wiedział, co kierownik gimnazjum teraz doda. Zuberowi odpłynęło trochę czerwieni z twarzy.

– Powiem panu, że zaraz mnie pan grzecznie wypuści, a pewnie i nawet przeprosi. Lubię sobie w wolnych chwilach poprzeglądać dawne akta. Ciekawych rzeczy się można dowiedzieć o byłych uczniach. Bo nikt tu chyba na przykład nie wie, dlaczego się pan przeprowadził z Leszna? Zamiast uczyć się historii, to pan tworzyć ją postanowił, ha. Po bolszewicku w dodatku. Dokumenty sobie skopiowałem, gdyby jakimś cudem się zgubiły, choć musi pan wiedzieć, że mamy wzorowy porządek. Nie to, co niektóre inne instytucje. Władze policyjne na pewno nie wiedzą o pana gimnazjalnych awanturach, bo inaczej nie siedziałby pan sobie tak spokojnie i musiałby odziedziczyć warsztacik po tatusiu. Jeśli coś tam jeszcze zostało, bo interes nie szedł chyba najlepiej. Jak to się mówi: pijany jak szewc, co?

To już było celne. Podkomisarz Ratajczak wyprostował się na krześle i najspokojniej, jak się dało, powiedział:

– Wynocha.

Ale Zuber nie wyszedł, choć wstał, podszedł do drzwi. Stanął w progu. Uszło z niego całe powietrze. Spojrzał z głupio kpiącym uśmiechem i drżącym głosem rzekł:

– Niech się pan na mnie nie gniewa. Nie warto. Jestem w tej chwili przyszłym nieboszczykiem albo przyszłym mordercą, więc niech pan chociaż będzie miły.

Co za niedorzeczność. Hieronimowi wróciła zimna krew.

– Wszyscy jesteśmy przyszłymi nieboszczykami, to żaden argument. Ale ta druga możliwość interesująca, nie powiem. Tylko nie wiem, czy dobrze jest obwieszczać to policjantowi.

Zuber jeszcze raz przetarł czoło.

– Tak, ale widzi pan: ja mam teraz do wyboru zostać zbrodniarzem albo nieboszczykiem. Proszę mi wierzyć, że jest to pewien dylemat.

– Panie Zuber – westchnął Hieronim. – Ja jestem prosty człowiek bez poczucia humoru. Niezwykle prosty i niezwykle pozbawiony poczucia humoru. Dlatego albo pan mówi konkretnie, albo do widzenia.

Dyrektor popatrzył na niego z niechęcią. I bez słowa zamknął za sobą drzwi.

WTOREK, 28 LISTOPADA 1922

W nocy spadł pierwszy w tym roku śnieg, ale mimo to żaden policjant nie spóźnił się do pracy. Ratajczak był nawet tak wcześnie, że zdążył odśnieżyć okolice komendy, tak jak to uprzednio zrobił przy swoim domu i przy domu szwagierki. Nie było to z jego strony żadne poświęcenie, bo i tak nie spał całą noc.

Komisarz Wasiak, nobliwy pan ze stuletnim zegarkiem z dewizką po przodku zawieszonym przy kamizelce, poszedł na poranną mszę. Taki miał obyczaj w dni powszednie i świąteczne. Na komendzie był już o szóstej trzydzieści, wypytywał podwładnych o sukcesy i porażki odniesione wczoraj oraz wydawał polecenia co do rozpoczynającego się dnia. A potem szedł na siódmą do kościoła. Po drodze spotykał małżonkę, której ewangelickie pochodzenie kazało być jeszcze bardziej nabożną katoliczką od niego. Dziś, mimo nerwowej atmosfery panującej w miasteczku i samej komendzie, zachował się zgodnie ze swoją żelazną zasadą.

Ratajczak mruknął za nim „z Bogiem" i usiadł za swoim biurkiem, nieuważnym spojrzeniem obrzucając trzech podkomendnych. Wrócił do rozmyślań. Wyjął fajkę. Jednak w tym samym momencie podszedł do niego aspirant Hoffmann, zwalisty mężczyzna o głosie – jeśli to możliwe – równie potężnym:

– Skoro nie ma komisarza, to zwracam się z prośbą do pana: chciałbym zapytać, czy mogę skoczyć na chwilę do domu?

Hieronim westchnął, bo wiedział, do czego to zmierza. Żona Hoffmanna, blondyna o wiele obiecującej powierzchowności, była przez swego małżonka ciągle podejrzewana o zdrady. Dlatego miał w zwyczaju zaskakiwać ją w ciągu dnia, o najdziwaczniejszych godzinach. Gdyby był trochę bystrzejszy, myślał Hieronim, wiedziałby, że z piątką dzieci jest tyle roboty, że wszelkie wiarołomstwa wylatują człowiekowi z głowy. Zaraz, chyba szóstką? Kto by zresztą nadążył.

– A nie mogłeś komisarza zapytać, tylko czekasz, aż wyjdzie, co? On by cię przechrzcił.

Aspirant z zakłopotaniem potarł nos. Idiota, też bym takiego zdradzał, pomyślał Hieronim. Spojrzał za okno, wzdrygając się lekko. I machnął ręką przyzwalająco, bo wiedział, że Hoffmann i tak się wymknie. Ale dodał po małej pauzie:

– I pozdrów żonę ode mnie. Pięknie wyglądała w kościele. Nic po niej dzieci nie widać.

Ten głupek zastygł w bezruchu podczas otwierania drzwi i rzucił podejrzliwe spojrzenie na zwierzchnika. Nowak i Kowalczyk wybuchnęli jednak śmiechem, więc on też dla towarzystwa się uśmiechnął. I poszedł. W drzwiach minął się z jakimś szczunem*, który nieśmiało przestąpił próg i obrzucił zgromadzonych pytającym spojrzeniem. Był brzydki, trzymał czapkę w rękach i miał odmrożony nos. Kapał z niego śnieg, który za chwilę trzeba będzie posprzątać. Nowak patrzył ze zgrozą, bo rozwinięty zmysł estetyczny nie pozwalał mu przyjmować ze spokojem podobnych widoków. Hieronim wykonał w stronę przybysza gest wyrażający umiarkowaną zachętę. Chłopak przemówił drżącym głosem:

– Przyszłem wedle pieska.

Hieronim poczuł, że z tym typem będzie problem. Znał takich. Niby niepozorne to, a potrafi zatruć człowiekowi życie. Poprawił się w krześle i zapytał urzędowym tonem:

– Co to za piesek?

Chłopak popatrzył na niego jak na idiotę. Widocznie podkomisarz powinien znać wszystkie pieski w Mańkowicach.

– No, nasz. Ciapek – wytłumaczył.

Nowak parsknął, a Kowalczyk wyszedł. Był bardzo dobrze wychowany.

– I co z tym Ciapkiem? – Hieronim zapytał swoim przećwiczonym basem.

* W gwarze poznańskiej: młody chłopak.

– Nic – odpowiedział chłopak, już mniej pewnie.

Nowak parsknął dwa razy.

– Jak nic, to nam głowy nie zawracaj! Żarty sobie stroisz? Nie masz co robić? Do buchty* chcesz pójść? Mamy miejsce – zirytował się Ratajczak.

Chłopak z tego wszystkiego chyba się wystraszył. Przykrył głowę ręką, tak jakby bał się, że Hieronim go uderzy. Policjant ochłonął. Źle mu się ten gest kojarzył. Podszedł do chłopaka, wskazał mu krzesło i z ciężkim sercem podał swoją chusteczkę. Wiedział, że nie będzie jej potem używał. Chłopak wydmuchał nos i popatrzył jeszcze raz badawczo, mrugając jasnymi rzęsami. Nowak przestał parskać i czyścił pióro bibułą.

Hieronim usiadł za swoim biurkiem i głosem sympatycznego stryjka Zdzisia poprosił:

– Opowiedz, w miarę możliwości dokładnie. Po pierwsze: jak się nazywasz?

– Ignac Lipczak.

– No, świetnie, to już coś wiemy. – Hieronim otworzył notes i zapisał nazwisko. – I co cię do nas sprowadza?

– Nie ma go – Ignac pociągnął znowu nosem – Ciapka. Siostra mówiła, żeby na policję.

– Czyli pies zaginął. Czy był coś wart?

Chłopak aż się zachłysnął z oburzenia:

– Coś wart? Panie, łon tak tańcował na dwóch nóżkach, taki zmyślny był. Słoninę zawsze umioł zwinąć.

* W gwarze poznańskiej: więzienie.

Całe Piaski nam psa zazdrościły. Wartny był pięciu innych. Albo i jednego człowieka.

Hieronim uśmiechnął się mimo woli i zamknął notes.

– Gdyby był rasowy i wart jakieś konkretne pieniądze, tobyśmy szukali oficjalnie. Tak to nie za bardzo. Ale powiem chłopakom, żeby wypatrywali przy okazji.

Zmienił zdanie i jednak otworzył notes. Wyrwał kartkę i podał Ignacowi ołówek:

– Może lepiej go narysuj. Zamiast opisywać.

Jego przeczucie było słuszne. Chłopak umiał rysować, a już z pewnością lepiej rysował, niż mówił. Piesek jak żywy. Bystre oczka, krótkie łapki, trochę za długi tułów. No i Hieronim już go z pewnością widział. Nawet został przez tego psa obszczekany.

– Słuchaj, a twoja siostra to nie Andzia czasami?

Wojtek Nowak nadstawił uszu. Andzia znana była wszystkim, z czego wielu w sensie biblijnym. Chłopak pokiwał głową, oddając Hieronimowi chusteczkę. Ratajczak pokręcił głową przecząco:

– Nie, weź sobie, przyda się.

Miał jeszcze czterdzieści dwie chusteczki z monogramem. Ale wiedział, że Felicja zauważy brak jednej. Chłopak bez jakiejś specjalnej wdzięczności na obliczu wsadził sobie prezent od Hieronima w rękaw i obwieścił znacznie już pewniejszym tonem:

– Andzia mówi: ty idź na policję, ja pracuję tyle, że aż mnie dupa boli. I nigdzie drałować nie będę. Jeszcze mi tam co znajdą, żeby się przyczepić. Tom przyszedł.

Hieronim powstrzymał śmiech. Nowak nie.

– Dobrze zrobiłeś. Postaramy się odnaleźć pieska – podał chłopakowi rękę na pożegnanie. Nie trzeba było go wypraszać. Pewnie siostra go wyszkoliła, chyba mieli tylko jeden pokój. Hieronim kartkę z rysunkiem zostawił na biurku i wpatrując się w nią, zaczął rozmyślać o tym, co naprawdę go interesowało.

Jak jasno wynikało z wczorajszych rozmów z uczennicami, Marianna Szulc była sierotą. Nikt więc za nią rozpaczać nie będzie. Z ojca nieznanego, z matki uwiedzionej nauczycielki śpiewu, która z wiadomych względów nie mogła znaleźć zatrudnienia po urodzeniu córki – to już usłyszał od Łucji Kalinowskiej. Pewnego dnia Katarzyna Szulc spakowała się i wyjechała za ocean, dziecko pozostawiając pod opieką dalekiej kuzynki, nauczycielki w zakładzie Wachowskiej. Bardzo dalekiej, co rzeczona panna Jankowska przy każdej okazji podkreślała. Po dwóch latach przyszła informacja, że matka Marianny zmarła w wyniku nagłego nerwowego ataku podczas wykonywania wiązanki pieśni Moniuszki, co miało być główną atrakcją spotkania jakiegoś stowarzyszenia polonijnego w New Jersey. Stowarzyszenie, złożone z osób bardzo sentymentalnych, wzruszyło się losem sierotki i wysłało na jej wychowanie kilkanaście dolarów zebranych podczas specjalnego festynu. Marianna otrzymała w spadku także skrzynię pełną nut oraz cztery suknie, jedną codzienną, jedną do odgrywania Małgorzaty z Goethego i dwie dość bezwstydne, zapewne do ról jakichś ladacznic. Panna Jankowska stwierdziła, że tak Bogiem a prawdą, to żadna z nich rodzina, a za trudy wychowawcze skromnie przyjęła suknię ladacznicy numer dwa. I to byłoby na tyle. No, może warto jeszcze nadmienić, że właścicielka szkoły w tym samym roku uznała, iż czas jej podziękować za pracę. Ale Marianna została.

Szkoła panny Wachowskiej pozbyła się więc w niedzielę wychowanicy, za którą nikt od dwóch lat nie uiścił ani grosza. Nie było przynajmniej żadnych wzmianek na ten temat w książkach rachunkowych, które Nowak przeglądał wczoraj. Trzymano ją tam chyba tylko przez litość, bo specjalnych talentów też nie wykazywała. To zgodnie potwierdzały nauczycielki oraz uczennice. Ale gdyby ukończyła tak dobrą szkołę, z pewnością znalazłaby się jakaś rodzina chętna do jej zatrudnienia. Nie byłaby ciężarem dla społeczeństwa i nie stoczyłaby się, do czego predestynowały ją kuszące już w wieku szesnastu lat kształty oraz niezbyt rozwinięty instynkt moralny i prawa dziedziczenia.

Nie była dziewicą, to wynikało z badania pośmiertnego. Zapytany o to doktor Korman pokręcił przecząco głową bardzo energicznie. Ratajczak zorientował się jeszcze w niedzielę, że zmarła znała bardzo dobrze wielu gimnazjalistów. Wymykała się na tańce do starej Moserowej, zresztą razem z jeszcze jedną panienką. Czy była doszczętnie zdemoralizowana, czy wkroczyła na tę drogę przez przypadek? No, tego się już raczej nikt nie dowie.

Ratajczak tworzył przez całą bezsenną noc skomplikowaną konstrukcję myślową, by przekonać siebie samego, że słusznie robi, odstępując od śledztwa. Oczywiście, nie tak oficjalnie. Po prostu nie będzie się prowadzić energicznych działań. Wasiaka przekona. Zresztą, on już tylko o emeryturze myśli. Chyba.

Landrynki powoli się kończyły, co wzmagało niepokój Hieronima. Coś było nie tak, wiedział o tym. Ale za bardzo wgłębiać się w to nie należało. Nie, to wcale nie było tchórzostwo. Po co angażować siły i środki, by rozwiązywać sprawę, na której nikomu nie zależało? To znaczy zależało, ale tylko miejscowym plotkarom. Nikt za Marianną tęsknić nie będzie, egzaltowane panienki w szkole trochę popłaczą i tyle. Zresztą, wszystko wskazywało na to, że zabiła się sama. Miała ciężką sytuację, kiepskie oceny, a gdyby została na drugi rok w tej samej klasie, pewnie zirytowana panna Wachowska pozbyłaby się jej. To bardzo nerwowa kobieta. Marianna popełniła więc samobójstwo, bo w tym wieku, nawet nie będąc sierotą ze złymi notami, jest się często w rozpaczy. Na pewno miała okazję nauczyć się gdzieś wiązania podwójnego węzła ósemkowego. Na pewno.

No dobrze, ale chociaż specjalnie mu nie zależało na rozwiązaniu sprawy, Ratajczak miał to swoje głupie przeczucie. I poczucie winy. Wiedział, że jeśli się do tego zabierze, coś będzie nie tak. Jeśli się nie zabierze, to tak samo.

Historii związanych z morderstwami w Mańkowicach nie było częściej niż raz na dziesięć lat, ale ostatnio podobny niepokój odczuwał całkiem niedawno, w sprawie o gwałt. I było to nad wyraz słuszne, bo jak się okazało, w sprawę zamieszany był syn.... No, właśnie, czy to takie ważne? Jak przekonano Ratajczaka, to wcale nie było takie ważne. Zwłaszcza że chłopak poszedł, a w zasadzie uciekł, na powstanie. Zabili go gdzieś pod Chodzieżą, więc nie należało bezcześcić pamięci młodzieńca. Ratajczak w nagrodę za nierozwiązanie sprawy został podkomisarzem, a to naprawdę bardzo dużo jak na takie Mańkowice. Blondwłosej Józi wyjaśnił, że skoro chłopak nie żyje, to został wystarczająco ukarany. No i siebie samego też prawie przekonał. Ona gdzieś wyjechała, nie pytał oczywiście dokąd.

Był święcie przekonany: są takie sprawy, których wcale nie trzeba rozwiązywać. Ta obsesja sprawiedliwości, która męczyła niektórych jego kolegów z większych miast, wydawała mu się wręcz niesmaczna. On sam wolał nie zakłócać spokoju porządnym mańkowickim rodzinom. Wiedział, że to trochę naiwne. A nawet był na tyle inteligentny, że rozumiał, skąd się brało takie myślenie: stawał na głowie, żeby ze swoim podejrzanym pochodzeniem być porządnym obywatelem. Ale człowiek może wiedzieć dużo o swoich obsesjach, a i tak nic mu to nie pomoże.

W każdym razie, śmierć Marianny należała na jego oko do takich spraw, których przeznaczeniem było szybkie zamknięcie. To na pewno ktoś miejscowy. Jakiś mąż, ojciec. Pewnie już sika ze strachu. Zbił żonę albo dzieci, żeby się trochę rozluźnić. A jeśli to rzeczywiście Zuber? O co mu chodziło z tym przyszłym nieboszczykiem? Czyżby piękna pani Zuberowa miała być żoną mordercy? No, bez przesady. A może to jakaś metafora? Ukryta informacja? W każdym razie, na pewno dziś ktoś zarobi dwóję z chemii.

W małych miejscowościach, nawet przy jakiejś głupiej sprawie, zwykle na koniec się okazuje, że wszyscy są w jakiś sposób zaangażowani w całą historię. Dwa tygodnie temu Ratajczak odniósł zapłakanej blondyneczce jej domek dla lalek, podobno ukradziony parę dni wcześniej. Podkomisarz znalazł go u starej Mosesrowej, kiedy wpadł sprawdzić, czy nie ma u niej przypadkiem jakiejś zaginionej nieletniej z Poznania. Przy okazji wyszło na jaw, że ojciec dziewczynki przegrał domek w karty, razem z kolczykami żony, które też miały paść łupem złodzieja. Teściowie wyrzucili go z domu, a żona zażyła za dużo valium. I po co było szukać? Teraz dziewczynka jest sierotą, ale ma ten cholerny domek dla lalek.

I tak, lepiej lub gorzej, Hieronim uzasadniał swoją planowaną bezczynność. Landrynki definitywnie się skończyły, uznał więc, że warto iść na mały rekonesans spacerowy. Mruknął do Wojtka Nowaka, że wychodzi. I wyszedł.

Zaczerpnął rześkiego powietrza. Byłby to miły spacerek, gdyby nie dziesięciolatek, który w niedzielę poznał Zubera w tym idiotycznym stroju. Malec chodził za nim już drugi dzień. Policjant pewnie nie zwróciłby uwagi na gadanie dzieciaka, ale był on synem kucharki burmistrza. Nagapił się na Zubera dosyć. A dziś, proszę, stał sobie ten cały Maciuś po drugiej stronie ulicy Kazimierza Wielkiego (dawniej Fryderyka Wielkiego), jakby na niego czekał. Podbiegł i zapytał, jak sprawa.

– Jaka sprawa? – zapytał policjant, starając się wytrzymać poważne spojrzenie okrągłych niebieskich oczu.

– Aha, mama miała rację.

– Że co miała rację? – zirytował się (dlaczego tak szybko?) Ratajczak.

– Że nie widziałem i pysk na kłódkę, bo cała rodzina z głodu zdechnie. I że pan też powie: nic, chłopcze, nie widziałeś – powiedział Maciuś i popatrzył na niego jakoś nieprzyjemnie.

Hieronim uciekł się do żenującego wybiegu, którego używają ludzie dorośli względem bystrych dzieciaków już od stuleci. Zrobił groźną minę i zapytał:

– A ty nie powinieneś czasem być w szkole?

Dzieciak spojrzał na niego z taką mieszaniną ironii i współczucia, że Hieronim się zarumienił. Następnie Maciuś skłonił się błazeńsko, zamiatając czapką śnieg. Odwrócił się i poszedł. A Hieronim poczuł, że teraz to naprawdę musi sobie kupić landrynki.

Słabe jednostki w przyrodzie giną, wiedzą o tym wszystkie nauczycielki przyrody. I nie ma co tu rozpaczać, bo to naturalny bieg wypadków. Ale mogłyby ginąć sobie jakoś inaczej, nie podczas niedzielnej rekreacji prowadzonej przez rzeczone nauczycielki. Łucja nie powinna była siedzieć w swoim pokoju, analizując każdą literkę listu od siostry i zastanawiając się nad jakimiś niedorzecznościami. Powinna była czuwać nad istotami powierzonymi jej opiece.

Ona Mariannę lubiła, tak jak się lubi szczeniaczka albo kocię, ale lubiła. Dziewczyna była urocza i przymilna. Nie należało jej powierzać doświadczeń chemicznych, jednak młodszymi koleżankami opiekowała się bardzo chętnie. Sympatia Łucji wynikała poniekąd z tego, że dziewczyna była jej absolutnym przeciwieństwem. Może oprócz tego, że panna Kalinowska samą siebie także uważała za słabą jednostkę.

Policjant Ratajczak był sympatyczny i konkretny, a nawet miał pewne ambicje intelektualne. Znali się całkiem dobrze od jakiegoś czasu, spotykali się przecież na plebanii u księdza Berenta w ścisłym gronie osób sprowadzających książki z Poznania. Ale kiedy poszła wczoraj zapytać o postępy w śledztwie, Ratajczak próbował ją zagadywać na temat wychowania dziewcząt, wygłaszając z pewną siebie miną kontrowersyjne sądy. Wyglądało to tak, jakby chciał ją specjalnie zirytować, żeby sobie poszła. Albo najlepiej dostała histerii czy innych spazmów, jak to mają w zwyczaju stare panny.

I może by się tak to wszystko skończyło, gdyby Łucja nie doszła do wniosku, że Ratajczak udaje. Przecież go znała, u licha. Wcale jej nie lekceważył, ale chciał, żeby go uznała za chama i prostaka, któremu nie warto zadawać pytań i zwierzać się z wątpliwości. Zarzucał ją jakimiś nieistotnymi informacjami, bez ładu i składu. Co miało do rzeczy, że jest synem szewca? Miało sprawić, że będzie bardziej wiarygodny, śmiejąc się tępo i powtarzając, że nadmiar matematyki doprowadził do przegrzania mózgu, a w konsekwencji niepoczytalności? Ten sam Ratajczak dwa tygodnie temu toczył z nią całkiem sensowną rozmowę na temat przyczyn braku powodzenia socjalistów w zaborze pruskim. Nawet musiała przyznać, że im wyższy poziom rozwoju gospodarczego, tym mniej w okolicy socjalistów. Był w tym sens. A teraz ostentacyjnie grzebał sobie w zębach i wtrącał przeciągłe „eeeee" przed każdym niby to trudniejszym wyrazem. W pewnym momencie po prostu popatrzyła na niego spokojnie i wyszła, bo całe przedstawienie zdecydowanie bardziej było żenujące niż udane.

Myślała o tym wszystkim, stojąc przed drzwiami Wachowskiej i patrząc na swoje smętne obuwie. Nie po drodze jej było do szewca, ale wyrzucała sobie, że wygląda jak te nieszczęśliwe nauczycielki z nowel Orzeszkowej. Przestępowała z nogi na nogę podwójnie zirytowana i podenerwowana. Mogłaby usiąść, bo dla petentów zawsze przygotowane były dwa wygodne fotele. Uznała to jednak za niestosowne. Siedzieć to sobie można, gdy się ma w planach rozmowę o majowej potańcówce.

Z gabinetu wypadła, płacząc, Józefina, nauczycielka prac ręcznych. *Cała jej drobna postać wyrażała najwyższą rozpacz*, jak to wzniośle piszą w powieściach, więc pannie Kalinowskiej ścisnęło się serce. Chciała podejść i powiedzieć coś pocieszającego, ale koleżanka nawet nie spojrzała na Łucję. Pobiegła gdzieś, łkając i szukając po kieszeniach chusteczki. Teraz była jej kolej. Zapukała, weszła i od progu usłyszała:

– Cztery zabrali. Dwie siostry Hopfer, tę Kaczmarkównę w okularach i Maszyńską. No, ci ostatni po prostu wykorzystali okazję, bo mieli u nas dług. A tak to Maszyńska wpadła, zrobiła przedstawienie, zabrała córkę i nie dała mi dojść do słowa. Zapewne odczuwa teraz wyższość moralną. Będzie opowiadać, że córka skończyła jedynie cztery klasy, ale tylko dlatego, że matka zadbała, by nie była w tym gnieździe rozpusty. To tyle w ciągu dwóch dni. Odejdzie więcej, to oczywiste. Fakt jest taki: dwadzieścia lat budowania dobrej opinii jest niczym wobec jednego trupa.

Łucja usiadła na wskazanym fotelu i popatrzyła na chlebodawczynię. Kierowniczka, jak zwykle cała w szarościach i na tle szarej tapety, rytmicznie stukała ołówkiem o blat biurka, niepostrzeżenie chyba dla siebie przechodząc pod koniec wypowiedzi w skandowanie. Je-dne-go tru-pa. Zmarszczki Wachowskiej układały się w ciekawy wzorek, jakby „Z". Łucję zawsze to śmieszyło, ale dzisiaj widziała, że litera się pogłębiła. Nie usłyszała ani słowa wyrzutu, co było wyrzutem największym. Milczała.

– Ja sobie oczywiście poradzę, mam oszczędności, mogę spokojnie do końca życia czytać i kaszleć. Wyjadę gdzieś, gdzie jest lepszy klimat dla płuc, ze zdrowotnego punktu widzenia nawet dobrze się składa. Pani ma taki dyplom, że też z głodu nie umrze. Ale pozostałe nauczycielki? Zwłaszcza te starsze? Co do uczennic, to większość w innej żeńskiej szkole zanudzi się na śmierć i będzie repetować z wyszywania koronek czy czegoś podobnego. Nie, mówi się: „dziergać koronki". Nieważne. Albo pójdą do gimnazjum miejskiego, szkoły bez porządnego matematyka. Niestety, nie ma się co oszukiwać: nawet jeśli teraz wszyscy nie zabiorą córek, to po wakacjach zimowych uczennice nie wrócą. Zostaną nam tylko sieroty i te, którymi nikt się nie interesuje. Przez jakiś rok mogłabym utrzymać pensję z własnych pieniędzy, no, może przez dwa... No, góra trzy. Ale potem? Pewnie, miło byłoby w ramach dobrego uczynku uczyć je za darmo, ale jakoś nie mam sumienia proponować tego pannie Markiewicz z chorą matką czy Józi Horowskiej z bratankiem na wsi – słowo „bratanek" zaakcentowała.

Proszę, Wachowska wiedziała o dziecku Józefiny. Łucja myślała, że jest jedyna, ale jednak nie. I natychmiast poczuła się jeszcze gorzej. Zniszczyła pensję kobiecie, która zatrudniła pannę z dzieckiem. A na dodatek była na tyle przenikliwa, że wiedziała, że ona, Łucja, też o tej sprawie wie. Łucjo, jesteś społecznie szkodliwa. Pasożyt na organizmie społeczeństwa.

Powinnaś udać się na możliwie najbliższy front i pielęgnować rannych żołnierzy.

– Mówię to pani pierwszej... nie do końca wiem dlaczego. Nie dlatego, że pewnie czuje się pani winna, bo i tak będzie się pani czuć, nawet gdybym kilkadziesiąt razy powtórzyła, że to mogło spotkać każdą z nas. Miała pani być moją następczynią. Bardzo pompatycznie to zabrzmiało. Tak, mimo pewnego braku przytomności... No, nic. Tani sentymentalizm nam nie pomoże. Przecież chciałyśmy wychowywać nowoczesne kobiety, które będą bronić polskości tak blisko niemieckiej granicy. Rozsądne, opanowane i energiczne. Trzymajmy się tego nawet na zgliszczach naszego programu wychowawczego. No i znowu zaczęłam. Przepraszam.

Kaszlała, żeby zamaskować wzruszenie, a Łucja poczuła, że udziela jej się zawstydzenie rozmówczyni. Przez chwilę panowała cisza. Wachowska podeszła do okna i rzuciła w przestrzeń, nie patrząc na nauczycielkę:

– Szkoła działać będzie do świąt. Proszę zacząć szukać sobie innej pracy. Ma pani rodzinę... gdzieś pod Łomżą, tak? To może tam pani poszuka? Bo w tym zaborze to już chyba jesteśmy wszystkie spalone. Tak, to był kiepski żart. Pomogę pani załatwić papiery. Albo może za granicą? Akcent ma pani doskonały, dyplom z Lozanny też robi wrażenie. Tak więc o panią się nie martwię.

Znów przez chwilę panowała cisza. Łucja wiedziała, że wypadałoby coś powiedzieć, ale zupełnie nie miała pojęcia, co jest odpowiednie i na miejscu. Przełożona patrzyła na nią zresztą tak, jakby dokładnie zdawała sobie sprawę, co też Łucja mogłaby rzec. I z góry miała na to przygotowaną odpowiedź. Zmarszczka na chwilę się wyprostowała. Wachowska wyciągnęła do Łucji rękę i powiedziała:

– W nocy myślałam: kiedy zakładałam szkołę dwadzieścia lat temu, moje pomysły były nowoczesne. Czułam się reformatorką. Teraz się zastanawiam, że może sama instytucja szkoły tylko dla dziewcząt jest przestarzała? Może to koedukacja jest przyszłością? Może to, że Marianna wymykała się do chłopców, nie jest oznaką jej demoralizacji i naszej klęski, ale całkiem zdrowy odruch? Proszę nie robić takiej miny. To tylko takie hipotetyczne rozważania. Teraz już żadnej szkoły, nawet koedukacyjnej, zakładać nie będę. Jadę odpocząć do sanatorium. Szwajcarskiego, ma się rozumieć.

I to był koniec rozmowy, bo kierowniczka tak się rozkaszlała, że wypadało wyjść.

Łucja też się o siebie nie martwiła. Miała takie głupie szczęście, że zawsze sobie radziła niejako mimochodem. Dawała się nieść fali wydarzeń, bo energiczne działania nie były jej mocną stroną. Nie miała też biednej chorej matki i dziecka na wsi, tylko dość zamożną siostrę oraz jej dzieci. I właśnie postanowiła, że pojedzie tę swoją rodzinę odwiedzić.

PIĄTEK,
1 GRUDNIA 1922

Felicja Ratajczakowa była ciemnowłosą trzydziestotrzylatką z dwoma dołeczkami w okrągłej buzi i dużymi niebieskimi oczami. Mimo tych zalet miała problemy ze znalezieniem męża, bo jej ojciec, aptekarz, trafił do więzienia w związku z podrabianiem recept na morfinę.

Gdy miała dwadzieścia lat, została sama z histeryczną i ciągle sprzątającą matką oraz dwiema młodszymi siostrami. Jedna z nich już w dzieciństwie ciągle nurzała się w odmętach melancholii napędzanej literaturą, druga co tydzień odnajdywała nową ideologiczną drogę. Matka zaś wkrótce umarła, we właściwy sobie sposób unikając odpowiedzialności. Ale Felicja nie straciła wrodzonego optymizmu, spokoju ducha i przekonania o własnej wartości. A przede wszystkim niezmąconego rozsądku. On bowiem był dominującą cechą jej usposobienia.

Zarabiała więc szyciem, lekcjami i czym tylko się dało, bo musiała utrzymać obie mało praktyczne młodsze siostry. Dbała przy tym o swoją opinię, nie chodząc na żadne potańcówki i biegając na majowe, czerwcowe, październikowe oraz inne nabożeństwa z miesiącem w nazwie. Jak się okazało, wiara w przyszłość była uzasadniona, bo znalazł się kandydat na męża może nie idealny, ale ślepo zakochany. Hieronim.

Sama z pewnością nie była ślepo zakochana, ale odczuwała do niego dużo sympatii. W innych okolicznościach pewnie by się zastanawiała, czy warto wychodzić za policjanta z rodziny podejrzanej bardziej niż jej własna. Pierwsze odwiedziny u przyszłego teścia, na które się uparła, prawie całkowicie ją od małżeństwa odwiodły. Dwie izby, brak firanek oraz odór alkoholu zniechęciłyby nawet mocniej od niej zdesperowaną osobę. Ponieważ jednak dokładnie tej samej nocy została obudzona kroplami deszczu padającymi przez dziurawy dach, decyzja była oczywista i spontaniczna. Do tego absztyfikant wydawał się urodzonym pantoflarzem, co bardzo spodobało się energicznej Felicji.

Po latach małżeństwa i urodzeniu czwórki dzieci przeczuwała już jednak, że najwyraźniej popełniła jakiś błąd. Do końca nie wiedziała, na czym on polegał. Hieronim Ratajczak był dobrym mężem, w każdym razie najlepszym z jej znanych. Miał też tę zaletę, że jako policjant nie poszedł na wojnę i nie zginął.

Potem został powstańcem, ale tu z kolei miał szczęście, zresztą z całych Mańkowic zginęło tylko kilka osób, z czego trzy podobno przez przypadek. Jednak jej pełen cnót Hieronim z wielkim trudem awansował i nie zanosiło się, by Felicja miała zostać komisarzową w najbliższym dziesięcioleciu. Jej mąż miał w sobie jakąś dziwną miękkość, która chyba przeszkadzała w pracy.

Tak, z Ratajczakiem coś było nie tak, choć gdyby poproszono ją, by powiedziała, co takiego, Felicja zdenerwowałaby się. Bardzo. Coś musiało być, w przeciwnym razie jej całkiem bystry mąż z pewnością byłby już znacznie dalej niż we wspólnej sali na komendzie w Mańkowicach. Może za mało miał pewności siebie? Nie umiał się znaleźć w towarzystwie? Do głowy przychodziło jej też czasami, że może to kwestia teścia w więzieniu, ale natychmiast tę myśl odrzucała.

Zaczynało im w dodatku zwyczajnie brakować pieniędzy, bo dzieci rosły, a jej dwie młodsze siostry miały mniej szczęścia i nie znalazły chętnych do małżeństwa. Jedną udało się wysłać do seminarium nauczycielskiego i była teraz opiekunką młodszych uczennic w szkole panny Wachowskiej, a wolne chwile spędzała, czytając książki po niemiecku oraz francusku, chodząc po okolicznych lasach i znosząc z nich jakieś zioła, ptaszki bez nóżek i skrzydełek... i tym podobne tałatajstwo. Druga siostra zaś po ukończeniu szkoły panny Wachowskiej głównie czytała poezję i sama próbowała składać jakieś sonety. Do tego odmówiła przyjęcia posady w sklepie i najwyraźniej planowała robić karierę literacką, wysyłając te swoje wiersze do pism dla pań.

Jednym słowem: nie wyglądało to wszystko dobrze. Rzeczywistość odstawała od wyobrażeń w sposób nieprzyzwoity. Miały być przyjęcia i zebrania koła dobroczynności. Zebrania co prawda są, ale Felicja nie grała tam nigdy pierwszych skrzypiec, do czego była zdaniem własnym i najbliższego otoczenia predestynowana. Nie miała zresztą za wiele wolnego czasu, wychowując dzieci. Ale coraz częściej myślała, że mimo nawału obowiązków powinna sama zająć się karierą męża. I szukała na to sposobu.

Jednak żadne rozmyślania nie przeszkodziłyby jej w systematycznym froterowaniu podłogi. Musiała sama to zrobić, oczywiście, choć było to zadanie Hanki. Ta niemądra panna pobiegła pomagać siostrze, bo pracodawcy tamtej lepiej płacili. Małgosia była pokojówką, a nie tak jak Hanka dziewczyną do wszystkiego. Jak kogoś stać, to ma nawet w Mańkowicach pokojówkę. I osobną kucharkę.

Przyjrzała się swojemu dziełu. Podłoga we wszystkich pomieszczeniach lśniła, co mimo wszystko napełniło ją zadowoleniem. Bardzo elegancko. Niezależnie od okoliczności, zawsze lepiej mieć ładną podłogę. Nikt nie powie, że Felicja poddaje się z powodu złych warunków materialnych, o nie. Rozsądek przede wszystkim.

Cofając się na kolanach, dotarła do przedsionka. Uchyliła na chwilę drzwi, uważając, by nie wpadł śnieg. Przez chwilę wsłuchiwała się w ciszę. Ani żywego ducha. Spokój i biel. Tę ciszę nagle przerwał histeryczny pisk. Pewnie jakiś dzieciak zjeżdża na sankach.

Ciasto się przypaliło. Oczywiście. Jak się samej nie dopilnuje, to nie ma szans, żeby Hanka pamiętała, nawet będąc w tym samym pomieszczeniu co placek. Że jest głupia, to wiadomo, ale że nie ma też zmysłu powonienia? Pobiegła szybko do kuchni, niszcząc idealną czystość podłogi. No tak, Hanki nie było. Przecież jeszcze przed chwilą o tym myślała. Podłoga brudna, placek się pali, w dodatku ktoś puka do drzwi. Wszystko na głowie Felicji.

Tego, że biedna Hanka zostanie znaleziona bez głowy na polanie w podmiejskim lasku, oczywiście nikt się nie spodziewał. Wyglądało to bardzo fantazyjnie: wśród bieli śniegu głowa zatknięta na gałąź i owinięta dookoła mysim warkoczem nieboszczki. Do tego głową w dół na świerku wisiała reszta ciała, z czerwonymi rękami wzniesionymi do góry i przywiązanymi do pnia drzewa. To znaczy: gdyby głowa była na swoim miejscu, zwisałaby w dół.

Ratajczak patrzył i zastanawiał się, jak to sformułować w raporcie, żeby głupio nie brzmiało. *Bezgłowym korpusem w dół?* Analizował też, jakim cudem jego pierwszą reakcją na widok trupa była właśnie taka głupia myśl.

Podszedł jednak bliżej i zauważył, że ręce przywiązano do drzewa podwójnym węzłem ósemkowym, na widok którego silnie się zarumienił i przeszły mu filologiczne rozważania. Tupał nogami w miejscu, chcąc się trochę rozgrzać. Nie mógł raczej liczyć na pomoc w rozważaniach. Jego podkomendny Wojtek Nowak biegał jak opętany, zadeptując pewnie ślady. Wasiak był wraz z Kowalczykiem we wsi Młynowo, gdzie podobno ktoś widział ukradzione w Mańkowicach worki cukru. Głupi Hoffmann poszedł chyba do domu; jego żadne zadanie zawodowe nie mogło oderwać od myśli o wiarołomstwach żony. Na nawoływania Hieronima w każdym razie ani Nowak, ani Hoffmann nie odpowiadali. Wojtek zresztą na pewno pierwszy raz widział trupa w naturze. W dodatku od razu trupa w kawałkach.

Hieronim przywołał Nowaka, z pewnym zażenowaniem wrzeszcząc:

– Nowak, ty przeklęty lalusiu, wracaj tu, kurwa! Histerie to se możesz w domu wyprawiać.

Ostatnie słowa wypadły już znacznie ciszej; nie był znowu aż tak zirytowany, żeby się drzeć jak imbecyl. Ale podobno tak trzeba ze świeżymi, choć zawsze głupio się czuł, krzycząc na młodego człowieka. Sam nie cierpiał tych agresywnych policjantów, równie wulgarnych jak tropieni złoczyńcy. No nic, skoro trzeba, to trzeba.

Nowak – bez służbowej czapki, ale za to z zamarzniętą brylantyną we włosach i z jakimś idiotycznym szaliczkiem, który Wasiak pozwalał mu nosić ze względu na dziedziczną skłonność do zapalenia oskrzeli – w końcu się przywlókł. Wyraźnie osłabiony womitowaniem, popatrzył na Hieronima z pewnym wyrzutem.

– Nie zaszkodzi nadmienić, że mam po ojcu słaby żołądek – wyszeptał.

Chłopak był w połowie sierotą i przyzwyczaił się do tego, że najwyższą reprymendą jest powolne gderanie matki. Taki maminsynek, świetny materiał na policjanta, nie ma co. Hieronim popatrzył na niego badawczo i spytał:

– Ale na powstaniu to ty nie byłeś, co?

Wojtek przecząco pokręcił głową. Tyle razy już mu to pytanie zadawano. A co on winien, że jest jedynym synem swej matki?

Ratajczak zobaczył w jego oczach to samo znużenie, które odczuwał, gdy jego samego pytano: *Ale klasę w gimnazjum to ty powtarzałeś, co?* Postanowił dać mu spokój:

– Dobra, popraw sobie ten fikuśny szaliczek i biegnij po doktora Kormana. Albo kogoś innego ze szpitala. Albo po Szulca, ale nikomu na Piaskach nic nie opowiadaj. No, tempo.

Nowak pierwsze trzy kroki wykonał ze spokojem, żeby Ratajczak sobie za dużo nie myślał. A potem puścił się pędem, aż mu szaliczek z tyłu powiewał.

Hieronim, jak zwykle w chwilach silnego zdenerwowania, pogrzebał w kieszeniach i wyjął coś słodkiego. Landrynki oczywiście wykupione, więc niech będzie trochę brudny karmelek.

Żeby to cholera wzięła. Nie dość, że morderstwo, to jeszcze trzeba będzie nowej dochodzącej poszukać. Felicja znowu powie, że to jego wina. Ostatnio wszystko było jego winą, więc nie będzie w tym nic dziwnego. Hanki oczywiście żal, choć tak właściwie jej nie znał. Przychodziła rano, wieczorami jej nie było. Robiła razem z Felicją te wszystkie kobiece rzeczy. A on w tym czasie był w pracy.

Spojrzał znowu. Panna służąca rodziny policjanta Ratajczaka robiła wrażenie dużej lalki, która dostała się w ręce źle wychowanej i obdarzonej nadludzką siłą dziewczynki. Albo gęsi, która miała się wykrwawić na czerninę, tę najbardziej obrzydliwą zupę świata. Krew zastygła jednak bardzo szybko w ciemnoczerwone sople mrozu. Prawie czarne.

Zaraz wpadnie tu tłum ludzi, dlatego myślał gorączkowo, co należy robić. Trupa znalazły dwie dziewczynki, które już pobiegły do domu, odgonione przez Ratajczaka. Po drodze na pewno wszystko wszystkim opowiedzą. Sam się dziwił, że zachowuje mimo wszystko względną jasność umysłu. Nie był policyjnym wygą, codziennie spotykającym na swej drodze ofiary morderstwa. Albo policjantem, który wezwany do oględzin zwłok wyjmuje fajkę czy dłubie sobie w zębach. Wręcz przeciwnie, miał świadomość, że oto stało się coś niespotykanego. W Mańkowicach nawet komisarz Wasiak, od czterdziestu już lat stróż prawa, miał z morderstwami do czynienia zaledwie kilka razy. I biorąc pod uwagę jego opowieści, nigdy nie były to młode dziewczyny. Raczej jakiś stary pijak i facet, który swoją żonę bił dla zdrowia kilka razy dziennie. Ta w końcu postanowiła mu oddać. Tasakiem.

Hieronim zaś ostatniego trupa widział w czasie powstania. Miał z nim nawet bliski kontakt, bo zawartość brzucha tego na oko dwudziestolatka wylała się na niego. I na kilka osób obok. Do tej pory pamiętał głupi wyraz twarzy chłopaka, coś jak: *A więc tak wyglądają moje wnętrzności?* Ale raczej długo się nie męczył. Ratajczak ciekaw był, komu z kolegów też się śnił do tej pory.

Pochodził jeszcze trochę. I dobrze, bo jednak biel śniegu i mróz mają właściwości uspokajające. Teraz Hieronim już w zasadzie nie był zdenerwowany, choć przez głowę przechodziła mu myśl o tym, że pewnie głupio wygląda, przestępując z nogi na nogę w towarzystwie trupa. Ale to wszystko z zimna. Proszę, już jakiś ciekawski się przypałętał. Stary Król, rzeźnik i pijak, w obu fachach specjalista. Hieronim wypluł resztę cukierka, odkaszlnął i zawołał:

– Czegoś tu, Król, przylazł? Nie zadeptuj śladów! W domu na ciebie nikt nie czeka? Idź lepiej sprawdź.

Staruch wzruszył ramionami i zrobił kilka kroków do tyłu:

– Ja żem tylko przechodził. Pieska zgubiłem.

Ratajczak już chciał machnąć ręką, ale uderzyła go myśl. Podszedł do Króla i zapytał:

– Słuchaj, coś ostatnio w ogóle psy często giną. Widziałeś może takiego kundla z krótkimi nogami? Albo białego pudla?

– Pudło?

Stary podrapał się w głowę, jakby pierwszy raz w życiu usłyszał to słowo. Co zresztą było możliwe.

– Nie, pudła nijakiego, białego też, nie widziołem.

Ratajczak odwrócił się, kątem oka obserwując jednak, czy Król grzecznie odchodzi. Hieronim nie lubił faceta. Obrzydliwy był. Podkomisarz jeszcze raz sprawdził, czy nadal sterczy i się gapi. Poszedł, a Ratajczak znów popatrzył na to, co zostało z Hanki.

Sprawa Marianny Szulcówny uznana została przez Wasiaka za samobójstwo i tak też opisana w obszernym raporcie. Nikt z Poznania tego nie zakwestionował. Ale, jak widać, skoro miało być jakieś zabójstwo w miasteczku, to proszę, teraz jest. Tu nie można było mieć wątpliwości: nieboszczka sama sobie głowy nie obcięła i nie przywiązała się pośmiertnie do pnia drzewa. Rzucało to nowe światło (albo raczej cień) na pierwszą śmierć.

Obie te sprawy razem wyglądały wyjątkowo obrzydliwie. Zabójstwo Hanki zburzyło całą konstrukcję myślową, którą stworzył sobie Hieronim. Że nie ma co szukać, bo Marianna pewnie powiesiła się z tej sierocej rozpaczy. Że spokój mieszkańców, że znowu jakieś obrzydliwe rzeczy wyjdą. Że nikomu to nic dobrego nie przyniesie.

Zarumienił się, kiedy przypomniał sobie swoje wykręty i niemądre złośliwości pod adresem nauczycielki przyrody. Miała rację, stwierdzając, że sprawa jest podejrzana. Pamiętał zawód na jej miłej, drobnej twarzy z ciut za dużym nosem, kiedy coś bredził o zaletach szkół gospodarskich dla dziewcząt. No, właśnie, Łucja miała nosa, a on nie.

Znowu zrobił kółeczko dookoła polany. Patrzył z pewnym zadowoleniem na Zenka, dwudziestodwuletniego praktykanta z zakładu fotograficznego Holzer i Syn. Zanim przyjechałby policyjny fotograf z Poznania, cały las by tu zadeptali. Praktykant niezbyt bystry, ale przyjął widok znacznie spokojniej niż początkujący stróż prawa. Po prostu zabrał się do pracy. Hieronim chciał mieć porządne zdjęcia tego wszystkiego. Starego Holzera wolał oszczędzić, facet sam wydawał się już bliski rozkładu.

Teraz Ratajczak był ucieszony z tej decyzji, bo Zenon Wiśniewski zachowywał się spokojnie, jakby to nie było miejsce zbrodni, ale atelier jego szefa, a zamiast Hanki bez głowy robił fotografie Hanny z głową i na przykład świeżo poślubionym mężem. Zazwyczaj bowiem głównie tego typu okazje mańkowiczanie uwieczniali.

– Jak idzie? – zapytał Ratajczak, żeby zagadać. Dobrze jest czasami usłyszeć ludzki głos.

– Dobrze – odparł krótko praktykant, ale to policjantowi wystarczyło.

Dobrze. No, to dobrze.

Zenek metodycznie fotografował wszystko kawałek po kawałku. Pierwszy raz coś takiego widział, ale skupiał się na pracy. Nie był, szczerze mówiąc, zbyt wrażliwy. Ktoś uprzedzony powiedziałby pewnie, że jest prostakiem. Jednak sam Zenek uważał tylko, że wykonuje swoją robotę bez zbędnego rozczulania się.

Teraz jednak chodziła mu po głowie myśl, że Holzer byłby z niego dumny. Oraz druga, trzecia i czwarta myśl, które zawsze w takiej sytuacji za pierwszą podążały: czy to jest sprawiedliwe, że Syn zajmuje się niestety głównie romansowaniem i robieniem pokątnie zdjęć erotycznych? A i tak będzie właścicielem takiego zakładu? Dlaczego życie nie jest sprawiedliwe, jeśli jesteś porządnym człowiekiem? Ale to wszystko mu nie przeszkadzało w precyzyjnej pracy. Swoje robił i swoje wiedział.

Hieronim ciągle nie mógł się przyzwyczaić do tego, że po Mańkowicach jeżdżą automobile. Dlatego wzdrygnął się, słysząc pojazd doktora Kormana. Ciekawe, czy one kiedyś będą cichsze. Z eleganckiego automobilu wysiadł lekko sam dyrektor szpitala, a potem Wojtek. Tyle mieli rozsądku, żeby zatrzymać się dość daleko od feralnego drzewa. Ratajczak wyszedł im na spotkanie. Korman, wysoki i zbudowany zgodnie z renesansowymi proporcjami, zazwyczaj chodził w bieli kontrastującej z lekko smagłą cerą. Teraz jednak, skoro spadł śnieg, lekarz zdecydował się na odcienie czerni przełamanej białym szalikiem. Przystojny był jak cholera.

Razem z Nowakiem, pojazdem i szalikami wyglądali na ruchomy plakat reklamujący rozwój motoryzacji na ziemiach polskich. Wydawało się, że Korman ma tego świadomość, bo uśmiechał się do Hieronima z lekka ironicznie. Ratajczak nigdy nie rozumiał, jak ten facet może łączyć fircykowaty wygląd i talent do romansowania z ostentacyjnym dystansem do swoich uroków. A może to był właśnie ten jego dodatkowy urok.

Podeszli z Nowakiem, ale Ratajczak zrobił gest, który młody policjant słusznie odczytał jako zachętę do spaceru. Dyrektor szpitala wyciągnął do Hieronima swą wypielęgnowaną dłoń. Uścisk miał subtelny, ale krzepki.

– Czy to prawda? Ostatnio spotykamy się w nieciekawych okolicznościach. Lepszy byłby jakiś zjazd absolwentów, co? O, wybacz. Rozumiem, że mam po prostu stwierdzić zgon? – odezwał się bardzo miłym dla ucha głosem.

Trudno było go nie lubić. Ale Hieronimowi jakoś się udawało. I to już kawał czasu. Ratajczak pokiwał głową:

– Na cudowne wskrzeszenie nie liczymy. Bezsprzecznie trup.

Podeszli razem do drzewa. Wojtek został przy automobilu. Zenek, oczywiście, szykował się, żeby i im zrobić zdjęcie. No, nic, będzie dokumentacja, że wszystko porządnie się odbyło.

– O, Jezu – skomentował krótko Korman.

Zapadła cisza.

– To wasza Hanka, tak? Czy może...? – zapytał zduszonym głosem lekarz.

Hieronim pokiwał głową. Hanka.

– Siostra naszej pokojówki. Małgosi – powiedział Korman, jakby to teraz robiło jakąś różnicę.

Pochylił się nad głową i kawałkiem szyi denatki. Ktoś wykonał cięcie dokładnie równo z linią tułowia. Korman przyglądał się przez chwilę. Westchnął głęboko, jakby spotkała go jakaś osobista przykrość.

– Słuchaj, mnie się zdaje, że... no, widzisz, tu jest tyle krwi, no, na tym śniegu, że prawdopodobnie ktoś ją najpierw powiesił, owszem... widać po pręgach na szyi, ale jeśli jest tyle krwi, to znaczy, że jeszcze żyła, kiedy odcinał jej głowę. Tak jakby miała się wykrwawić... jakby u koszernego rzeźnika. Wiesz, między powieszeniem a śmiercią mija czasem kwadrans czy nawet pół godziny... skrócił jej mękę chyba...

– Wiem. Albo sama się powiesiła, a ktoś inny odciął głowę jeszcze za życia...

Korman wyglądał z bliska, jak na siebie, bardzo blado, wręcz zielonkawo? Hieronim przyjrzał mu się badawczo.

– No, tak, jest i taka możliwość – zgodził się lekarz – ale nie jestem specjalistą, zaznaczam. Tylko kto byłby taki... chory? Nie wiem, jak to nazwać. Może jakiegoś innego lekarza poszukamy? Nie czuję się kompetentny.

– A kto w Mańkowicach jest specjalistą od trupów w kawałkach? Przecież w całym szpitalu mamy trzech lekarzy. Ty i tak się znasz najlepiej. Przy okazji, sam też kiepsko wyglądasz. Chyba że zawsze robisz się zielony w obecności denatów.

– Zwykle się nie robię. No, masz rację – westchnął – ale trzeba się skontaktować z Poznaniem. Musi to zobaczyć policyjny lekarz. Chyba wszystko wskazuje...

Nie dokończył. Przez chwilę była cisza. Przerwał ją dzwonek rowerowy.

– Słyszysz? – zapytał Hieronim. – Poznaję. To ta wariatka z „Gońca Mańkowickiego", zresztą tylko ona i ja jeździmy rowerem po takim śniegu. Czyli z Poznaniem już jesteśmy skontaktowani. A jak będziemy mieli pecha, to i z Warszawą.

– Znam, znam – skrzywił się Korman – napisała o mnie, że... zresztą, nieważne, nic pochlebnego w każdym razie. Przydałby jej się jakiś mąż czy choćby...

Ściszył głos, bo Anna Woźniakówna była już bardzo blisko. Zgrabnie zeskoczyła z pojazdu i posłała obu panom profesjonalny dziennikarski uśmiech. Była to całkiem przystojna kobieta trochę przed trzydziestym rokiem życia, w dodatku posiadaczka kamienicy, jak mańkowiczanie zwykli dodawać na jednym wydechu. Miała bujne blond włosy, takież brwi i rzęsy, niebieskie oczy i zgrabne nogi, co ujawniało się szczególnie przy jeździe rowerem. Miała też biały kożuszek i oryginalną czapkę konfederatkę.

Wszystko to razem mogłoby pewnie budzić sympatię. Jednak Hieronim wiedział, że za tą powierzchownością kryje się zestaw kobiecych cech może nie najgorszy z możliwych, ale najbardziej dla mężczyzny irytujący: duet wścibstwa i egzaltacji. Dlatego teraz wciągnął brzuch, zmarszczył brwi i poprawił czapkę z surową miną. Kątem oka dostrzegł, że Korman jakoś nie zauważył tych przygotowań, zajęty melancholijnym wpatrywaniem się w dal. Dziwne, zwykle korzystał z okazji, by wypowiedzieć w stronę Ratajczaka jakąś ironiczną złotą myśl, która wpędzała policjanta w kompleksy. Dziennikarka odezwała się swoim miłym altem:

– Witam szanownych panów! Cieszę się, że obaj tu jesteście. Będę mogła od razu porozmawiać z dwoma specjalistami. Po pierwsze: czy wolno mi obejrzeć... zwłoki? – zwróciła się z uśmiechem do Hieronima.

Ten odpowiedział:

– I tak pani tam wlezie, a siłą pani nie zatrzymam. Tylko proszę mi powiedzieć, skąd u pani to zadowolenie?

Panna Woźniakówna wzruszyła ramionami i podeszła do trupa. Nie przestawała przy tym perorować:

– Ja nie jestem zadowolona. Ja mam satysfakcję. Szerszej natury. Obie z Łucją powtarzałyśmy, że sprawa Marianny jest podejrzana. Ja przede wszystkim powtarzałam, bo Łucja zawsze boi się dochodzenia do ostatecznych konkluzji. Ale ona też tak myśli. I proszę, miałyśmy rację. Chyba pan nie powie, że to się nie łączy? I że nie świadczy o zatrważającym poziomie moralnym miejscowej społeczności? O kołtunerii i drobnomieszczaństwie? I nie powie pan, że to mówi o potrzebie oświecania szerszych mas społecznych w naszym młodym kraju? O, i ten krzyżyk u nieboszczki? Nie powie pan chyba, że nie świadczy wymownie o jej smutnej egzystencji? O negatywnym wpływie Kościoła katolickiego, tej ostoi zabobonów? No, nie powie pan chyba?

Hieronim westchnął wewnętrznie i poddał się nurtowi rozmowy. Wiedział, że i tak jej nie przegada, więc postanowił po prostu jak najzwięźlej odpowiedzieć na pytania. A cholerny Korman skorzystał z okazji i gdzieś sobie zniknął.

Po rozmowie z jednoosobową redakcją „Gońca Mańkowickiego" czuł jeszcze większe zdenerwowanie niż w pierwszej chwili po zobaczeniu trupa. Przeklęta kobieta naczytała się chyba jakichś powieści w odcinkach, w których błyskotliwy policjant na podstawie jednej porzuconej chusteczki oraz układu ciała trupa zaraz rozpoznaje, że mordercą był wysoki brunet o piwnych oczach, kuzyn ciotki brata wujka denata. Ratajczak co prawda też się naczytał, jednak traktował te opowieści mniej więcej tak jak Felicja doniesienia z życia towarzyskiego najwyższych sfer. Czyli – ciekawe, ale daleko od Mańkowic i pewnie nieprawda.

A Woźniakówna, proszę, zapytała go, jaka jest hipoteza śledcza. Widać, że obeznana ze słownictwem.

Pytała go też oczywiście o związek zbrodni z poprzednią śmiercią w Mańkowicach. Stała i notowała z ważną miną swoje wrażenia z miejsca mordu. Patrzył na jej oprawiony w skórę notes i zastanawiał się, jak to możliwe, że ludzkość żyła tak długo w spokoju przed wynalezieniem prasy. Już wiedział, że przeczyta niemiłe rzeczy o sobie nie tylko w „Gońcu", ale i wszystkich tych pismach, do których irytująca panna wysyłała korespondencje. Chyba kilkunastu.

Trup Hanki został umieszczony w szpitalnej kostnicy, co też uwiecznił młody Wiśniewski. Był już najwyższy czas, żeby zabrać nieboszczkę z publicznego widoku, bo na polanie zebrało się około setki osób, z czego większość bez skrępowania przedstawiała głośno swoje hipotezy śledcze. Ratajczak na tyle się zirytował, że kazał Hoffmannowi zaprowadzić jednego domorosłego detektywa do buchty i wypuścić go po godzinie. To uspokoiło nastroje i ludzie powoli się rozeszli. A Hoffmann oczywiście przy okazji zniknął po raz drugi. Gdy Hieronim podziękował za pracę Wiśniewskiemu, pożegnał kolegów i osobiście sprawdził, czy Hanka jest w kostnicy, ogarnęła go melancholia. Poszedł do domu drogą najbardziej okrężną z możliwych, żeby pomyśleć. Żal mu było tej dziewczyny. Dlaczego to ją zabito? Na pewno nic złego nie zrobiła. Może i ludzkość nie miałaby z niej wielkiej korzyści, ale mogła być dobrą żoną i matką.

Z tego wszystkiego w domu znalazł się dopiero koło dziewiątej wieczorem. Czekał na niego przypalony placek oraz pełna pretensji, zdenerwowana Felicja. Jakby to była jego wina, że zabito właśnie ich służącą. Dzieciom musiał przysiąc na policyjne słowo honoru, że Hanka na pewno nic nie poczuła, kiedy odcinano jej głowę. Zasypiając, zastanawiał się, czy jest to duży grzech, czy może raczej średni. Nie dane jednak było mu tej nocy się wyspać.

SOBOTA, 2 GRUDNIA 1922

Są takie chwile w życiu małych miasteczek, kiedy wszyscy mieszkańcy niejasno odczuwają, że coś się wydarzy. Ten poranek grudniowy zapowiadał taki właśnie czas.

Nowakowa stanęła w bramie kamienicy z wielką szuflą do śniegu. Przeciągnęła się i ziewnęła, prezentując mocną kibić i dziury w zębach. Była kobietą czterdziestoletnią, więc może nie całkowicie starą, ale na tyle już pozbawioną pretensji do uniesień miłosnych, że swoje wdowie uczucia w całości przelała na syna Wojciecha. Zresztą, nawet kiedy mąż żył, nie dało się ich małżeństwa nazwać udanym. No, ale co było, to było. Ona nie należała do osób pamiętliwych, bardzo godny grób wystawiła nieboszczykowi. Teraz była ogólnie zadowolona z życia i pełna nadziei na przyszłość oraz liczną gromadkę wnuków.

Dobrze jej się pracowało u panny Woźniakówny i w pensjonacie Pod Lipami, a Wojciech miał powodzenie u dziewcząt. Właśnie, niech sobie dziecko jeszcze pośpi, tyle nerwów z tym trupem. Spokojna praca, tak mówili wszyscy pytani o radę co do przyszłości młodego Nowaka, żeby nie na introligatora, bo z tymi książkami to nigdy nie wiadomo, w policji to będzie bez problemów i państwowa posada. Okazało się to nie do końca prawdą.

Była dopiero piąta rano i panowała całkowita ciemność. Nowakowa lubiła satysfakcję z tego, że oto znowu wstała pierwsza. Wiedziała co prawda, że na Piaskach, części Mańkowic zaludnionej przez biedniejszą ludność, na pewno panuje już poranny ruch. Ale spośród mieszkańców rynku to ona wstała najwcześniej. O, trzasnęły okiennice u piekarza, wysunęła się ruda głowa i dyszkant zakrzyknął „Szczęść Boże". Odpowiedziała i zaczęła energicznie poruszać szuflą. Wciągnęła głęboko powietrze i patrzyła, jak fala zapalanych lamp powoli dochodziła do rynku.

Nie miała nigdy skłonności do mistyki, ale takie mroźne poranki budziły w niej zwykle miłe poczucie, że świat jest miejscem przyjaznym. Dzisiaj coś było nie tak. Ruda głowa z okna piekarza wystawała co kilka minut. Sklepikarka spod sąsiedniego numeru wyszła przed kamienicę z kijem w ręku. Na zdziwione spojrzenie Nowakowej zareagowała wzruszeniem ramion i schowała się do swojej bramy. Histeryczka. W innych oknach także zaczynała widzieć twarze ludzi, ciekawskie i chyba trochę wystraszone. Była osobą z natury bystrą, więc skojarzyła oczywiście fakty. Boją się, że gdzieś w ciemnościach jest morderca. I głośno się roześmiała. Tchórzliwych ma sąsiadów, nie ma co.

Śmiech ten jednak zatrzymał jej się gdzieś w okolicach żuchwy, bo nagle tuż przed nią stanęła barczysta męska postać.

– Szczęść Boże, pani Nowakowa – powiedział Ratajczak, dziwiąc się, jak ten głos pobrzmiewa na mrozie. Podkomisarz zaopatrzył się, z pietyzmem dla własnego gardła, w dwa szaliki. To był pierwszy ostry mróz w tym roku i Hieronim spodziewał się, że teraz przynajmniej trzy miesiące walki z własną krtanią przed nim.

– No, dobrze, że to pan, szczęść Boże, już się wystraszyłam, że to... jakiś tam.

Szuflę oparła o ścianę. Ratajczak uśmiechnął się, w miarę możliwości.

– Morderca? Wszyscy się boją, w nocy przybiegli powiedzieć, że ktoś leży pod kościołem. Miał być trup, a był ten woźnica, co czasem mleko przywozi, nie pamiętam nazwiska, ten z krzywym nosem. Przynajmniej nie zamarzł, taki z tego pożytek. Całą noc chodziłem po Mańkowicach, po drugiej już nie było sensu iść spać.

Popatrzył na szuflę.

– A czemu Wojtek tego nie robi? Żeby kobieta musiała...

– Panie Ratajczak, gdzie taki młody chłopak po tylu wrażeniach co wczoraj... Wrócił i zaraz zasnął, nawet mleka nie wypił.

Policjant skrzywił się lekko, ale zaraz skarcił się za to w myślach. Matka nie musi wiedzieć, że jej syn to laluś.

– Odrobi, dzisiaj w pracy. Też nas całkiem zakopało – powiedział Hieronim, dotknął ręką czapki i udał się w stronę siedziby policji. Po drodze planował sprawdzić, czy otwarty jest już sklep Matuszewskiego. Brakowało mu cukierków od Fuchsa. Już w zeszłym roku odkrył, że dobrze działają na bolące gardło. Trudno powiedzieć, na jakiej to chemicznej zasadzie, ale działały.

Nowakowa kiwnęła mu głową, a kiedy się odwrócił, wzruszyła ramionami. Syn nic nie mówi, ale taki przełożony niezbyt sympatyczny się wydaje. Niby Ratajczaka zna, od kiedy się do ciotki sprowadził, ale myślała, że jakiś bardziej delikatny w obejściu. Widać, że tresują tam Wojciecha, w tej policji. A miał mieć ciepło i w biurze. Dobrze, że stary Wasiak to pobożny człowiek, on by muchy nie skrzywdził. Tylko co będzie, jak Wasiaka wyślą na emeryturę?

Jak tylko Ratajczak się oddalił, przybiegła Egierowa w swoich trzech warstwach dziwacznych sukien. Nadal było ciemno, ale poznała ją po ruchach. Ta to zawsze jakby się skradała, zawstydzona własną osobą. Podeszła aż za blisko, pytając Nowakową:

– I co, co powiedział?

– A co miał mówić? Że mróz będzie, powiedział, i że pijaka jakiegoś znaleźli wczoraj. – Wzruszyła ramionami z wyższością, bo Egierowa była tak samo głupia jak ciekawska.

– I nic o tym zabójcy?

– Nic. Idź, kobieto, lepiej córki pilnować, bo znowu ucieknie Bóg wie gdzie. A widać, że ten morderca lubi młode panny, co się kiepsko prowadzą.

Egierowa chwilę pomyślała, ale nie do końca pojęła, że obrażają jej latorośl. Na wszelki wypadek splunęła. I zniknęła. Nowakowa skończyła machać szuflą, a potem poszła zagrzać mleko dla syna.

Hieronim udał się więc na komisariat, po drodze kupując sobie w sklepie Matuszewskiego landrynki oraz wszystkie możliwe gazety. Były tylko trzy, za to w każdej znalazł coś ciekawego dla siebie. Albo nawet – o sobie. Choćby pośrednio. Wiedział o tym, jeszcze zanim zabrał się do czytania, bo kolejka złowrogo zafalowała, kiedy tylko pojawił się na progu sklepu. I nie miał tym razem pierwszeństwa, a pan Matuszewski na jego widok jedynie przygryzł wąsa, zamiast zgodnie ze swoim zwyczajem uśmiechnąć się szeroko.

Po pierwsze, „Goniec Mańkowicki", wydanie specjalne, drukowane jeszcze w nocy. Trzeba przyznać, że redakcja działała bardzo sprawnie. Hieronim wiedział, że czasami w przygotowaniu numeru pomagała jego szwagierka Klara, dlatego czytając, poczuł tym większą irytację. Panna Woźniakówna, podpisana imieniem i nazwiskiem, zadawała szereg pytań. Zapewne słusznych, ale jako jeden z adresatów Hieronim czuł się bardzo nieprzyjemnie. Najpierw był opis trupa, trzeba przyznać, że niezbyt drastyczny. Autorka nie lubowała się w okropnościach, bardziej interesował ją szerszy aspekt zdarzenia. Dzieliła się refleksjami na ogólnym tle panoramy nikczemności w naszym młodym państwie, mówiąc jej językiem. Artykuł zatytułowany *Zbrodnia jako skutek chorobliwych stosunków społecznych* kończył się takimi refleksjami:

Służąca Hanka, która chciała w czasie wychodnego zastąpić chorą siostrę, zapłaciła za swe dobre serce cenę straszliwą. Kogóż jednak obchodzi los biednej służącej, pozbawionej oparcia w koneksjach rodzinnych i majątku? Czy policja znajdzie czas i ochotę, by zająć się sprawą tej biednej istoty? Czy też, jak w przypadku Marianny Szulcówny, sprawa zostanie uznana za samobójstwo? Wydaje się, że byłoby to zbyt grubymi nićmi szyte. Czy samobójcy sami odcinają sobie głowy? Mańkowicka policja spróbuje nam pewnie wmówić, że owszem. Jak to świadczy o stanie naszego młodego państwa, o jego organach? Czy musi zginąć ktoś bogaty, by uznano, że warto się sprawą zająć? Zastanówmy się jednak: czy gdyby przedsięwzięto właściwe środki po śmierci pierwszego dziewczęcia, doszłoby do kolejnej zbrodni? Któż jest więc winny tak samo prawie jak zabójca? A może – ze społecznego punktu widzenia – bardziej nawet?

Wiadomo – policja. A konkretnie Hieronim, bo to on przecież powinien był od razu po znalezieniu trupa nieomylnie wskazać zabójcę. Drugi zwracający uwagę artykuł pozbawiony był tak wielu pytań, ale równie niewesoły. Jak słusznie stwierdził pan Zakrzewski, nadzieja poznańskiego dziennikarstwa, w swoim tekście zamieszczonym w „Orędowniku":

Zbrodnia tak straszna musiała być dziełem umysłu chorego i zdegenerowanego. Hanna Milczarek, panna w wieku lat dziewiętnastu, znana była z pracowitości i dobrych obyczajów. Potwierdzają to zgodnie wszyscy mieszkańcy Mańkowic. Służyła jako pomoc w dwóch domach, posyłała pieniądze biednej matce na wieś. Tę pożyteczną jednostkę życia pozbawił ktoś bez sumienia, ponury zabójca. Myśl, że wśród nas, Poznańczyków, w spokojnym miasteczku znanym dotąd tylko z doskonałego poziomu szkół, jest złoczyńca obrzydliwy, napawa wstrętem. Zadać przy tym należy pytanie: co robi policja, by zbrodniarza złapać?

Wiedział, że nie ma żadnego Zakrzewskiego. Jest tylko właścicielka kamienicy w kilkunastu irytujących wcieleniach. Ale zadawał sobie to samo pytanie. Co on właściwie robi? Wcześniej też przez chwilę się zastanawiał, jakim cudem Hanka miała matkę na wsi, skoro ta sama matka zmarła sześć lat temu, ale takie rozważania były oczywiście nie na miejscu.

Trzecią gazetą był „Goniec Mańkowicki – wydanie poranne". Cała gazeta składała się z jednej kartki. Na niej widniało zamazane zdjęcie trupa. Oznaczało to, że Woźniakówna zmusiła biednego praktykanta do natychmiastowego wywołania zdjęć. Pod fotografią widniał wielki napis: CZY W MAŃKOWICACH JEST JESZCZE JAKAŚ POLICJA? Na samym dole zaś osoba podpisująca się jako K.N. prezentowała światu *Elegię na odejście prostej dziewczyny*:

Ty, która spracowaną ręką
uczciwie byt rodziny podtrzymywałaś...

Dalej nie czytał, bo od razu poznał styl. Tak, to była jego szwagierka Klara, która jeszcze niedawno twierdziła, że Hanka to kocmołuch.

Nie jest lekko być policjantem. Hieronim siedział przy biurku i nabijał fajkę kiepskim mańkowickim tytoniem. W takich momentach przez głowę przechodziła mu myśl, że jeszcze w czasie wojny mógł sobie pozwolić na dobry tytoń nie tylko w niedzielę. Ale taka refleksja była niepatriotyczna.

Układał sobie w głowie minione wydarzenia. Wczoraj zaczął działać bardzo energicznie i tylko kilka godzin starczyło, by dużo się dowiedział. Skoro ciało Marianny oraz, hm, kadłub Hanki przywiązane były tak samo powiązanym po marynarsku sznurem, to śmierć pierwszej dziewczyny coraz bardziej przestawała wydawać się samobójstwem.

Faceci z Poznania, którzy przyjechali wieczornym pociągiem wesprzeć nieporadnych kolegów z prowincji, nie mieli o tym pojęcia. Widzieli tylko Hankę. Zachował to dla siebie, a im dłużej odwlekał przekazanie informacji, tym dziwniej wyglądałoby, gdyby nagle sobie przypomniał. Im dłużej zaś nie mówił, tym większych spodziewał się kłopotów, gdyby się dowiedzieli. Tak niepostrzeżenie dla siebie wplątał się w coś dziwnego.

W tym momencie popatrzył na Nowaka, który myśląc, że Hieronim tego nie widzi, przeglądał się w kieszonkowym lusterku. Dla niepoznaki miał rozłożone jakieś papiery. I on ma z kimś takim znaleźć zabójcę? Albo zabójców?

Byli sami we wspólnej sali. Drzwi do Wasiaka zamknięte. Miał świadomość, że szuka kozła ofiarnego, ale to go nie powstrzymało. Postanowił przeprowadzić z podwładnym rozmowę, która co prawda nic nie da, ale popchnie myśli na inne tory. Odchrząknął:

– Słuchaj, Nowak...

Chyba nie usłyszał.

– Nowak, nie patrz w lusterko, bo licho zobaczysz.

Tak zawsze Felicja karciła Zosię, a Nowak był na podobnym poziomie intelektualnym. No i proszę, oderwał się od kontemplacji wizerunku.

– Naprawdę? Nie zaszkodzi nadmienić, że ojciec mój także posiłkował się tym powiedzeniem.

Ponieważ Hieronim wzruszył ramionami, młody policjant zawstydził się i schował lusterko.

– Słuchaj, ja dużo rozumiem. Powstanie – rozumiem, szaliczki – rozumiem, nawet twój kożuszek – rozumiem. Ale musisz wiedzieć, że nie wszyscy rozumieją. Wasiak na ciebie patrzy spod oka, a to on tu rządzi. To jest mała miejscowość i jeśli masz jakiś... no, jak to nazwać: feler? Wadę może? Taką cechę w każdym razie. No, więc jeśli masz coś takiego, to może lepiej wyjedź gdzieś, do jakiegoś miasta większego na przykład. W Mańkowicach będzie ci ciężko – w miarę jak mówił, tracił ochotę, by pastwić się akurat nad Wojtkiem, ale było już za późno.

– Nie, no słuchaj, ja cię nie wyrzucam. Masz piękne świadectwo z gimnazjum, fizycznie jesteś bardzo sprawny, strzelasz lepiej ode mnie, posługujesz się, hm, eleganckim językiem. Mimo pochodzenia. Nie słyszałem, żebyś powiedział cokolwiek po poznańsku, no, masz naprawdę wiele pięknych cech... Ale w Mańkowicach to ani ocena z łaciny, ani nawet strzelanie... żadna z tych rzeczy specjalnie się nie liczy. Liczy się, żeby ludzie cię szanowali. Tak jak Wasiaka na przykład. Trzeba chodzić do kościoła, mieć żonę, ubierać się jak wszyscy. Wyobrażasz sobie Wasiaka w twoim szaliczku? Możesz powiedzieć, że doktor Korman na przykład ubiera się inaczej. No, ale to jest doktor. I romansuje ciągle, więc nikt go nie podejrzewa... Przepraszam, jeśli... – nie dokończył, bo uświadomił sobie, że nie wypada, żeby przepraszał. Ale zawstydził się tego, że zrobił mu przykrość.

Otarł pot z czoła. Jakie to jednak kłopotliwe.

Wojtek w miarę jego słów coraz bardziej się rumienił. Ratajczakowi było go naprawdę żal. Do dzisiaj pamiętał kolegę ze szkoły, który musiał zakończyć edukację, gdy odkryto, że różuje sobie policzki. A co dopiero... tfu. Wiedział też jednak, że różne rzeczy się w policji wybacza, ale akurat tego grzechu nie. Popatrzył na Nowaka, który miał już łzy w dużych niebieskich oczach.

– Ale ja po prostu zwyczajnie lubię się ładnie ubierać. Nie zaszkodzi nadmienić, że mam to po ojcu.

– I tyle?

– I tyle. Naprawdę.

– No, to się pilnuj, żeby ci się to nie rozwinęło. Umówmy się, ubierasz się, jak ty to mówisz, ładnie, ale na czarno i granatowo. Naprawdę... ten czerwony szalik...

– Będę się starał dostosować – stwierdził młody człowiek drżącym głosem.

– Mam propozycję: wyobraź sobie codziennie rano, że jesteś Hoffmannem. Taki bardzo męski facet, ojciec sześciorga dzieci. I ubierając się codziennie rano, zadawaj sobie pytanie: czy Hoffmann tak by się ubrał? Czy nie uznałby, że wygląda jak... no, sam wiesz? Czy koledzy Hoffmanna nie stwierdziliby, że Hoffmann oszalał? I że trzeba go zadenuncjować przełożonym w Poznaniu?

Nowak pokiwał głową bez entuzjazmu, ale ze zrozumieniem.

– To chyba dobra taktyka. Ale mam jeszcze jedno pytanie.

Hieronim popatrzył pytająco. Wojtek odkaszlnął i zapytał teatralnie grubym głosem:

– A paznokcie to mogę czyścić? Czy też jak Hoffmann?

Obserwowała parę, która unosiła się z jej ust. Zawsze lubiła mróz i śnieg. Dzięki nim wszystko wydaje się jakieś czystsze. Jest to zaleta zarówno w przypadku miasteczek wielkopolskich, jak i mazowieckich, z tym że oczywiście te drugie są brudniejsze nawet pod metrową warstwą śniegu.

I jedne, i drugie są jednak oazami czystości w porównaniu z Warszawą. Z głębokim zadowoleniem opuściła to miasto, brzydkie i z jakimiś dziwnymi pretensjami do wielkości. Obiektywnie pewnie nie było takie najgorsze, ale Łucja do tej pory pamiętała zawód, który przeżyła, gdy przyjechała tam po raz pierwszy jako dziesięciolatka. A więc to była nasza stolica? Od tego czasu odwiedziła Warszawę jeszcze kilka razy i zawsze miała nadzieję, że coś się polepszyło. Gdzie tam. Może całkiem już się zniemczyła, skoro tak bardzo jej się to miasto nie podobało, irytował brak porządku i fakt, że wystarczyło wejść w bramę reprezentacyjnej kamienicy, aby uderzał wszechobecny fetor i zaduch. Kiedyś drażniły ją też napisy po rosyjsku, bo do tych po niemiecku u siebie już się przyzwyczaiła. Teraz nadal wyczuwała w powietrzu jakiś wschodni klimat. Wstydziła się sama przed sobą myśli, że znacznie bardziej woli odwiedzać Berlin. Lub jakiekolwiek inne zachodnie miasto. Pewnie Petersburg był brudniejszy, ale aż tam się nie wybierała.

Wiedziała też, że jest niesprawiedliwa, porównując Warszawę do ukochanej Lozanny, miasta, w którym obce wojska gościły rzadko i zwykle zachowywały się z atencją wobec szwajcarskiej kultury i cnót obywateli. Ale i tak fala dziecinnego zawodu wracała przy każdych odwiedzinach. To miasto miało brudną podszewkę. A fakt, że tego zimnego popołudnia wystarczył dosłownie jeden fałszywy krok, gdy szła Alejami Jerozolimskimi, by wpaść na jakiegoś zakazanego typa oferującego pokoje na godziny, dodatkowo ją zdeprymował.

W Warszawie spędziła więc tylko i aż dwa dni. Wiedziała, że wujek Albin i tak dowie się jakimiś swoimi kanałami o jej przybyciu. Nie było więc sensu się ukrywać, tym bardziej że państwo Rakowscy byli całkiem sympatycznymi ludźmi. Ich trzech synów studiowało za granicą, co było wydatkiem dużym nawet jak na kieszeń wysokiego urzędnika bankowego, ale nigdy się nie skarżyli. Najstarszy właśnie napisał list z informacją, że składa końcowe egzaminy i za dwa miesiące wróci do Warszawy jako lekarz. Przy okazji opisywał jakieś awantury w paryskiej operze i dziwaczne przedstawienie. Najmłodszy był utalentowanym matematykiem i rodzice liczyli, że zrobi karierę naukową, choć na razie opisywał głównie wiedeńskie panny. Środkowy pisał najrzadziej, ale Łucja uważała, że rodzice to z niego powinni być najbardziej dumni. Henryk bowiem był na wszystkich możliwych listach niebezpiecznych działaczy komunistycznych sporządzanych przez policje sześciu krajów. Właśnie wyjechał do Londynu, gdzie najprawdopodobniej postanowił pracować na umieszczenie go na listach w kraju siódmym. W międzyczasie zaś studiował ekonomię. Był to człowiek idei. Być może głupiej, ale zawsze.

Poszła więc do państwa Rakowskich, zajmujących sześciopokojowe mieszkanie w Alejach Jerozolimskich (niby elegancka kamienica, ale i tak tu coś śmierdziało w bramie), została nakarmiona i zaproszona do zapoznania się z korespondencją od kuzynów. Łucja wysłuchała więc spokojnie trzynastu listów, z góry przygotowana na stały zestaw pytań, które zostaną potem zadane. Najpierw było zdrowie, wydarzenia polityczne, wystawa w Zachęcie, na którą koniecznie trzeba było iść. Ale wiedziała dobrze, że ciotka Eleonora dopiero bierze rozbieg. Jej małe oczka w miłej twarzy patrzyły z troską i uwagą:

– Straciłaś już całkiem nadzieję na wyjście za mąż? – zapytała, dokładając Łucji ciasta. Równie dobrze mogła ją zapytać o plany zostania zawodową akrobatką. – Masz dwadzieścia dziewięć lat, to jeszcze nie tak dużo. Zawsze lepiej walczyć z nieszczęściami tego świata we dwoje. Oczywiście, nie możesz mieć specjalnie wysokich wymagań, w tym wieku i z tym majątkiem.

No, ale na pewno ktoś by się znalazł. Zresztą, powiem ci szczerze, że tego wieku to w ogóle nie widać. Taką świeżą masz cerę! No, ale to pewnie dlatego, że nie zostałaś jeszcze matką. Ja w twoim wieku miałam już trójkę dzieci i wyglądałam niewiele lepiej niż teraz. Po narodzinach Andrzeja wypadły mi zęby, prawie wszystkie. Kilka w każdym razie. A gardło to sobie całkiem zdarłam w czasie porodu. Dwie doby to trwało, a ile krwi było... A!

Ciocia zarumieniła się, bo dotarło do niej, że rozmawia o porodach z panną. Co prawda, nauczycielką przyrody, ale zasady dobrego wychowaniu obowiązywać powinny bezwzględnie. Zmieniła więc temat:

– Dziś wieczorem przyjdzie do nas na kolację pan Stanisław, miły wdowiec. Bardzo szanowna postać. Ma dwójkę dzieci. A ty przecież tak lubisz dzieci! Miałabyś swoje, zamiast uczyć pruskie chłopstwo. Oczywiście, niczego nie sugeruję, ale wiem, że masz rozum. A na tej twojej wsi to pewnie nikogo odpowiedniego nie poznasz. Zresztą, wy tam już chyba całkiem się zniemczyliście, prawda?

Tak więc Łucja siedziała teraz w popołudniowym pociągu, zamiast jechać następnego dnia rano. Do ciotki napisała liścik na temat straszliwego bólu zębów (od tej małej złośliwości nie mogła się powstrzymać) i pojechała na dworzec, wiedząc, że jeśli nie wsiądzie do pociągu natychmiast, wyrzuty sumienia wobec cioci dogonią ją i każą zapoznać się z panem Stanisławem. I słusznie, bo już za rogatkami

Warszawy poczuła się jak potwór. No, ale było już za późno, jak skonstatowała z bądź co bądź pewnym zadowoleniem.

Jadąc, wpadła w swoją zwykłą pociągową melancholię. Bardzo lubiła ten stan, któremu sprzyjało łagodne kołysanie. Patrząc na mijane miasteczka, domy nieznanych ludzi i wszystkie oznaki życia, odczuwała głęboką czułość wobec rodzaju ludzkiego. Z perspektywy pociągu każde głupie światełko w oknie wydawało się zapowiadać sympatyczną rodzinę, w której syn ma na imię Staś, a mama zmarszczki od śmiechu. Pracują, starają się, wychowują dzieci na dobrych obywateli, a potem umierają w poczuciu dobrze spełnionego obowiązku. Później być może Staś zostaje pijakiem albo miłym wdowcem, ale tego już z pociągu nie widać. Obserwowała też zawsze współpodróżnych i była przekonana, że nie jest sama w tym stanie łagodnej melancholii. Siwa pani naprzeciwko wpatrywała się właśnie z półuśmiechem w duży napis nasmarowany kredą na budce dróżnika. Głosił on: MOSKALE NIEMILE WIDZIANI. PRECZ Z POLSKICH POCIĄGÓW! Łucja odwróciła oczy.

Ten typ czułości wobec świata jest o tyle wygodny, że niczego od nas nie wymaga i kończy się zwykle na jakimś wilgotnym dworcu. Najpóźniej zaś wtedy, gdy widzimy tych, którzy mają nas przywitać u celu podróży. Ledwie zdążyła to pomyśleć, starsza kobieta zebrała swoje pakunki. Potem podeszła do drzwi wagonu i dotknąwszy parasolką jej płaszcza, zostawiła smętną czarną smugę, którą przez resztę podróży Łucja panicznie starała się zetrzeć chusteczką. U celu była więc jeszcze bardziej zdenerwowana niż zwykle, bo już sobie wyobrażała minę szwagra na widok jej brudnego płaszcza.

Można było powiedzieć o nim wiele złego, ale Wincenty Jasztołd był mężczyzną wyjątkowo przystojnym. Wyjątkowo również przekonanym o sile własnej powierzchowności. Teraz też stał na peronie z zadowoloną miną, podkręcając wąsa. Co za irytujący zarozumialec. Próbowała wyjaśniać głęboką niechęć do niego swoim staropanieństwem i jego protekcjonalnym podejściem do wszystkich kobiet, którym nie dany był status mężatki. Trudno, żeby lubiła mężczyznę przekonanego, że na jedno skinienie wszystkie nauczycielki przyrody tego świata rzucą mu się do stóp. Gdyby jednak miała wskazać, w czym konkretnie przejawia się jego nieodpowiednie podejście do siostry żony, miałaby z tym problem. Ona również zachowywała się poprawnie, więc podała mu rękę, żeby wyprzedzić jego chęć do rodzinnych pocałunków w policzek. Zemścił się, całując jej rękę z ostentacyjną atencją. Ktoś patrząc z zewnątrz, pomyślałby, że oboje zachowują się tak, by ukryć zakłopotanie wynikające z długiego niewidzenia i obawy przed popełnieniem jakiejś gafy. Zapytani, potwierdziliby to skwapliwie.

Obserwowała go spod oka w powozie, tocząc jednocześnie konwersację na temat pogody i jej wpływu na przyszłoroczne zbiory. Cholerny Wincenty jakoś nie chciał się starzeć. Można nawet powiedzieć, że wygląda lepiej niż latem. Wysoki brunet z idealną, lalkowatą wręcz cerą. Symetrię rysów psuły odrobinę krzywe usta, ale należy przyznać obiektywnie, że to jedynie dodawało mu uroku. Dzięki temu wyglądał na inteligentnego cynika, co podobno tak podoba się kobietom. Niektórym.

Wincenty był rządcą kilku majątków, których właściciele cały czas przebywali we Włoszech. Miał też dworek w Łosiczynie, posag żony. W zasadzie należał on początkowo do obu sióstr, ale Łucja w przypływie szlachetności uznała, że skoro na jej wykształcenie poszło i miało pójść naprawdę dużo pieniędzy, to Jadwiga powinna otrzymać Łosiczyn w całości. Młodsza siostra była tak zakochana w Wincentym, że przyjęła jako oczywistość fakt, iż siostra zrzeka się majątku po to, by Jadwiga mogła wyjść za człowieka, który nie ożeni się z osobą mającą tylko cztery pokoje we własnym dworku i każdą decyzję musi uzgadniać z jakąś Prusaczką. Poświęcenie dla Wincentego, jej własne czy kogokolwiek innego, wydawało się Jadwidze nie tylko oczywiste, ale wręcz opromienione metafizyczną słusznością. Teraz, siedząc obok Jasztołda w powozie, starsza siostra Jadwigi myślała o tym, jak krętymi drogami wędruje umysł po to tylko, by pomóc nam w wierze, że zła decyzja była słuszna. Kim byłaby jej siostra bez męża i bez dzieci? Może wybrałaby jeszcze gorzej? Może ten irytujący półuśmiech pełen triumfu, jaki prezentuje Wincenty na ślubnej fotografii, zastąpiłaby mina jeszcze gorszego człowieka? Pijaka, bankruta czy zdrajcy? Jej siostra, tak dbająca o opinię, najszczęśliwsza była, tworząc rodzinę, której nie trzeba się wstydzić, która ma swoją ławkę w kościele i na każdej mszy witana jest osobno przez proboszcza. Fotografie rodzinne, listy z podróży, zasuszona wiązanka ślubna. Teraz to miała. Łucja nie powinna gardzić nią tylko dlatego, że jej niewyraźna wizja szczęścia była zupełnie odmienna.

– Jak zdrowie Jadzi?

Cisza zaczęła się przedłużać, więc postanowiła uprzejmie zapytać o jedyną właściwie interesującą ją w tej chwili sprawę.

– Doskonale. Doktor Różycki mówi, że dawno nie widział tak kwitnącej przyszłej matki. Rzekłbym, że jest jak róża – powiedział, jowialnie poklepując się po kolanie.

Skąd mu się ta jowialność wzięła? Jeszcze kontusza brakuje. Kogo i po co ten człowiek tak gra? Męczące. Udała, że drzemie, zmęczona podróżą.

Po godzinie wreszcie dojechali. Łucja musiała przyznać, że Wincenty świetnie sobie radzi jako gospodarz. Zabudowania zostały wyremontowane, a brama wjazdowa wymieniona. Dworek był odmalowany i aż błyszczał w aureoli zaradności i porządku. Nawet grudniowa plucha nie odbierała mu uroku. Za czasów rodziców tak nie było, bo oboje nie mieli głowy do spraw praktycznych. Matka zajmowała się romansami i swoją chorobą nerwową, a ojciec ignorowaniem zachowania matki oraz pisaniem rozprawy o średniowiecznych mistykach i próbami wywoływania ich duchów. Wszystko to razem wymagało dużego zaangażowania, więc rodzinny majątek powoli się kurczył, a to o parę arów lasu, a to o kawałek pola. Uczciwie trzeba przyznać, że siostry Kalinowskie odziedziczyły w końcu po prostu dom z dość dużym ogrodem, a nie zacny majątek ziemski. Dlatego Wincenty, odkupując powoli wszystko to, co sprzedali lekkomyślni rodzice żony, zyskał szybko szacunek całej okolicy.

Co jak co, ale gospodarz z niego doskonały, stwierdziła w myślach Łucja, wysiadając szybko z powozu, tak żeby Wincenty nie zdążył służyć jej swoim ramieniem. Niestety, z tego pośpiechu zahaczyła nogą o suknię i szwagier musiał ją podtrzymać.

Z domu wybiegła, krzycząc przeraźliwie, trójka dzieci:

– Cioooociaaaaaałuuucjaaaaa!

Dwuletnia Elżbietka postanowiła sparodiować ciocię i też potknęła się o swoją kończynę. Wincenty junior natychmiast wręczył Łucji własnoręcznie napisane opowiadanie *Pszygody niezwykle odważnego rycerza Zenona w krainie wjelkoludów*. Średnia, Konstancja, zaś stała, wdzięcznie opierając się o framugę i eksponując w uśmiechu królicze zęby. Ku swojemu zaskoczeniu Łucja poczuła się tu całkiem dobrze. Szybko przywitała się z dziećmi i jeszcze w płaszczu pobiegła schodami do pokoju siostry. Panował w nim lekki półmrok. Chwilę trwało, zanim wypatrzyła sylwetkę siostry na łóżku.

– Jak to się stało? I dlaczego leżysz w ciemnościach?

Zapaliła lampę. Siostra leżała przykryta pledem i uśmiechała się do niej przepraszająco, trzymając obie ręce na brzuchu. Nie było wątpliwości, że to już niedługo. Łucja usiadła na brzegu łóżka, zdejmując z czarnego przykrycia jasny włos. W tym domu nikt nie ma jasnych włosów. Pewnie służącej.

– Wiesz... uczysz przecież przyrody, więc nie muszę chyba szczegółowo tłumaczyć – siostra postanowiła wykazać się dowcipem, z czym raczej nie było jej do twarzy.

Chorobliwych wypieków na policzkach Jadwigi Łucja nie uznała za przypominające róże. Ten doktor zawsze był idiotą.

– Przecież wiesz, że istnieją na to sposoby... nie mówię, że jak już oczekiwałaś dziecka, ale trzeba było pomyśleć wcześniej. Taki zabieg można było przeprowadzić przy... ostatnim porodzie... Boże, jak strasznie mi się z tobą o tym rozmawia. Sama zresztą wiesz.

Siostra spojrzała na nią uważnie. Łucja kochała ją mocno, ale czasami zapominała, że choć Jadwiga nie ma szwajcarskiego dyplomu, to jest jednak bystra. Teraz młodsza siostra spojrzała na nią znajomym przenikliwym wzrokiem ich ojca. Tak, nie ma co tłumaczyć.

– Ale w takim razie... mogliście się powstrzymywać przecież.

Niepotrzebnie to powiedziała. Jadzia, Jadwinia. Podeszła do siostry i przytuliła swój pachnący jeszcze mrozem policzek do jej rozpalonego czoła.

PONIEDZIAŁEK, 11 GRUDNIA 1922

Zuber bardzo lubił tę falę ciszy, która przetaczała się po sali lekcyjnej, gdy tylko do niej wchodził. Każdy uczeń, który go zobaczył, zastygał na moment, a potem szybko siadał w swojej ławce. Bijący się z zapałem nagle odstępowali od waśni, przepisujący zadania uznawali, że to niemoralne, a naśmiewający się z kolegów okrywali rumieńcem słusznego wstydu. Jeszcze w kącie, tyłem do drzwi, głupi Marchwiński wyżymał gąbkę na głowę Sommera. Nie odwracając się, wyczuli obecność nauczyciela, i, jakby nigdy nic, wrzeszczący dotąd Sommer uśmiechnął się serdecznie do towarzysza zabaw. Ten, mimo swego zbydlęcenia, natychmiast zrozumiał, o co chodzi, i celnym ruchem umieścił gąbkę pod tablicą, a koledze podał ramię i podniósł go z podłogi.

Zabawne było też, jak na tych młodych twarzach pojawiał się refleks niechęci, która w ułamku sekundy przemieniała się w minę pełną pokory. Nie był głupi, wiedział, że go nie lubią. Ale gdyby lubili, nie miałby tak doskonałych wyników. Doktor chemii Zuber był chlubą okręgu, zarówno jako nauczyciel oraz wychowawca, jak i kierownik szkoły męskiej. Miejskiej. Takich rzeczy nie osiąga się umizgami do uczniów.

Zuber nigdy jakoś specjalnie nie chciał być nauczycielem. Na studia prawnicze nie było go stać, a od medycyny odwiodła go wstydliwa przypadłość – rzygał jak kot, gdy tylko widział krew. Chwilę zastanawiał się nad zostaniem księdzem, ale gdy tylko wyobraził sobie, że śpiewa swoim kozim głosem jakąś pieśń, a parafianie albo uśmiechają się pod nosem, albo też dla odmiany patrzą ze współczuciem, zrezygnował z tego konceptu. Do bycia nauczycielem w gimnazjum męskim predestynowało go wrodzone umiłowanie porządku i dyscypliny. Nie miał na sumieniu żadnych wyskoków – na studiach nie chodził na tajne zebrania, nie przystał ani do socjalistów, ani do niepodległościowców. Miał za sobą nieciekawy epizod obyczajowy w czasie studiów, ale dziecko szybko zmarło. Zresztą, w tym spokojnym wielkopolskim miasteczku nikt by nie uwierzył kiepskiej aktorce dramatycznej z Breslau w historię o uwiedzeniu, porzuceniu i szantażu. Po studiach wrócił więc do Mańkowic, czekała tu na niego posada nauczyciela. Ożenił się z córką burmistrza, która w dodatku była tak ładna, jak posażna. Ogólnie Zuber mógłby być zadowolony z życia, ale rozwinięta ambicja kazała mu rozmyślać o rozmaitych ścieżkach dalszej kariery dostępnych prawomyślnym pracownikom edukacji.

Katedra znajdowała się na podwyższeniu. Wskakiwał na nią zawsze w sposób sprężysty i energiczny. Bogiem a prawdą, podwyższenie było trochę za wysoko, dlatego od pewnego czasu w wolnych chwilach trenował wskakiwanie. Pamiętał fragment tekstu, który jego własna gimnazjalna klasa wpisała do pamiątkowego albumu jednemu z nauczycieli: *Do końca życia pamiętać będziemy Pańską osobę wdrapującą się na katedrę.* Nieszczęsny staruszek. Pomijając styl, on nie chciał być zapamiętany jako ten, który się wdrapuje.

W czterdziestym pierwszym roku życia zaczynał odczuwać ciężar czasu, ale się nie poddawał. Tym bardziej że dziesięć lat młodsza żona osiągnęła właśnie apogeum urody i do twarzy jej było w otoczeniu dzieci. Wyglądała jak kwitnąca Madonna, a Zuber przy niej jak ten nieszczęśnik święty Józef, bez brody, ale tak samo podstarzały. Czasami czuł się aż nieswojo, taki brzydki przy tej zachwycającej kobiecie. Był w stanie zrobić dla niej wszystko. Wiedział zresztą, że wybrała go tylko i wyłącznie z tego powodu.

Teraz skoczył lekko i zaczął układać swoje rzeczy na blacie. Robił to zawsze długo, by dać im więcej czasu na zdenerwowanie się. Notes, pióro, dziennik, kapelusz. No, dziennik może bardziej w lewą stronę. Usiadł, odchrząknął dwa razy i popatrzył na nich. Dlaczego prawie wszyscy mają pryszcze? Ostatnia klasa.

Chorobliwie bladzi albo zaczerwienieni, z pseudozarostem albo z bliznami po brzytwie. Żadnej gładkiej twarzy. Za jego czasów młodzież była ładniejsza. Dziś siedem godzin lekcyjnych. Pocieszył się, że oni mają osiem.

Najbardziej pryszczaty uczeń wpatrywał się w nauczyciela badawczo. Janek nie wierzył w plotki o Zuberze. Że w jakimś dziwnym stroju stał pod szkołą dla bab w czasie, gdy Marianna się wieszała. Wierzył swojemu bratu – pewnie i stał, ale za to z pewnością nie zabił. Wszyscy wiedzieli, że kierownik jest wredny, fałszywy i robi wszystko, by zostać okręgowym inspektorem. Ale bez przesady. Co innego być obrzydliwym nauczycielem, a co innego być zamieszanym w morderstwo.

Janek patrzył na niego spod oka, obserwując, jak dręczy Węglarczyka. Zastanawiał się, co niby Zuber miałby mieć wspólnego z tą puszczalską. Metodycznie wyduszał sobie przy tym wągry na nosie, co pozwalało mu zwykle osiągnąć skupienie. I rozmyślał.

Hanki nie znał, ale Mariannę owszem, bo głupia wymykała się z internatu w sobotnie noce i przychodziła na tańce. Ładna była, na początku. Nie ceniła się wysoko, wystarczała tabliczka czekolady albo wstążka. Nie skusił się głównie dlatego, że dużo czytał o chorobach wenerycznych. Taka Marianna musiała być ich chodzącym katalogiem. Ale wśród kolegów zebrała entuzjastyczne opinie. Jakoś mu zresztą żal tej dziewczyny. I co niby Zuber... Facet z taką żoną?

Lepsze byłoby pytanie, co ta Zuberowa robi z mężem. Durne wymysły. Wszyscy w tym mieście się nudzą, więc tworzą dziwaczne historie. Ale wytrzyma. Jeszcze parę miesięcy i pojedzie na studia. Dostanie stypendium, nie będzie już synem kucharki, tylko obiecującym młodym lekarzem. Boże, jakie ten Zuber ma policzki, tak obwisają, że niedługo dotkną mu ramion.

Z drugiej strony, Maciuś ma bujną fantazję, ale nigdy nie kłamał. Był ministrantem i poważnie podchodził do swojej roli. Janek uśmiechnął się pod nosem, bo zauważył, że jego tok rozumowania jest idiotyczny. Zuber ma obwisłe policzki, więc może jednak jest zamieszany w sprawę. Maciuś jest ministrantem, więc na pewno nie kłamie.

Choć nauczyciel zauważył jego uśmiech, nie ośmielił się zaryzykować. Obaj wiedzieli, kto tutaj lepiej zna się na chemii, nawet jeśli nie ma doktoratu. Ale nie należy przeciągać struny, więc chłopak pochylił się sumiennie nad kajetem. Powstawała tam właśnie podobizna psa rasy buldog angielski z probówką w zębach.

Podkomisarz Ratajczak wstrzymał oddech. To trzecie już dzisiaj zawilgocone mieszkanie, które musiał odwiedzić w ramach obowiązków służbowych. Goście z Poznania wytrzymali odwiedziny tylko w jednym, choć wczoraj jeszcze twierdzili, że takich rzeczy jak na Wildzie to w tym miasteczku nie ma na pewno. Poszli na komisariat pod pozorem konieczności odbycia rozmowy telefonicznej. Został więc sam i ku swojemu zaskoczeniu zaczynał za tymi przemądrzalcami tęsknić. Zawsze kiedy chodził po tych podwórkach, miał wrażenie, że ogląda alternatywną wersję swojego losu jako szewca-pijaka, syna szewca-pijaka. Czuł się nieswojo, bo wiedział, że jedynie głupiemu szczęściu i dobremu sercu krewnych zawdzięczał, iż oddycha mniej zawilgoconym powietrzem.

Szukał kogoś, z kim mógłby porozmawiać o kucharce burmistrza i jej synu. I zapytać, gdzie, u licha, dokładnie ta wdowa mieszka. Wizyta u chlebodawcy odpadała, bo z pewnością nie można byłoby przeprowadzić tej rozmowy bez świadków. Jednak modlił się w duchu, aby kucharka burmistrza okazała się posiadaczką mniej obrzydliwej siedziby niż te dotąd odwiedzone.

Gdyby Felicja zobaczyła tę okolicę, może mniej zawzięcie krytykowałaby ich własne lokum. Tu człowiek nie miał żadnej intymności, bo mieszkania były jednoizbowe. Dwa pomieszczenia miał tylko rzeźnik na dole. A przecież większość tych ludzi uczciwie pracowała. Piaski nie miały wcale wysokich statystyk przestępstw. Normalni, porządni, tylko biedni. Bogiem a prawdą, nawet Andzia była bardzo sympatyczną dziewczyną.

W pierwszym mieszkaniu spotkał tylko dwójkę całkiem małych dzieci, które umiały jedynie poinformować go, że mama poszła do lasu. Stanął na progu i rozejrzał się. Całość składała się z jednej izby przedzielonej kotarą na pół. Coś strasznie śmierdziało, choć widać było, że mieszkańcy starają się utrzymać porządek. Zostawił trochę landrynek i poszedł. W drugim mieszkaniu spotkał znaną już sobie Andzię, która odsypiała ciężką noc pracy. Pamiętał, że wiodło jej się lepiej, miała pokój nad piekarnią przy rynku. Rozczochrana panna odpowiedziała, że w końcu ma już dwadzieścia sześć lat. A w mieście pojawiła się Halinka, lat dziewiętnaście. I brat do niej, Andzi, przyjechał, bo matka go z domu wyrzuciła. Nie ma więc pieniędzy na jakieś fanaberie i ochoty na zabijanie uczennic oraz służących. I nie, nie muszą szukać tego psa, i tak tylko szczekał jak oszalały przez całe dnie.

Ratajczak pomyślał, że musi sprawdzić, czy nowa ma dokumenty. I poszedł sobie. Potem zapukał do drzwi trzeciego mieszkania, ale oprócz stałego zapachu wilgoci nie było żadnej reakcji. Na schodach spotkał chłopca, który, widząc policjanta, silnie się zarumienił. Wiadomo było od razu, że coś ma na sumieniu. Podkomisarz nie mógł się przyjrzeć, bo malec oczywiście uciekł w te pędy. Twarz miał jakąś znajomą, ale Ratajczak nie potrafił do tego skojarzenia przypisać konkretnego nazwiska. Uśmiechnął się jednak, bo lubił bystrych chłopców. Jego własne dzieci, zwłaszcza pierworodny syn, nie błyszczały inteligencją, co zawsze sobie w takich momentach uświadamiał. Nie starczało im konceptu nawet na to, by trochę połobuzować. Zawsze jakieś takie wystraszone. Westchnął i poszedł dalej.

Kolejne podwórko, którego mieszkańcy pochowali się na widok policjanta. Trochę śniegu, trochę śmieci, trochę nie wiadomo czego. Zatrzymał się, bo jakiś cierpki smak podszedł mu do ust. Na dokładnie takim podwórku się wychował, co wcale nie zmieniało faktu, że to co trzyletni Hirek uważał za normalne, w trzydziestopięcioletnim Hieronimie budziło ochotę zwrócenia porannego posiłku. Już dawno zauważył, że im jest starszy, tym więcej rzeczy budzi jego obrzydzenie. A powinien był już się przecież do życia przyzwyczaić.

Nędza. Pomyślał, że jednak jest całkiem zamożnym człowiekiem. Ma cztery pokoje, bez pleśni i grzyba. Grzech narzekać. O, jest żywa dusza, nawet głośna. Jakiś brzydki pies darł się jak obdzierany ze skóry. Nie wył, tylko właśnie się darł. Ale zaraz przestał.

W tym momencie z komórki wyszedł znany podkomisarzowi obszarpaniec z kołkiem w ręku. Poczłapał w stronę psa. Kundel zaczął drzeć się jeszcze bardziej. Hieronim zawołał faceta, ale ten nawet się nie odwrócił. Pies skulił się pod drzwiami domu. Jegomość trzasnął go kołkiem po głowie i przerzucił sobie przez plecy. Wrócił do komórki.

Hieronim poszedł za nim. Wiedział, że zobaczy coś obrzydliwego, więc w zasadzie sam był sobie winny. Otworzył drzwi i natychmiast uderzyła go fala zapachu tłuszczu. W misce leżały jakieś zakrwawione flaki. Pod sufitem wisiały psie skóry, a w wielkim garze powstawał właśnie zdrowotny smalec, doskonałe lekarstwo na wszelkie dolegliwości. Jeden z psich trupów był z pewnością Ciapkiem. Zgodnie ze swoimi przewidywaniami, Ratajczak zwrócił śniadanie. Pewnym zaskoczeniem był jednak fakt, że dodatkowo zemdlał.

Janek nie cierpiał, kiedy matka wysyłała go z czymś do dziadka. Starał się zawsze podkreślać, jak wiele ma obowiązków szkolnych, ale odkąd matka usłyszała od nauczyciela matematyki, że syn jej umie już wszystko, a nawet za dużo, był to kiepski argument. Królowa powtarzała z namaszczeniem:

– Do seminarium cię przyjmą, nie ma co deliberować nad tymi zeszytami, bo jeszcze zdrowie stracisz.

Odpowiadał spokojnie i beznamiętnie, nie podnosząc nawet głowy znad powieści przykrytej podręcznikiem:

– Wiesz, że ksiądz byłby ze mnie gorszy niż z ciebie kucharka. Lekarzem zostanę. A jak nie, to już prędzej do cukrowni pójdę.

Stawało się to już rytuałem. Matka zaklinała rzeczywistość, bo bycie lekarzem wydawało jej się tak niezwykłe, że aż nieprzyzwoite. A księdza jednego w rodzinie już miała, więc to był pomysł znacznie bliższy jej wyobrażeniom. No i za grzechy ojca jakaś pokuta.

Janek ulegał jednak matce w małych sprawach, żeby jakoś przygotować grunt pod większe. Poszedł więc w końcu zaraz po szkole. Ale kluczył po drodze, jak tylko się dało. Jednak czterystu metrów nie można było przejść dłużej niż w piętnaście minut.

Od razu skierował się do tej ohydnej szopy. Dziadek Zenon więcej czasu niż w swoim pokoju spędzał w komórce na podwórzu, robiąc tam dziwne mikstury i mieszaniny. Janek wiedział, że to po nim odziedziczył zainteresowanie chemią, choć dziadek nie orientował się nawet, że używane przez niego substancje da się zapisać za pomocą wzorów.

Zatrzymał się przed drzwiami do szopy. Ten stary, prawie całkiem głuchy człowiek budził w nim nieustające obrzydzenie. Matka, choć głośna i prymitywna, była w porównaniu z Zenonem Królem niezwykle wytworną jednostką. Dziadek przypominał mu ojca, niech mu ziemia ciężką będzie. Nie była to osoba, której należało poświęcić choć chwilę wspomnień. Dziwił się matce, że utrzymuje kontakty ze swoim teściem, ale po osobie, która padła zemdlona na wieść, że jej bijący i pijący mąż wpadł pod jakąś dryndę, należało się spodziewać takiego nadmiaru uczuć rodzinnych.

Znowu ten obrzydliwy zapach. Raz, dwa, trzy. Wchodzę.

– Łejezu, ale żeś mnie przestrachał. Myślałem, że to drugi jakiś policjant. Zobacz, ten jak zobaczył moje pieski, to zaraz fiknął na podłogę, łehehe.

Zenon Król był kiedyś nawet przystojny, choć paznokci z pewnością nie czyścił i za najlepszych lat. Całe życie pracował jako rzeźnik, miał nawet swój sklep. Byłby pewnie zamożny, gdyby nie te paznokcie, które odstręczały co wykwintniejszą klientelę. Miał trzy żony, jedną młodszą o pięć, drugą o piętnaście, a trzecią o trzydzieści lat. Wszystkie przetrzymał i pochował. Na starość ogłuchł trochę, ale powtarzał, że to Boży dar, a nie jakaś wada. Z pewnością nikt by mu nie dał siedemdziesięciu trzech lat. Teraz też stał z głupim wyrazem twarzy i półotwartymi ustami, ale oślepiając w półmroku bielą swoich własnych zębów.

Janek słyszał teraz w jego głosie niepokój, więc miał przewagę. Zwykle dziadek nie czuł się w obowiązku wypowiadania do niego więcej niż jednej sylaby. Nie patrząc więc nawet na starego, chłopak podszedł do ściany, pod którą zauważył dziwny kształt.

Przyjrzał się bliżej i dojrzał u swoich stóp Ratajczaka. Dziadek szykował się właśnie, by oblać policjanta wodą z wiadra. Podkomisarz wyglądał dość żałośnie i Janek uśmiechnął się sam do siebie – jeszcze dwa lata temu ten leżący na klepisku facet był jego wzorem.

Pokiwał głową i cmoknął:

– Będzie miał dziadek kłopoty. Mniejsza o psy, ale nie zapomni, że przy dziadku zemdlał. Zemści się, jak będzie okazja. Ale mamy tych policjantów: naiwni jak dzieci i wrażliwi jak panny na wydaniu.

Też kiedyś chciał zostać policjantem i śledzić morderców. Potem dowiedział się, że komenda w Mańkowicach szuka głównie ukradzionych worków z cukrem. Bez oporów wziął więc od dziadka wiadro i chlusnął wodą. Stwierdził, że podkomisarz odzyskuje świadomość. Potem zamienił z nim oraz dziadkiem kilka słów. Następnie dyskretnie opuścił szopę.

Idąc przez brudne podwórze, uśmiechał się do siebie. Śmiercią tych dziewczyn zajmą się pewnie ludzie z Poznania, ale Ratajczak nie zostanie bez zajęcia. Teraz będzie miał nową sprawę. Psi smalec. Dziadek bowiem popełnił błąd taktyczny. U powały wisiały resztki pudla doktora Kormana. Irytującego psiaka od jakiegoś czasu bezskutecznie poszukiwanego przez dwójkę blondwłosych potomkiń lekarza.

WTOREK, 12 GRUDNIA 1922

Łucja poznała pannę Weronikę zaraz przy pierwszym obiedzie. I dużo o niej myślała. Miła dziewczyna, absolwentka warszawskiej pensji, obudziła w niej mieszane uczucia. Znajomość zaczęła, pytając ją, czy w Poznaniu wciąż jeszcze ktoś mówi po polsku. Potem dodała, że nie, że oczywiście, nie chodziło jej o to, że oni w Królestwie są większymi patriotami, wcale. Tyle że u nich jest więcej literatów, artystów, a Polacy w Prusach to podobno głównie banki i spółdzielnie zakładali. Przez te pieniądze pewnie łatwiej się wynarodowić? Ale ona oczywiście nie wie, bo się nie zna.

W ciągu jednego posiłku dwa razy histerycznie się zaśmiała i dwa razy ni stąd, ni zowąd załkała. Oprócz tego wydawała się bardzo dobrze wychowana, ale ten typ egzaltacji jakoś dziwnie nie współgrał ze spokojną urodą młodej dziewczyny. Patrząc na jej mocne, choć smukłe ramię, Łucja oddała się rozmyślaniom. Panna

Kalinowska nie była dwulicową mieszczanką, jednak zastanowiło ją, które z rodziców wybrało tę właśnie pannę na wychowawczynię potomstwa. Wszystko wskazywało na to, że kuszący biust, zalotnie podkreślony wisiorkiem w kształcie serduszka, był tutaj koronnym argumentem. Jej siostra, tak przecież piękna jeszcze kilka lat temu, mogła być najwyżej cieniem panny Weroniki. Z zamyślenia wyrwał ją miły głosik:

– Jak pani znajduje Łosiczyn w porównaniu z ostatnią wizytą? – zapytała nauczycielka jej siostrzeńców pieszczotliwym tonem.

– Jest tu coraz piękniej. Pan Wincenty jest wspaniałym gospodarzem. Łosiczyn miał prawdziwe szczęście, że właśnie on tutaj rządzi – powiedziała spokojnie.

– O, tak – guwernantka potwierdziła z zapałem – to wspaniały właściciel. Niezrównany.

Łucja uśmiechnęła się i już nie odezwała, uznając, że wystarczy tych uprzejmości. Pannie Weronice natychmiast zadrżały usta. Błąd, pomyślała Łucja. Jeśli nie będę miła, dostanie spazmów. Podając pannie Weronice sos, miała dziwne uczucie, że od tego gestu zależą losy świata. Gdyby choć trochę się wylało, wychowawczyni młodych Jasztołdów gotowa była zemdleć. Wszyscy przy obiedzie byli zdenerwowani, nawet apatyczna zwykle Konstancja nerwowo machała nogami, trafiając od czasu do czasu w kolano Łucji. Wincenty opróżniał już drugą butelkę wina. Jadwidze posiłek zaniesiono do sypialni i jej puste krzesło dodatkowo deprymowało Łucję.

Zaczęła się zastanawiać, czy rzeczywiście uda jej się w tym dziwnym domu choć trochę odpocząć. W dodatku od kilku dni jeszcze częściej niż w Mańkowicach powracał w jej myślach kołyszący się u powały trup Marianny. Były to niejasne majaki, pojawiające się w najdziwniejszych momentach. Czesanie – trup – przeglądanie albumu o wspaniałościach Paryża – trup – patrzenie przez okno – trup na suchej gałęzi, tak dla odmiany. Po włosach dziewczyny chodził wielki czarny pająk. Czy panny, które objadają się karmelkami, popełniają samobójstwa? Marianna była taka wrażliwa na punkcie swojego wyglądu – musiała sobie wyobrażać, jak zobaczą ją koleżanki ze szkoły. Z wystającym językiem i spódnicą zabrudzoną ekskrementami. Czy Marianna wiedziała, że wieszanym ludziom odmawiają posłuszeństwa zwieracze?

Od jakiegoś czasu Ratajczakowi chodziły po głowie dziwne myśli. Początkowo przypisywał to rozstrojowi żołądka, który od zawsze nawiedzał go w różnych nerwowych sytuacjach. A już przecież cieszył się ze swojego małego sukcesu. Z pewną satysfakcją najpierw zaprowadził starego Króla do aresztu, a teraz odwiedzał go od czasu do czasu. Nie z powodu smalcu, bo co do tego nie było żadnych przepisów. Można sobie było zabijać bezpańskie psy i robić z nich nawet czapki. Ale pudel doktora to inna sprawa. Król będzie siedział za kradzież i zabicie zwierzęcia znacznej wartości, bez problemu da się to tak przedstawić. Hieronim Ratajczak nie należał do ludzi, którzy jakoś szczególnie wrażliwi byli na los zwierząt. Bogiem a prawdą, nie znał nikogo, kto by taką postawę prezentował. Uznawał, że samo przejmowanie się losem ludzi jest dość męczące. Ale chciał się zemścić na starym, który naśmiewał się z jego przerażonej miny i zemdlenia. Gdy mokry i wściekły powiedział, że dziwacznie wygolone stworzenie było psem doktora, Król zbladł i zaczął lamentować:

– Łejezu, panie, ale kto by to zgadł, że takie brzydactwo to jakiś lepszy pies jest. Przecież z mordy to takie było, że nic, tylko ubić. A szczekało jak głupie, inne psy to spokojniejsze jakieś. Ten na nerwy chyba chory był. To mi raczej dziękować powinni, żem ubił, bo smalcu to z niego prawie nic nie miałem.

– Coś ty taki gadatliwy, Król? Masz pecha, tak to bywa, jak się interes prowadzi. Ryzyko zawodowe się kłania. Doktor ci nie podaruje, bo żona i dzieci mu kołki ciosają na głowie. A wiesz ty, ile taki pudel kosztuje, hm? – Zrobił pauzę, by dodatkowo pognębić starucha. – Tyle, co twój smalec z pół roku.

Rozmowie przysłuchiwał się Janek i Ratajczak miał okazję zaobserwować, że kłopoty dziadka nie tylko wnuczka nie smucą, ale wręcz radują. Nikt tego psiego rzeźnika nie żałuje. Tym bardziej więc bez wyrzutów sumienia zaprowadził Króla do aresztu. Ściśle mówiąc, była to komórka pod komisariatem. W Mańkowicach mało rzeczy zasługiwało na swoje nazwy.

Umieściwszy Króla w najwłaściwszej dla niego lokalizacji, wybrał się do domu doktora Kormana. Tak, łatwo mu było nie lubić tego faceta. Już w gimnazjum trochę go podziwiał, a trochę nie cierpiał. Gdy kilka lat temu Korman sprowadził się do Mańkowic, oba uczucia się pogłębiły. Piękny dom, dwie słodkie córeczki i żona, która wydawała się być nie tylko miłą i inteligentną kobietą, ale i najlepszym przyjacielem swojego męża. Sam Korman, mimo iż niewątpliwie bystry, nie miał w ogóle zmysłu praktycznego. Dlatego żona troszczyła się o jego karierę, przykładając swą silną dłoń do jego każdego sukcesu. Dzięki niej Korman został radnym, dyrektorem szpitala, a ostatnio wygłaszał w zastępstwie burmistrza przemowę na powitanie posła. Wszystkie wymienione rzeczy, może oprócz leczenia, lepiej robiłaby jego żona. Była jednak na tyle inteligentną kobietą, by nikomu nie dawać tego do zrozumienia. Ale Hieronim to widział.

I dlatego było mu teraz ciężko na sercu. Stanął przed dużym jasnym domem. Poczuł, że przeciekają mu buty. W zasadzie to chyba nie był godny, żeby tam wchodzić. Znalazł pudla jakieś dwie godziny za późno. Powinien był zabrać księdza czy kogoś takiego. Zabili wam pieska na smalec. Inaczej. Piesek poległ z ręki bandyty. Tak bardziej bohatersko brzmi. Zaraz, jak miał na imię? Loro zginął śmiercią bohatera z ręki człowieka pozbawionego uczuć wyższych, zakały naszej społeczności. Tak chyba najlepiej. Zanim zdążył otworzyć, na progu stanęła pokojówka i dwie małe blondyneczki, niezbyt ładne, ale za to rezolutne. Tak, siostra Hanki była bardzo do niej podobna. Teraz widok jednej z bliźniaczek dodatkowo zbił go z pantałyku.

– Dzień dobry! – powiedziały trzy głosy chórem. Pytające spojrzenie. Uważne. Zanim zdążył coś powiedzieć, zaczęły płakać. Ostatnio miał ciężki okres. Nerwy na wierzchu. Mokro w butach. Wszystko to razem sprawiło, że i on się rozpłakał.

Przemoknięty i pociągający nosem Ratajczak został poczęstowany przez panią Marię konfiturą z róży. Doktorowa zachowała bowiem największy w całym towarzystwie spokój ducha. Siedział więc teraz w jasnym saloniku, czując, że właśnie niszczy wyściełany kremową tkaniną fotel. Bronka i Janeczka były w dziecinnym pokoju i ku swojemu zaskoczeniu po kilkunastu minutach policjant usłyszał zamiast łkania fragmenty dyskusji o tym, czy pudle mogą pójść do nieba. Dzieciom jednak wszystko szybciej przechodzi. Sam też popijał herbatę i patrzył, starając się jednak nie być natarczywym, na szerokie i myślące czoło doktorowej. Było na nim kilka zmarszczek. Hieronim nie wiedział, co takiego mu się właściwie podoba w tej kobiecie. Jego własna żona była niewątpliwie ładniejsza. Tymczasem gospodyni spojrzała na niego jasnymi oczami i zapytała:

– A pan jak myśli, pudle mogą iść do nieba?

Takiego pytania się nie spodziewał. Popatrzył na nią, chcąc się upewnić, że nie żartuje. Nie, chyba nie. Ale nie wiedział, jak na takie pytanie odpowiedzieć. Zaczęła intensywnie mieszać swoją herbatę, wpatrując się w łyżeczkę.

– Może nie konkretnie Loro, bo to był psi imbecyl, choć podobno pudle są inteligentne. Ale ogólnie: czy zwierzęta mają duszę? To mnie gnębi już od dawna. Pierwszy raz zaczęłam się zastanawiać, kiedy zdechł mój koń, Hans. Wiem, trochę głupie imię dla konia, ale wtedy mi się podobało. Hans był mądrzejszy i lepszy od większości ludzi. Musiał mieć duszę. Swoją drogą, jest pan pewien, że ten stary Król też ją ma? Tak tylko pytam. Dlatego w głowie mi się nie mieściło i nie mieści nadal, że Hans miałby tak po prostu zniknąć, użyźnić ziemię i stać się nawozem dla przyszłych pokoleń. Zadałam to pytanie księdzu, udał, że nie rozumie, a moim rodzicom poradził, by jak najszybciej wydać mnie za mąż. A ja do tej pory nie rozumiem, jak u licha Bóg miałby dopuszczać do takiej niesprawiedliwości... jednym słowem, czy wierzy pan w metempsychozę?

Ratajczak poczuł, że robi mu się sucho w gardle. Doktorowa nie pytała, czy wierzy w metempsychozę. Pytała: *czy jesteś, Hieronimie, tak jak ja, trochę inny od tych wszystkich nudnych ludzi w naszym czystym miasteczku? Czy chcesz zostać moim przyjacielem?*

Odchrząknął i, starając się patrzeć jej w oczy, odparł:

– Nie wiem, czy wierzę. Ale chciałbym.

SOBOTA,
16 GRUDNIA 1922

Pogrzeb Jadwigi odbył się bardzo szybko. Wincenty spieszył się z załatwieniem tej sprawy, choć gdy jego żona rodziła, wykazał się daleko posuniętą cierpliwością. Doktor, wezwany dopiero w czwartej godzinie porodu, przyjechał po następnych dwóch i stwierdził jedynie zgon matki oraz dziecka. Chłopczyka. Łucja nic nie powiedziała, strasznie wyczerpana. Miotała się wcześniej po całym domu, starając się ulżyć cierpieniom siostry. W desperacji wezwała nawet babę ze wsi, której Wincenty za nic nie chciał wpuścić za próg. Łucja spoliczkowała go, niepodziewanie nawet dla samej siebie. Spojrzenie, które jej rzucił, postanowiła zapamiętać. Wpuścił w końcu chamkę ze wsi, która popatrzyła na niego spokojnie i poprosiła o wodę, by mogła umyć ręce. Wincenty ironicznie prychnął:

– O, higieny się zachciewa.

Marycha poszła za Łucją do sypialni. Kalinowskiej było niedobrze od zapachu, jaki przyniosła ze sobą kobieta. Całe badanie trwało minutę. Dotknęła brzucha krzyczącej pani Jasztołdowej, rzuciła wzrokiem na dorodnego martwego noworodka, spojrzała na pannę Kalinowską porozumiewawczo i wyszła razem z nią. Pod drzwiami sypialni powiedziała to, co Łucja już wiedziała:

– Macica jej pękła. Nie powinna była mieć tego dziecka, już po ostatnim leżała całą wiosnę. Co się patrzy?

Łucja popatrzyła na Marychę, mimo grozy całej sytuacji, zaskoczona i trochę obrażona, że baba ze wsi wie takie rzeczy o jej siostrze.

– Wiadoma rzecz, moja wnuczka tu u was za pomoc jest. Dobrze, że brzydka jak diabeł, to jej takie nieszczęście nie spotka.

Marycha splunęła. Ciągle szedł od niej dziwny zapach, ale i tak jakby nagle urosła, nabierając majestatycznego wyglądu. Starucha wydawała się jakąś wiedźmą, bezlitosną i bezczelną. Łucja nie miała siły przerwać jej słów. Przeciwnie: już wszystko wiedziała, ale pozwoliła, by to ktoś za nią, głośno, powiedział:

– Teraz morfiny jej dajcie, wiem, że macie w gabinecie. Ile macie, tyle dajcie. Niech się nie męczy, tylko spokojnie zaśnie. Tyle tylko powiem, bo wiem, że mądra jest, choć za dużo świata widziała: zabić kobietę można na wiele sposobów. A to jest taki, że świadków i sądu nie będzie.

Marycha nie wzięła banknotu, którą Łucja wygrzebała z portmonetki odrętwiałymi rękami. Zabrała za to Dorotkę, wnuczkę, krzycząc, by w te pędy z tego czarciego domu uciekała. Pogroziła pięścią zamkniętym drzwiom gabinetu Wincentego. I pannie Weronice, której wielkie niebieskie oczy obserwowały wszystko spomiędzy szczebli w balustradzie schodów.

NIEDZIELA, 17 GRUDNIA 1922 ROKU

Msze zawsze uznawał za najlepszy czas do przemyśleń. Teraz też ukrył twarz w szalu i patrząc na proboszcza Berenta, zastanawiał się, czy możliwym jest, że na stare lata zrobił się ofiarą prowincjonalnych przesądów i zabobonów. Nie proboszcz, ale on, Ratajczak. A przecież miał za sobą – można powiedzieć – romantyczną i wzniosłą przeszłość. Tak z boku oceniając.

Hieronim wyleciał z gimnazjum w Lesznie za wywrotowość. Na strychu jednej z kamienic przy rynku czytał z kolegami, bez specjalnego zainteresowania, ale z dreszczykiem emocji, kolejno: broszury niepodległościowe, Marksa oraz Kropotkina. Wszystko to przyniósł im kolega, subtelny żydowski intelektualista, który potem wyleciał razem z nimi. Żadna z tych lektur Hieronimowi się nie spodobała. W broszurach były błędy ortograficzne, a pisma komunistyczne wydały się pozbawione ładu i składu.

Czytał, bo były zabronione. Bogiem a prawdą, wywrotowców czytających zakazane lektury było więcej. Ktoś jednak właśnie na nich doniósł.

Po szczegółowym dochodzeniu władze szkolne uznały, że prowodyrami obok żydowskiego kolegi byli: Napierała Stanisław (syn małorolnego, stypendysta parafii, której proboszcz widział w nim przyszłego księdza) oraz Ratajczak Hieronim (syn szewca, stypendysta własnego pomyślunku, utrzymujący się głównie z odrabiania lekcji i udzielania korepetycji mniej pojętnym uczniom). Napierała Stanisław, zadziwiony swoimi talentami do pracy spiskowej, w niesławie powrócił na wieś, a potem został oddany na praktykę do sklepu. Marzenie o zostaniu biskupem odebrano mu bezpowrotnie, co w przyszłości miało go sprowadzić na złą drogę fałszowania ksiąg rachunkowych.

Dwaj inni bywalcy strychu, syn lekarza i potomek pułkownika, zostali oczyszczeni z zarzutów. Augustyn Ruta-Rutkowski z wielkim trudem ukończył gimnazjum, ale w wakacje poprzedzające rozpoczęcie studiów w Berlinie utopił się. W małej sadzawce. Syn doktora Kormana został tak jak ojciec lekarzem. Oprócz tego gimnazjalnego epizodu jego egzystencja toczyła się ścieżką prostą jak żwirowe alejki w leszczyńskim parku i doprowadziła go, po dziesięciu latach, do uzyskania tytułu doktora nauk medycznych. Ten właśnie tytuł pozwolił mu potem otworzyć praktykę w Mańkowicach, gdzie ku swojemu zaskoczeniu spotkał dwóch gimnazjalnych kolegów.

Ratajczak Hieronim zaś, dzięki nieokreślonym machinacjom swojej ciotki, trafił w złej sławie do gimnazjum w Mańkowicach, które, z rocznym opóźnieniem, ukończył. Miał, trzeba przyznać, szczęście, na co zresztą dotychczasowy bieg jego życia wcale by nie wskazywał. Urodził się na przedmieściu Leszna (jeśli oczywiście coś wielkości Leszna może mieć przedmieście). Matki nie pamiętał, bo zmarła, rodząc mu siostrzyczkę. Siostrzyczki też nie pamiętał; nie przetrwała którejś z prób uśpienia za pomocą szmatki nasączonej alkoholem. Ojciec na początku bardzo się starał, a potem coraz mniej i mniej. Jako szewc był całkiem dobry, więc Hieronim nie chodził w dzieciństwie głodny. Jak sobie coś ugotował, to nawet był obiad. Miał oczywiście uczyć się szewstwa, ale jak się okazało, nie było to jego powołanie. Miał – dosłownie, bo jedna była lekko skrzywiona w tym kierunku – dwie lewe ręce. Ani pas, ani próby przekupstwa, ani wyrzucanie na dwór na mróz – nic nie sprawiało, że Hieronim choćby zbliżył się do umiejętności czeladnika czeladnika czeladnika szewskiego.

I tym dziwnym trafem pozwolono mu się uczyć, żeby się już nie szwendał pod nogami. Tu musiał jednak radzić sobie sam, bo ojciec opłacił jedynie wpisowe. No i jakoś sobie radził. Aż do czasu, gdy zachciało mu się czytać Marksa. Gdy więc wyrzucili go z gimnazjum, spędził kilka dni w domu, słuchając klnącego ojca. Szykował się już, by się zaciągnąć na jakiś statek, jak to mieli w zwyczaju czynić bohaterowie powieści awanturniczych.

Ciotkę Helenę uważał z perspektywy czasu za swoją wybawicielkę, zesłaną przynajmniej przez niebiosa. Nienawidziła ona swojego starszego brata pijaka i przez kilkanaście lat nie utrzymywała z nim kontaktów. Dlatego fakt, że o sprawie napisano w poznańskiej prasie i że ciotka, ograniczająca się zwykle do rubryk kościelnych, przeczytała ten napisany przez jakiegoś typa podpisującego się jako „Goniec z Prowincji" artykuł, uważał za najlepsze w swoim życiu zrządzenie losu. Do dziś pamiętał kwietniowy poranek, gdy przyjechała trochę rozklekotanym powozem wraz ze swym zwykle milczącym mężem. Nie witając się z bratem, wkroczyła zamaszyście do jednej z ich dwóch izb. Na jej pięćdziesięcioletniej głowie kołysał się wielki, kruczoczarny, zawinięty warkocz. Rzuciła spojrzenie, które jasno wyrażało, że nie dziwi jej stan materialnego posiadania rodziny brata. Następnie przedstawiła się Hieronimowi i nakazała mu zabranie najpotrzebniejszych rzeczy. Przyjrzała się chłopakowi, kiwając głową:

– Bronchit, anemia, zez, krzywica?

Każdy wyraz podkreślała przy tym podniesieniem brwi na pół czoła. Wszystkie wymienione nieszczęścia spotkały Hieronima kiedyś lub przeżywał je aktualnie. Dlatego domyślność ciotki Heleny zrobiła na nim wielkie wrażenie. Nie wiedział jeszcze, że jest ona przewodniczącą okręgowego koła Towarzystwa Higieny Cielesnej i Moralnej.

Do brata nie odezwała się przez cały czas ani słowem. Ten też patrzył na nią w milczeniu, żując tytoń. Po kwadransie byli już gotowi do drogi. Hieronim, kołysząc się na wąskiej ławeczce powozu, nie odczuwał wcale, że zaczyna się oto nowy rozdział w jego życiu. Nie odwrócił się, żeby sprawdzić, czy ojciec wyszedł przed dom. Nie myślał o tym, że może widzi go ostatni raz. Z właściwym piętnastolatkom brakiem talentu do głębszej refleksji analizował pytanie: peruka, farbowane czy może prawdziwe?

Ratajczak nie wiedział, czemu w zasadzie to wszystko mu się nagle przypomniało. Jeszcze nie był chyba w takim wieku, żeby podsumowywać życie i wspominać młodość?

Gdy wyjeżdżała z dworu, myśli kłębiły jej się w głowie, dziwnie obolałej jak po zebraniu bractwa studenckiego. Łosiczyn był Wincentego i, zapewne, niedługo już jego nowej żony. Przecież dzieci potrzebują opieki, więc wszyscy zrozumieją, że młody wdowiec szybko poszuka towarzyszki życia. Zresztą, człowiek ma swoje potrzeby, a taki mężczyzna jak pan Wincenty, to ho, ho. Już na pogrzebie Łucja obserwowała okoliczne panny przybyłe w naprawdę imponującej liczbie i jakości. Osiemdziesiąt hektarów, cukrownia, cztery dzierżawy, nawet browar przyjechał. Wszystko to na próżno, ale ciekawie się patrzyło na te wilgotne spojrzenia i miękkie uściski białych rączek. Naiwne, choć niby tak wyrachowane.

Panna Weronika już weszła w rolę pani domu, bez żalu pozostawiając dzieci pod opieką Łucji. Kilka osób, które nie znały siostry zmarłej, wzięło ją za siostrę Jadwigi i składało kondolencje, co jasnowłosa guwernantka przyjmowała z wdziękiem. Łucja jeszcze nigdy nie czuła się tak niepotrzebna, mimo że przy dzieciach było co robić. Mały Wincenty i Elżbietka płakali wniebogłosy przez kilka dni, na zmianę i w duecie. Nie dało się ich uspokoić, ale wiedziała, że to taki typ temperamentu, który po gwałtownym załamaniu szybko dochodzi do siebie. Za to Konstancja nie płakała. Nie mówiła też nic, od momentu, kiedy Łucja wyciągnęła ją z małej garderoby przylegającej do sypialni siostry. Nie miała pojęcia, jak długo dziewczynka tam siedziała. Z pewnością słyszała wszystko dokładnie, choć pewnie niewiele zrozumiała.

Jak wojska Hunów, gdziekolwiek Łucja pojechała, tam zostawiała za sobą trupy i płaczące dzieci. Sama czuła nie tyle wściekłość na szwagra, ile żal, że obie z siostrą okazały się tak głupie. Jadwigę tłumaczyła miłość, a ją co? Wiedziała, że to zły człowiek, ale uznała, że Jadwiga wie lepiej, co ją uszczęśliwi. I że tym czymś będzie małżeństwo z kimś zupełnie innym od ich ojca, oderwanego od życia wielbiciela Hildegardy z Bingen. Spokój, dobrobyt, wierność, bezpieczeństwo. Z tego wszystkiego tylko dobrobyt się udał.

I że Jadwiga spełni się jako cudowna matka, nie biegająca za kolejnymi „wujkami" puszczalska jak... nieważne. To się udało, była dobrą matką. Ale co teraz z jej dziećmi? Co je czeka pod opieką histerycznej intrygantki i ojca, który doprowadził ich matkę do śmierci? A może to wszystko nieprawda? W jasny grudniowy poranek, gdy jechała na stację, historia o ciąży, która miała zabić niepotrzebną już panią domu, brzmiała dziwacznie. Kiepski romans, tani melodramat. Stara baba ze wsi jako śmierdzący cebulą chór grecki. Takie rzeczy się nie dzieją, w takie rzeczy się nie wierzy. Ale w głębi serca wiedziała, że tak właśnie było. Jej siostra krzyczała bez przerwy przez cztery godziny, pod koniec była już tylko jednym wielkim krzykiem. I nic, nic nie można zrobić.

Gdy Jadwiga leżała w trumnie, po jej twarzy przeszedł czarny pająk. Zanim Łucja zdążyła go odpędzić – myśląc przy tym, że wcale nie wierzy w te przesądy o czarnych pająkach, wcale nie – wszedł pod sukienkę nieboszczki. Łucja nie wyjęła go. Bała się to zrobić, dotykać trupa więcej niż to konieczne. Z tym pająkiem chyba więc Jadwigę pochowano. Ze wsi nikt nie przyszedł do pomocy, choć zawsze przecież były chętne do płakania nad nieboszczykiem, mycia go i przebierania. Ale ktoś jednak się pojawił. W noc przed pogrzebem podpalono stodołę ze zbożem i Wincenty stracił owoce dwuletniej zapobiegliwości.

Już wtedy Łucja wiedziała, że nie będzie szukać pracy w okolicy. Wraca. Może choć w sprawie Marianny da się coś zrobić, choćby uspokoić swoje sumienie. Trzeba wracać i szukać mordercy, a nie chować głowę w piasek.

Postanowiła zamieszkać w domu swojej koleżanki. Anna Woźniakówna odpowiadała zdaniem Łucji w pełni wizerunkowi starej panny uczącej literatury oraz wymowy. Poetyczna i wzdychająca wciąż była albo znowu zakochana, albo już niezakochana, bo obiekt okazał się niegodny uczuć. Przy tym wszystkim miała jednak w życiu wiele szczęścia, choćby wtedy, gdy odziedziczyła czteropiętrową kamienicę przy rynku w Mańkowicach. Ta budowla rzucała się w oczy, bo była jedyną czteropiętrową kamienicą w promieniu dwudziestu kilometrów.

Anna mogła już w zasadzie nie pracować i zajmować się jedynie ściąganiem czynszu z lokatorów oraz pisaniem korespondencji do pism. Jednak możliwość kształtowania młodych umysłów była pokusą nie do odparcia. Dlatego też planowane zamknięcie szkoły Anna uważała za wielkie nieszczęście, opłakiwała je codziennie przynajmniej przez kilka godzin. I koniecznie musiała mieć świadków swojej rozpaczy, szczególnie takich, którzy doceniali jej bogatą frazę.

Mimo tej niedogodności, względy praktyczne przeważyły i Łucja skorzystała z bezpłatnego lokum w kamienicy przy rynku. Szczerze mówiąc, była po prostu skąpa i choć mogłaby sobie pozwolić na wynajęcie pokoju w pensjonacie, uznała, że należy trzymać się swoich poznańskich przyzwyczajeń. One tylko na dobre wychodzą. Raz w życiu była hojna i teraz ma siostrę trzy metry pod ziemią. Wnioski są jasne.

Ale nie ma nic za darmo. Musiała towarzyszyć Annie w jeremiadach. W związku z tym na razie spędzała popołudnia przy ciasteczkach i herbacie, wysłuchując boleściwych zawodzeń Anny a to nad zamknięciem placówki, a to nad upadkiem szkolnictwa w ogóle, a to nad fatalną sytuacją kobiet w młodym państwie, które miało być przecież zupełnie inne niż Prusy.

Odprowadziły też razem na pociąg kierowniczkę szkoły. Poszły na stację kolejową bladym świtem, bo Wachowska chciała jechać niespodziewanie i bardzo wcześnie, by uniknąć łzawych pożegnań oraz histerii byłych uczennic. Anna włożyła swą ulubioną w ostatnim czasie czerń, co miało zdaniem Łucji podkreślić jej rolę wdowy po szkole. Kalinowska chciała iść sama, ale jakimś cudem spadkobierczyni kamienicy stała w pełnym rynsztunku bojowym przed drzwiami jej pokoju już o czwartej trzydzieści rano. Nie dało się jej przemówić do rozsądku. Pożegnania na dworcu są zbyt dramatycznym wydarzeniem, by sentymentalne nauczycielki literatury miały z nich rezygnować. Przynajmniej pojechały powozem i Łucja nie musiała przedzierać się przez oblodzone ulice. Wachowska na widok dawnej podwładnej powiedziała tylko krótko:

– Dzień dobry.

Następnie przewróciła oczami, korzystając z tego, że Anna odwróciła wzrok, by podziwiać swą wdowią czerń w szybie okna dworca. W tym samym oknie zobaczyły wszystkie trzy krępą postać podkomisarza

Ratajczaka, który ostatnio cierpiał chyba na bezsenność. Hieronim skłonił się grzecznie, odpowiedziały mu, a potem bez słowa udały się na peron. Podkomisarz za nimi.

Pociąg przyjechał, Wachowska podała im rękę, rzuciła niezobowiązująco:

– Do widzenia. Może się jeszcze zobaczymy. Trudno powiedzieć.

Walizkę wniósł jej do pociągu Ratajczak, który zaraz się ulotnił. I to było wszystko. Woźniakówna czuła się trochę zawiedziona, ale zrekompensowała sobie to irytującym monologiem w drodze powrotnej z dworca.

W tej samej czerni Anna była dzisiaj. Kalinowska potrzebna była jej w zasadzie jako jednoosobowa publiczność, inteligentnie patrząca, ale pozbawiona prawa głosu. Bowiem Łucja już dawno zauważyła, że nie ma sensu się odzywać aż do ściśle określonego momentu, w którym zabrzmi stałe pytanie retoryczne. Dzisiaj też siedziała w wygodnym fotelu i jadła drugiego z kolei chruścika, kiwając głową w takt monologu panny Anny:

– To jest cios w naszą lokalną społeczność, w umysły i serca tych młodych dziewcząt. Tyle dobrego zawdzięczamy szkole, tyle światłych kobiet i obywatelek! Tak bardzo brakuje temu młodemu państwu kobiet świadomych swych obowiązków wobec kraju i rodziny i pozbawionych przesądów! Gdzie te dziewczęta się podzieją? Kto się podejmie nauczania ich na podobnie wysokim poziomie? Co z tymi, które nie płaciły za naukę, ale chciały zostać nauczycielkami w przyszłości? Mogłyby same pracować dzięki wykształceniu na swe utrzymanie, a kto wie, na jaką złą drogę zejdą teraz? I powiem ci więcej, Łucjo: nie spodziewałam się po pannie Wachowskiej takiego braku charakteru. Zrezygnowała z walki przeciwko złym językom i przesądom. A przecież podobna historia mogła się zdarzyć w każdej szkole. Prawda?

Na szczęście była czujna i choć nie słyszała słów Anny, rozpoznała intonację pytania. Padało zresztą regularnie mniej więcej po półgodzinie monologu.

– Hm, może i mogła, ale przyznasz, że o podobnej sprawie nie słyszałyśmy obie. Było jakieś podcinanie żył z powodu nauczyciela śpiewu w Pile, jednak dziewczynkę odratowali. I tę szkołę też zamknięto. Ale o wieszaniu się nie słyszałam. Niestety. To znaczy niestety, że akuratnie u nas to się zdarzyło, innym szkołom źle nie życzę. Przyznasz też, że ostatnio niezbyt dobrze nam się wiodło. I finansowo, i – że tak powiem – wychowawczo. Sama o tym wiesz, przecież jesteś w Towarzystwie. Oczywiście, szkoda tego wszystkiego... Wachowska jakby się poddała. Chyba ma uczucie, że nie do końca odpowiadała na prawdziwe potrzeby uczennic i rodziców. Trzeba było dodać więcej szycia, a mniej deliberować o filozofii i literaturze, bo to odniosło odwrotny skutek. Inne szkoły radzą sobie niestety lepiej. Czasy się zmieniają.

Anna skrzywiła się:

– Inne szkoły? Jakie szkoły? Nasza była najlepsza! Najwyższy poziom, grono pedagogiczne wszechstronnie wykształcone, prezentujące nienaganny poziom moralny... co oznacza ta mina? O dziecku na wsi też słyszałam. Nie wiedziałam, że hołdujesz przesądom! To jest owoc związku dwóch wielkich dusz, które jednak nie mogły się połączyć z powodu zawiści ludzkiej i trudnych warunków materialnych.

Nie o dziecko na wsi chodziło Łucji, ale postanowiła nie prostować sprawy.

– Słyszałam też o całkiem materialnej żonie.

Anna zarumieniła się aż po cebulki włosów.

– Wiesz dobrze, że nie każde małżeństwo godne jest tego miana. Czytałaś o doborze gatunków? Kaczka wiązać się powinna z kaczorem, a nie z orłem. A my pobieramy się, łącząc majątki, nigdy charaktery i potrzeby. Wiele jest na to dowodów. Jeśli chodzi o literaturę piękną, mogę ci polecić Strindberga. A z polskiej, to pewnie nie zauważyłaś, że nawiązałam tu do *Lalki*? Także Zola, choć on momentami jest zbyt brutalny, ukazuje te kwestie w jasnym świetle.

Łucja zawsze się zastanawiała, dlaczego ludzie myślą, że jeśli uczysz przyrody, to nie czytasz powieści. A jeśli studiowałeś literaturę, to nie umiesz zliczyć do trzech. Rzekła uspokajająco:

– Anno, wiesz dobrze, że podzielam tę opinię. Ludzie głupio się pobierają. Ale skoro już to robią, warto byłoby w swoim postanowieniu wytrwać.

– Jesteś przeciwniczką rozwodów? Nie, tego się po tobie nie spodziewałam. Wiesz, myślę, że barbarzyński klimat pod Łomżą trochę ci zaszkodził. Może poszukasz pracy w szkole zakonnej? Tam powinni cię przyjąć z otwartymi ramionami.

Pod koniec wypowiadania tych słów wpadła w jakiś dyszkant.

Łucja westchnęła. Jakie to wszystko przewidywalne. Anna najwidoczniej znów uległa zauroczeniu żonatym mężczyzną. Wyglądało to zwykle podobnie: w fantazjach wdawała się w romans, rozwodziła obiekt swoich uczuć i walczyła z małomiasteczkową obyczajowością. Nieszczęśnik stawał się w jej marzeniach postępowcem, u którego ramienia kroczyłaby, walcząc z przesądami. Później okazywało się, że romantyczny kochanek ma jakąś wadę typu dłubanie w zębach i Anna rezygnowała z czynienia go swoim towarzyszem walki o ucywilizowanie stosunków damsko-męskich w Wielkopolsce, a w dalszej konsekwencji i na całym świecie. Cały ten proces myślowy zachodził w ciągu dwóch–trzech tygodni, bez świadomości głównego zainteresowanego.

Teraz też Anna stała przy oknie i wpatrywała się znanym Łucji wzrokiem w policjanta Ratajczaka stojącego po przeciwległej stronie rynku. Tym razem to już wybrała całkowicie dziwacznie. Kiedyś Łucja go lubiła, ale straciła złudzenia. Dziobaty cham z apodyktyczną żoną. W dodatku ciągle pożera jakieś cukierki.

– Łucjo, widzisz to, co ja?

Widok był rzeczywiście ciekawy. Ratajczak i dwaj policjanci z Poznania wdali się właśnie w pogawędkę z przechodzącym przez rynek kierownikiem szkoły męskiej. Po chwili Zuber został wzięty pod ramiona, lekko podniesiony i choć wierzgał zabawnie nogami, uprowadzony w nieznanym kierunku. Nie trzeba chyba dodawać, że ruch na rynku zamarł natychmiast. Tylko dwóch chłopców w gimnazjalnych czapkach zaczęło na środku placu tańczyć dziwny, wzorowany chyba na indiańskim, taniec.

Wciąż wpatrując się w scenkę za oknem, Anna stwierdziła stanowczym tonem:

– Obcinam włosy. Na krótko. O, tu masz fotografię. Tak chcę wyglądać

Postukała palcem w leżącą na stoliku gazetę. Łucja ujrzała istotę z podgolonym karkiem, papierosem w ustach i rozpustną miną.

Ksiądz Berent wstrząsnął się z obrzydzeniem. Przynajmniej raz dziennie zadawał sobie pytanie, dlaczego im jakaś parafianka brzydsza i starsza, tym bardziej angażuje się w życie wspólnoty. Oczywiście, znał wytłumaczenie, ale starał się sam przed sobą do tej wiedzy nie przyznawać. Teraz też już z daleka poznawał kaczy chód sklepikarzowej Zawadzkiej oraz Kaczmarkowej, żony emerytowanego urzędnika kolejowego. Mimo krótkowzroczności nie miał problemu z rozpoznaniem obu postaci. Dzielne niewiasty spieszyły właśnie pomagać w przystrojeniu kościoła z okazji wizyty biskupa. Nawet z tej odległości było widać, że dyskutują na jakiś pasjonujący temat, gestykulując żywo i zatrzymując się od czasu do czasu.

– Dlaczego one nawet tak samo chodzą? – zamruczał do siebie proboszcz, szukając w kieszeni miętowego cukierka.

Ksiądz Berent miał jedną wadę, ale za to taką, która przeszkadzała mu dość wyraźnie w posłudze: nie lubił ludzi. Ludzkość nawet tak, ale pojedynczy przedstawiciele gatunku w większości bardzo go irytowali. I to się dawało wyczuć. Wiedział, że już lepiej by było, gdyby był pijakiem i uwodzicielem. Parafianie czuliby wtedy do niego sympatię i nazywali swoim chłopem. Jednak jego postawa moralna była nienaganna, żył w przykładnej czystości i ascezie. I dlatego jego niechęć do ludzi wszyscy odwzajemniali. Także hierarchia kościelna. Wiedział o tym, więc tym silniej starał się zachowywać pozory.

Nie pomagała mu też wyraźna chęć czynnego poświęcania się dla wielkich idei. Był powstańczym kapelanem, a w jego prawej nodze tkwiła dotąd bolszewicka kula (co prawda, rykoszet, ale zawsze). Leżąc w polowym szpitalu, wyobrażał sobie, jak to całe Mańkowice idą na jego pogrzeb i szczerze go opłakują, rozumiejąc wreszcie, jak wspaniałego kapłana straciła parafia. Otrzeźwiła go wtedy myśl, że musiałby na wieki spocząć na miejscowym cmentarzu, pewnie w jakimś grobowcu z figurą wielkiego tłustego anioła. Postanowił wydobrzeć.

Zaangażowanie wojenne, zamiast wzbudzać sympatię i szacunek, sprawiło, że parafianie uważali go za niesympatycznego awanturnika, który tylko czeka na okazję, by opuścić plebanię. Skądś wiedzieli, że ksiądz Berent udałby się chętnie nawet na wojnę z Zulusami, byleby tylko nie oglądać Mańkowic. Dlatego mimo wszystko odczuwał wdzięczność wobec kobiet skupionych wokół parafii. Wiedział, że pomagają mu nie z sympatii, ale ze szczerej chęci i wiary. Starał się więc być miły jak placek drożdżowy z wiśniami.

Teraz też wzniósł oczy do nieba, odliczył do pięciu i przywołał na twarz urzędowy uśmiech. Już go chyba widziały, więc niech wiedzą, że ich kapłan jest szczęśliwy z powodu tak zacnego wsparcia. Kaczmarkową zapytać o ciasto, Zawadzką o serce męża. Nie pomylić się.

Ale nie, chyba jednak nie będzie dziś strojenia kościoła. Ku swojemu zaskoczeniu zobaczył, że Kaczmarkowa bije pięścią w nos swoją towarzyszkę, a następnie, gestykulując silnie, zawraca. Zawadzka zaś pada na drogę i dłonią powstrzymuje krwawienie. Mając nadzieję, że jednak go nie zobaczyły, subtelnie i tyłem wycofał się na ganek probostwa, a z ganku do swojego gabinetu. On już sobie pójdzie. Cały czas na twarzy błąkał mu się lekki uśmiech. Zawadzką na pewno zobaczy siostra Benigna i udzieli jej koniecznej pomocy.

Trawiński i Kamiński, dwaj nieszczęśni policjanci z Poznania, przebywali w Mańkowicach kolejny dzień.

Już kiedy wysiedli na stacji kolejowej, wiedzieli, że czeka ich nuda. Więcej, już kiedy szukali swojego pociągu na dworcu w Poznaniu, odczuwali szczękościsk znudzenia. Więcej, czuli go, już kiedy zobaczyli Mańkowice na mapie. Więcej... można tak długo. Nie pomylili się. Miasteczko było czyste, mieszkańcy sympatyczni, a miejscowi stróże prawa natychmiast poczuli do poznańskiego duetu antypatię. Trawiński i Kamiński znali to wszystko na pamięć. Dobrze też wiedzieli, dlaczego właśnie ich wysyła się na takie turystyczne wycieczki: obaj panowie byli bohaterami pewnego skandalu, który przed pięcioma laty wstrząsnął poznańską policją. W dalszym ciągu musieli to odpokutowywać, w przeciwieństwie do ich bezpośrednich zwierzchników. No, ale jeśli nazywasz się Trawiński i pracujesz w pruskiej policji, twoja wina zawsze będzie większa niż kogoś o nazwisku, dajmy na to, Johann Hanemann. Dajmy na to. Koniec wojny w niczym Trawińskiemu i Kamińskiemu nie pomógł, bo ich opinia była już doszczętnie zniszczona.

Od pięciu lat obaj panowie byli więc duetem nieszczęśników odwiedzającym wielkopolskie wsie i miasteczka. Mieli się zajmować sprawami zbyt trudnymi do rozwikłania dla miejscowej policji, zwykle nierozwiązywalnymi. Ponosili więc porażkę za porażką, co oczywiście jeszcze bardziej osłabiało ich pozycję. W tym czasie Kamińskiego opuściła żona, a Trawiński zaczął uczęszczać na zebrania spirytystów, z nadzieją, że uda mu się skontaktować z duchem zabitego przypadkowo ośmiolatka. Jednym słowem: staczali się obaj w szybkim tempie.

Trawiński siedział teraz w swoim pokoju w pensjonacie i ziewał. Miał niezły widok na rynek oraz kamienicę dokładnie naprzeciwko. Całkiem przyzwoity budynek, ciekawe, czy już go Niemcy wykupili. Ostatnio stwierdził, że gdziekolwiek z Kamińskim jadą, wszędzie dowiadują się, że coś ładnego i pożytecznego wykupili Niemcy, którzy nagle stawali się Polakami. To się musi źle skończyć.

Trawiński przeglądał raport, napisany starannym pismem przez tego tam Ratajczaka. Oczywiście, nie wszystko dało się w nim umieścić. Ciekawsze było to, co podkomisarz opowiedział kolegom z Poznania. Pobyt Zubera nie tylko w szkole, ale i pod szkołą feralnego niedzielnego popołudnia został potwierdzony przez kilkanaście osób, w tym cztery młodociane. Dużo zwłaszcza wniosły do sprawy informacje uzyskane od rudowłosej Heleny, w widoczny sposób ucieszonej z możliwości brania udziału w czymś tak fascynującym jak śledztwo. Jąkając się i rumieniąc silnie, wyjaśniła, że dyrektor Zuber spotykał się z Marianną w czasie popołudniowych rekreacji. A ona, Helena, oczywiście podsłuchiwała i podpatrywała, co tylko się dało. Ratajczaka nie zdziwiło wcale to, jaki charakter miały te spotkania. Spodziewał się większych obrzydliwości. Bardziej go zainteresował fakt, że Marianna potrafiła wymykać się w nocy na potańcówki. Wiedziały o tym jej cztery towarzyszki z sypialni i żadna nie uznała za stosowne powiadomić władz szkolnych. Być może więc Marianna nie była jedyną panienką, która urządzała sobie nocne wycieczki.

Na pytanie, czy ktoś jeszcze odwiedzał Mariannę, Helenka niezbyt przekonująco odparła, że nie. A potem wpadła w udawaną histerię, szlochając i prosząc, by rodzice natychmiast ją stąd zabrali. Jak one jednak szybko się uczą, pomyślał Trawiński. Odłożył raport do szuflady biurka. I miał już pewność, że dorosłych mężczyzn związanych w nieodpowiedni sposób z uczennicami było więcej.

O to właśnie Hieronim zapytał pannę Elżunię Maszyńską, która obecnie przebywała dziesięć kilometrów od Mańkowic, w majątku, którego rządcą był jej ojciec.

Całą trasę podkomisarz pokonał rowerem, po śniegu. Trzeba przyznać, że trochę się zmęczył. Teraz siedział na wytartej kanapie i wpatrywał się w Elżunię. Ratajczak musiał przyznać, że to śliczna dziewczyna, choć wyglądała nieco mizernie. Duże niebieskie oczy odbijały się od jasnej twarzy, na której wyraźnie widać było ciemne żyłki. Rozmowa z panienką odbywała się oczywiście w towarzystwie matki, która przez te kilkadziesiąt minut oglądała swoje ręce i zdążyła zrobić się czerwona, potem blada jak ściana, a na zakończenie przybrała odcień identyczny z tym, jaki miały oliwkowe kotary w pokoju. Panią Maszyńską znał jako elegantkę, ozdobę przyjęć. Teraz ze zdumieniem zauważył, że kobieta ma brudne paznokcie z czerwonymi obwódkami. I był to brud pochodzenia zwierzęcego, o czym świadczyłyby zwłoki bezgłowej gęsi, porzucone na ganku. Bez dwóch zdań była to krew. Podkomisarza zastanowiło, że gdziekolwiek ostatnio idzie, zabijają jakieś zwierzę.

Maszyńska, w przeciwieństwie do większości ludzi, we własnym domu traciła całą pewność siebie, zamiast ją zyskiwać. Ratajczakowi było jej trochę żal, ale tylko trochę.

– Ja naprawdę już nic nie pamiętam, nic a nic. To było dawno temu. I ja ich dobrze nie znałam, bo musiałam powtarzać klasę. To nie były moje koleżanki, tylko tam spałam. Byłyśmy w sześć. I ja nigdzie nie wychodziłam w nocy, ja się boję ciemności. Mamo, powiedz!

Ratajczak rozglądał się po salonie, który najwidoczniej pełnił też funkcję jadalni oraz pokoju do nauki dla młodszego rodzeństwa panny Maszyńskiej. Jak to się mówi, bieda wyzierała tu z każdego kąta. W dodatku bieda dziwaczna, zakrywana przez dekoracje z gatunku zwisających z sufitu ususzonych róż. Był przekonany, że tym ludziom powodzi się znacznie lepiej. W mieście uważani byli za zamożnych, ale rzeczywiście: nikt ich chyba nie odwiedzał, bo nikogo nie zapraszali. Dziwne, jak często zwodzą nas pozory. Czuł się tą biedą wręcz skrępowany. Maszyńska widziała to w jego wzroku i był pewny, że oto ma już nowego wroga. W zasadzie mógł więc bez skrępowania zadać kolejne pytanie:

– Czy panna Elżunia otrzymała ostatnio jakieś prezenty albo może pieniądze?

Wypowiedział je ot tak, w przestrzeń, aby mogły same zdecydować, która ma odpowiedzieć. Panna wybuchnęła płaczem, a jej matka takim złorzeczeniem, jakie Ratajczak ostatnio słyszał z ust własnego ojca dwadzieścia lat temu. Skłonił się więc obu damom, wyszedł z domu i z przyjemnością wziął głęboki oddech. Świeże powietrze. Człowiek docenia je dopiero wtedy, kiedy go brak.

Przez okno zobaczyła Hieronima na rowerze. Trochę to niepoważnie wyglądało, szczerze mówiąc. Rower. Poznańska policja ma automobile. Czytała ostatnio, że w czasie pościgu za złoczyńcą policjanci zniszczyli płot jakiejś posesji, z taką prędkością jechali. Właściciel ogrodzenia odstąpił od roszczeń, bo uznał, że warto poświęcić kawałek płotu dla ukarania złoczyńcy. Rzeczonego nie złapano, ale liczy się gest. To dopiero musiały być emocje. A tu rower.

Ale czego się spodziewać po Mańkowicach. Co tutaj działo się na poważnie? Tu nawet powstania nie było, bo Prusacy od razu się poddali i ogłosili, że właściwie to oni od dawna już czują się Polakami. Wszędzie dookoła jakieś bitwy i potyczki, a w Mańkowicach tylko zbiórka na rannych, której głównym darczyńcą okazał się były burmistrz Pfafke. Ledwo jakiś moździerz było słychać. A, i rok temu aresztowano domniemanego komunistycznego agitatora, ale wypuścili go po pół roku. Do tego strasznie brzydki był, a czytała, że celowo do propagandy bolszewicy wybierają przystojnych. Całą twarz miał w pryszczach i dziobach. Mańkowicom nawet agitator trafił się więc nieudany. Teraz podobno ten Werner jest agitatorem, ale co to za komunista, co się z proboszczem na niedzielne herbatki umawia? Komedia.

Klara próbowała walczyć ze znudzeniem na różne sposoby. Robiła długie spacery po lesie. Czytywała powieści w odcinkach, była też niezwykle zaangażowaną uczestniczką dyskusyjnego koła czytelniczego. Pomagała w drukowaniu gazety i układała do niej szarady. Czasami też wiersze. Kiedy miała pieniądze, jeździła do poznańskiego kina Apollo z przyjaciółką. Ale wciąż liczyła na jakieś ciekawe wydarzenia, które przerwą monotonię Mańkowic.

Teraz też miała nadzieję, że choć zabije jej szybciej serce. W końcu policjant jedzie, chociaż szwagier. Stróż prawa. Może się zatrzyma pod ich domem? Może jest podejrzana w sprawie o zabójstwo? Gdzie tam. Zatrzymał się pod cukiernią Jareckiego i po chwili wyszedł z paczką ciastek. Jedno zjadł jeszcze na schodach.

Jej życie po prostu nie ma sensu. Z tą myślą poszła otworzyć drzwi, bo oto rozległo się pukanie. W progu stało dwóch mężczyzn, z czego jeden był nawet dość przystojny. Brunet i blondyn. Oczywiście to brunet był przystojny. Widział ktoś kiedyś przystojnego blondyna? W żadnej porządnej książce takiego nie było.

Ale to właśnie ten nieprzystojny odezwał się głębokim głosem, podczas gdy brunet przyglądał jej się świdrującym wzrokiem. Jakie oczy!

– Panna Klara Nowacka? Jesteśmy Trawiński i Kamiński. Poznańska policja. Chcemy porozmawiać o pani leśnych przechadzkach.

Znudzeni Trawiński i Kamiński ożywili się trochę. Dawno bowiem nikt nie zareagował na nich z takim entuzjazmem. W dodatku ładniutka dwudziestolatka. Dziewczyna w widoczny sposób pałała chęcią zwierzeń. Małe miasteczka mają jednak swoje zalety.

PONIEDZIAŁEK, 18 GRUDNIA 1922

W małych miasteczkach, o czym rozmyślał teraz Ratajczak, wszyscy robią to samo. Nawet krótkotrwała chęć wyróżnienia się, nachodząca zwykle mieszkańców między piętnastym a dwudziestym rokiem życia, szybko przechodzi. Pozostawia człowiekowi rzadkie przebłyski zaskoczenia, kiedy zamiast na paryskim Montmartrze nagle widzi się z męczącą ostrością w restauracji Ratuszowej. To ja, to kuzyn Marian, a to Bogumił, który miał być sławnym wynalazcą. To my tu teraz pijemy piwo i narzekamy na burmistrza. Wtedy ma się poczucie, że to było nie do uniknięcia, jak jakiś złośliwy plan. Pomyślał, że pani Maria pochwaliłaby go za takie refleksje. Popatrzyłaby mu w oczy z tym głębokim zrozumieniem.

Poniedziałkowa kolacja u ciotki Heleny była stałym obyczajem, od kiedy tylko Ratajczak wyprowadził się, by po ślubie zamieszkać z Felicją. Dzisiaj też zaraz po zebraniu organizacyjnym w sprawie wizyty biskupa wziął żonę pod rękę i, wraz z ciotką oraz jej mężem, udali się do domu przy ulicy Strumykowej.

Podkomisarz wyglądał bardzo godnie w nowym garniturze i płaszczu, czego oczywiście miał świadomość. Stąd właśnie brały mu się takie refleksje o życiu: wiedział, że prezentuje się ze swoją elegancką żoną jak ilustracja z pism, które Felicja przeglądała wieczorami. On ostatnio także zaczął znajdować w tym przyjemność. Przeglądać pisma wieczorami – to nawet brzmi strasznie. Kiedy to życie tak się zmieniło? Prawdopodobnie jest to jakieś fatum. Prędzej czy później samemu robi się proszone obiady w niedziele, a do cioci wędruje się na poniedziałkowe kolacje. Albo odwrotnie.

Po drodze do ciotki jak zwykle wstąpili do cukierni. Ratajczak pamiętał, że w zeszłym tygodniu skorzystał już dwukrotnie z usług firmy pana Jareckiego (w zasadzie trzy, ale jeśli ktoś częstuje, to nie wypada odmówić). Felicja nawet przez chwilę nie wyłączała świszcząco-piszczącego półszeptu, bo obok nich przechodzili sami znajomi. I o każdym można było coś powiedzieć.

Słuchał jednym uchem, połową tego jednego ucha. Zastanawiał się przy tym, czy żona zawsze tak męcząco plotkowała o wszystkich napotkanych. Nie wspominając już o tym, że przedstawiała mu oto w ten rześki dzień swoją hipotezę śledczą na temat obu morderstw. Jej zdaniem miała to być sprawa polityczna, w którą mógł być zamieszany ten i ten, a może nawet i ta ze znajomych, którzy wyglądali jej na socjalistów. Albo i komunistów. Rozwiązać zagadkę miała więc Defensywa Polityczna, którą należało sprowadzić. Ona, Felicja, jedynie radzi, a nie naciska, gdzie tam. Ale Hieronim mógłby jej choć raz posłuchać.

Szybkim krokiem przeszedł obok nich bardzo elegancki mężczyzna. Felicji omal głowy nie urwało. Przystojniakiem był Wincenty, który od wczorajszego wieczora przebywał w Mańkowicach. Mimo nonszalanckiej pozy, z którą ten obywatel Łomżyńskiego krążył po miasteczku, czuł się nieswojo. Nigdy nie był w zaborze pruskim. To znaczy: byłym. Myślał, że Mańkowice wyglądają podobnie do miasteczka pod Łomżą, z masą Żydów i brudnym małym rynkiem. Żadnych zalet miasta, żadnych zalet wsi. Sam zawsze uważał, że kulturalny człowiek powinien mieszkać albo w stolicy, albo w majątku. Dlatego już w Poznaniu poczuł się dziwnie, bo choć miasto było znacznie mniejsze niż Warszawa, to jednak i tak jakoś bardziej miejskie. Ludzie bardziej domyci czy co? A fakt, że do małych Mańkowic prowadzi trasa kolejowa, całkiem go zdeprymował. Nie miał jednak dużo czasu, by jakoś ułożyć swoje refleksje. Zatrzymał się w pensjonacie przy rynku i natychmiast zaczął szukać Łucji.

Pierwsze, czego się dowiedział, to fakt, że nie ma co szukać panny Kalinowskiej w szkole, bo ta została zamknięta. Poszedł pod kościół, bo przeczytał ogłoszenie na tablicy przy rynku. Miał nadzieję, że na zebraniu poświęconym planowanej wizycie biskupa spotka jeśli nie samą Łucję, to kogoś z jej znajomych. Wysłuchał więc grzecznie uwag proboszcza i głosów parafian. Potem, nie zwracając uwagi na zdziwione widokiem przybysza spojrzenia, podchodził po kolei do osób, które wyglądały jego zdaniem na zaprzyjaźnione z Łucją. Ominął więc oczywiście korpulentnego policjanta i jego żonę.

Panował ogólny rozgardiasz. Pod gotycką farą stał tłum ludzi i gestykulował zawzięcie, debatując o zabójstwie prezydenta Narutowicza. Mógłby ktoś pomyśleć, że przyćmi to wszystko inne, jednak po wymienieniu się kilkoma szczątkowymi informacjami (że na wystawie obrazów jakiś wariat) i podejrzeniami (Żydzi, bolszewicy) parafianie przeszli do kwestii znacznie sobie bliższej.

Ksiądz Berent wyglądał jakoś niezdrowo, pewnie z tego zdenerwowania. Czy to możliwe, że z powodu jutrzejszych wydarzeń? Wizytacja księdza biskupa Łukomskiego była oczekiwana już od pół roku. A wikariusz też dziwnie wyglądał, zarumieniony jakiś. Może to i prawda, że ksiądz Berent ma kłopoty w kurii. Chcą go zabrać? Ale tak bez pytania parafian? Jaki jest, taki jest, ale swój.

Jasztołd wtopił się w tłum i po chwili jakiś młokos ofiarował się za niewielką opłatą zaprowadzić go do domu policjanta, który miał być znajomym Łucji.

Przy posiłku wujek Maurycy, który był znany z tego, że mówi niewiele, ale zawsze nie w porę, po raz kolejny ukazał swój talent. Mocząc sobie wąsy zupą, zadał pytanie:

– A sprawa z tą małą wywłoką to już się wyjaśniła? Bo wstyd taki, na cały kraj już chyba. Halinka z Berlina pisała, że u nich w gazecie ta historia też była.

Pauza. Wszyscy popatrzyli na siebie. Mała Zosia zastrzygła uszami, bo usłyszała nowe ładne słowo. Lubiła takie na „w". Wojna, wieśniak, wywłoka.

– Od wojny nam się tu obyczaje popsuły – wuj pokiwał głową potępiająco, zabierając się do wysysania kości kurczaka – z tym Piłsudskim rozpusta przyszła. Bezeceństwo jakieś. Cały kraj o tym mówi.

– Jeśli do Berlina sprawa doszła, to znaczy, że jest znana na dwa kraje – zaznaczyła Felicja, która za ulubiony element własnej biografii uważała bycie sanitariuszką w czasie powstania i czuła, że osobiście przyczyniła się do ostatecznego kształtu granic – bo przypominam, że jesteśmy teraz w Polsce.

Wujek nic nie powiedział, wzniósł tylko oczy do nieba. Hieronim odezwał się, chcąc odejść od rozważań politycznych:

– Staram się nie oceniać ludzi, którzy już nie żyją. Oprócz tego mamy dwie zmarłe, a niekoniecznie to musi być jedna sprawa. Przy okazji: nie mógłby wuj tych dubeltówek pochować? Jakoś przerażająco to wygląda, osiem na jednej ścianie, jakbyście tu magazyn mieli. – Wskazał kolekcję, codziennie czyszczoną. – Jeszcze któraś wystrzeli.

Wujek poprawił się w krześle, przełknął kęs. Pominął kwestię dubeltówek, za to wygłosił sentencjonalnie:

– To jest jedna sprawa, mówię ci to. To jest sprawa upadku moralności.

Felicja wtrąciła się:

– A moim zdaniem sprawa polityczna.

Maurycy pokiwał głową:

– Może być. Polityka bierze się z upadku moralności. Jak nie ma moralności, to zastępczo jest polityka.

Ciotka Helena podniosła się ciężko i skierowała do kuchni. Na progu rzuciła:

– Polska czy Niemcy, polityka czy moralność, kolację trzeba zjeść. A co do dubeltówek, to człowiek nigdy nie wie, kiedy mu się mogą przydać. Nawet osiem.

Na kolację załapał się jeszcze przystojniak z Kongresówki, do którego Hieronim poczuł niechęć już od pierwszego momentu. Za to żona policjanta – wręcz przeciwnie.

Wincenty Jasztołd Ratajczaka w domu oczywiście nie zastał. Znalazł go jednak szybko, poinstruowany przez ponętną powinowatą policjanta. Zobaczyła ona Wincentego przez okno, więc natychmiast je otworzyła i, rumieniąc się, wyjaśniła, gdzie też pan Hieronim przebywa. Wyglądała przy tym na bardzo zadowoloną.

Szwagier Łucji odczuwał cały czas niejasną irytację, właściwą ludziom, którzy nie lubią być zaskakiwani nawet wtedy, gdy zaskoczenie wydaje się przyjemne. Powinno mu się podobać to przytulne i sensownie rozplanowane wielkopolskie miasteczko, ale się nie podobało. Już w czasie wielkiej wojny głosił bowiem teorię, że należy bić się z Austrią i Moskalami, a Prusy zostawić w spokoju. Stojąc na mrozie i wpatrując się w dwupiętrowy dom z czerwonej cegły otoczony świerkami, odczuwał słuszność swoich przekonań. Teraz już mniej więcej wiedział, dlaczego Piłsudski nie odwiedzał Wielkopolski.

Zapukał do drzwi Kaczmarków z postanowieniem okazania im swojej pogardy, ale oczywiście zapach jedzenia trochę go zmiękczył. Nie jadał nigdy w domach policjantów ani ich krewnych, ale z drugiej strony nikt go tu przecież nie znał. Od razu też wpadła mu w oko Felicja, jego ulubiony typ bujnej brunetki. Weronika byłaby idealna, gdyby takie właśnie włosy oraz długie rzęsy miała. I przestała histeryzować.

Wincenty wystąpił więc ze swoją sprawą dopiero po kolacji, gdy Hieronim zaprosił go na fajkę na werandę. Przybysz z Łomżyńskiego pożałował tego po, dokładnie, trzech minutach przebywania z policjantem sam na sam.

Ratajczak wpatrywał się w niego spokojnie spojrzeniem kobry. To znaczy może nie tak dokładnie, ale Wincenty pamiętał fragment z *Tajemnic Wilna*: *komisarz Podhorodecki wpatrywał się w nikczemnika wzrokiem kobry, tak by przeniknąć do głębi ciemność jego duszy*. A potem, za pomocą pięciu pytań,

Podhorodecki zrobił z mordercy miazgę. Historie kryminalne Wincenty bardzo lubił, choć dotychczas sądził, że w rzeczywistości bardzo rzadko kończą się aktem sprawiedliwości. Ten tu był chyba też ich czytelnikiem, stąd uważny wzrok, długo pewnie ćwiczony przed lustrem.

Wincenty popatrzył na swoje wytworne paznokcie, zaciągnął się jeszcze raz i niepodziewanie dla siebie rozkaszlał długo, gruźliczo. Gdy potem wspominał tę rozmowę, miał pewność, że wszystko było winą właśnie tego kaszlu. Jego rodzice, oboje, zmarli na gruźlicę. Dlatego nie mógł tak sobie spokojnie kaszleć jak inni ludzie, zawsze się denerwował i przypominał wykład o dziedziczności prowadzony przez śliniącego się profesora. Był pewien, że odziedziczył po rodzicach skłonności do ulegania tabunom zarazków, które czaiły się przecież wszędzie.

– Co pana do nas sprowadza? Sądząc po akcencie, jest pan z Kongresówki. – Hieronim uśmiechnął się pokrzepiająco, gdy tylko uprzejmie pozwolił się Jasztołdowi wykaszleć.

– Tak. Obywatel ziemski, właściciel majątku i rządca kilku innych. Szukam panny Łucji Kalinowskiej, siostry mojej żony. Zmarłej niedawno żony – podkreślił z naciskiem, wzdychając. Policjant skłonił głowę z uszanowaniem. Hrabia się znalazł.

– Szwagierka nie poczekała na uregulowanie spraw majątkowych, wyjechała zaraz po pogrzebie. Mamy do uregulowania pewne kwestie... Co prawda, majątek dziedziczą dzieci i ja, jako ich opiekun, oczywiście. Ale jest jeszcze odrębny majątek mojej żony, która zapisała go siostrze. Jadwiga nie spodziewała się śmierci, była jeszcze bardzo młoda. Ale myślę, że jej pragnieniem byłoby, żeby to dzieci wszystko otrzymały. Nie zdążyła po prostu zmienić testamentu. Łucja też jest tego zdania, z pewnością. Sama jest w dobrej sytuacji finansowej, ma pieniądze po wujku i doskonałe wykształcenie. No i mieszka tutaj, po co jej jakaś własność pod Łomżą? Na pewno zgodzi się przekazać zapis dzieciom. Trzeba to uregulować.

„Uregulować" to ulubione słowo faceta. I te błyszczące paznokcie nieutulonego wdowca. Rozgadał się też strasznie, bo przecież Hieronimowi nic do tego. Gdyby zapytał tylko o Łucję, dostałby odpowiedź. I finał. Po co tyle opowiada? Ale jak opowiada, to jeszcze popytamy.

– Pozwoli pan, że zapytam... kiedy zmarła pańska żona?

– Hm... dość niedawno. Do Łucji wysłałem telegram w zasadzie zaraz po jej wyjeździe. Żadnej odpowiedzi nie otrzymałem – odruchowo odpowiedział Wincenty.

– Czyli natychmiast zaczął pan załatwiać sprawy majątkowe. Godna podziwu skwapliwość.

Wincenty przełknął ślinę. Zaczął się irytować:

– Nie wiem, jak tutaj, ale my w Łomżyńskiem dbamy o przyszłość swoich dzieci. I myślę, że nie pana sprawa, jak szybko się do tego zabieramy.

– Ależ oczywiście. My w Poznańskiem również. Ja też zaraz następnego dnia po pogrzebie ojca sprzedałem jego zakład. Szewski. Zapytałem, bo odpowiadając na moje pytanie, sam się pan zawstydził tej skwapliwości. Zwykle ciężko nam się rozstać z przekonaniem, że bliski człowiek jest jeszcze wśród nas. Dlatego odkładamy zamykanie spraw z nim związanych. Stąd wnioskuję, że pana uczucia do żony mogły być podobne do moich względem ojca. Ale może nie mam racji, może tak tylko się bawię w psychologa z prowincji. Taka rozrywka po kolacji, w sam raz dla pruskiego policjanta.

Ratajczak zaczął się śmiać dobrodusznie, a Wincenty poczuł, że sprowadził na siebie nieprzyjemności. Wstał i powiedział w miarę spokojnie:

– To wszystko nie jest pana sprawa. Szukam szwagierki, ale jeśli policja w tym mieście nie umie nikogo znaleźć, to proszę ode mnie jeszcze raz podziękować za posiłek i do widzenia.

Hieronim spojrzał na niego, ostentacyjnie nabijając fajkę:

– Tytoń z Berlina, tam mają najlepszy. Łucja mieszka w kamienicy przy rynku, tej najwyższej. Szkoła została zamknięta, więc pewnie dlatego nie mógł jej pan tam znaleźć. Jeśli pan zatrzymał się w pensjonacie, to dziwne, że na siebie nie wpadliście. A co do majątku: skoro straciła posadę, to pewnie chętnie skorzysta z dobrodziejstwa siostry.

Otwierając zamaszyście drzwi, Jasztołd prawie zderzył się z podsłuchującą Zosią. Hieronim chciał zbesztać córkę, ale powstrzymał go nieoczekiwany widok: dziecko patrzyło na niego z błyskiem inteligencji w oczach. Albo pomylił to z podziwem. Wszystko jedno: obie możliwości były miłe i dotąd niespotykane.

Tak więc ten dzień, choć dziwny, był mimo wszystko miły. Teraz Hieronim leżał w ciemności i patrzył na Felicję. Spała, pewnie bardzo zmęczona. Nie odzywała się do niego przez cały wieczór, wracała z dziećmi sama. Miał być w domu przed dziewiątą, ale to się nie udało, bo poszedł odwiedzić swojego przyjaciela Wernera. Nie zastał go, cały dom był pusty. Nie było nawet gospodyni, pani Wróblowej.

Chciał oczywiście przeprosić Felicję. Jednak kiedy zobaczył jej obrażoną minę, stwierdził, że nie. Poszedł jeszcze raz na spacer, jakby nie dość ich dzisiaj miał. Już wychodząc z domu, zawstydził się, ale głupio było wracać. Jak idiota chodził więc w śniegu do północy, wspominając w dalszym ciągu lata gimnazjalne.

Zdecydowanie podkomisarz Ratajczak nie był idealnym mężem i ojcem. Teraz próbował tej samej głupiej sztuczki co zawsze: pocieszał się, że i tak na tle poprzedniego pokolenia wypada nieźle. Właśnie: poprzednie pokolenie. Skoro nie potrafił znaleźć powodu, dla którego ktoś zabił młodziutkie dziewczyny, może przyczyna jest głębsza, tkwi gdzieś w nieznanej mu przeszłości obu panien? Albo przeszłości mordercy? Skąd założenie, że morderca jest degeneratem, który zabił je, by dać upust brutalnym żądzom? No tak, Hieronim wziął to założenie z prasy, która przecież cały czas przedstawiała mordercę jako produkt stosunków społecznych albo też zwierzę w ludzkiej skórze, diabła wcielonego. Dlatego, rozglądając się wokół siebie, mańkowiczanie byli przekonani, że to nikt miejscowy. W końcu ludzi z rogami na ulicach nie zaobserwowano.

A może to jakiś pozornie sympatyczny facet, któremu ileś lat temu ktoś nadepnął na odcisk, a teraz była okazja się zemścić? Nie czerpał może wcale przyjemności z morderstw, ale uznał je za uzasadnione i usprawiedliwione? Takich ludzi Hieronim pamiętał z powstania. Normalnie muchy nikt z nich by nie skrzywdził, a tu proszę, podrzynali gardła jakimś rekrutom z Bawarii, żeby zaoszczędzić kule. Tak, tylko jaką, u licha, przeszłość może mieć dziewiętnastoletnia służąca? O tym wszystkim chciał pogadać z Wernerem, ale niestety znowu go nie było.

Hieronim ziewnął jeszcze raz i zasnął.

ŚRODA,
20 GRUDNIA 1922

Dzień wizytacji biskupa przywitał wszystkich mrozem i przejrzystym powietrzem. Ratajczak na nogach był już od czwartej rano, bo razem z Trawińskim i Kamińskim wydelegowani zostali przez komisarza Wasiaka do poszukiwania materiałów wybuchowych oraz niebezpiecznych narzędzi, którymi można byłoby zaatakować biskupa. Gdyby ktoś wpadł na taki pomysł, oczywiście. Goście z Poznania uważali, że to wręcz obraźliwe, aby zajmowali się takimi głupotami, zamiast prowadzić swoje śledztwo. Jednak Wasiak stwierdził, wzruszając ramionami, że przynajmniej się do czegoś przydadzą, bo w to, że znajdą mordercę, już chyba sami nie wierzą.

Komisarz, wraz z przybliżaniem się do emerytury, stawał się, jak to zauważyła Felicja, coraz lepszym człowiekiem i pobożniejszym katolikiem. Jedno trochę mu się kłóciło z drugim, bo mimo całego wrodzonego zmysłu moralnego uważał, że ważniejsze jest przygotowanie wizyty biskupa niż szukanie mordercy jakichś dziewek. Co zresztą wyraźnie zaakcentował, kiwając swą łysą głową. Trawiński i Kamiński nie mieli więc nic do gadania, bo obaj byli tylko podkomisarzami. Z Poznania, ale jednak. Biegali więc dziś od samego rana razem z Ratajczakiem i Nowakiem po całych Mańkowicach, zaglądając w najdziwaczniejsze miejsca i szukając Bóg wie czego.

Hieronim na polecenie komisarza poszedł też odwiedzić Wernera. Miejscowego bolszewika, jak się wyraził przełożony. Oczywiście, żaden był z Wernera bolszewik zdaniem Ratajczaka, ale od dawna już przychodziły z Poznania instrukcje, żeby śledzić podejrzanych o takie sympatie. Księgarz nadawał się najlepiej, bo nie chodził do kościoła. Od kiedy pojawił się w mieście i otworzył księgarnię Pod Arkadami, budził dużo emocji, choć w zasadzie nic w tym celu nie robił. W tych samych dniach co Ratajczak i Łucja odwiedzał towarzysko proboszcza Berenta. Rozmawiali o różnych kwestiach, więc Hieronim mógł ocenić, że dawny kolega nadal miał lewicowe poglądy.

Podkomisarz jeszcze w szkole bardzo lubił Wernera, choć niefortunny był pierwszy finał tej znajomości. Mańkowice jednak wiedziały swoje. Ktoś słyszał, że Werner krytykował wysokie ceny chleba i twierdził, że podstawowe produkty powinny mieć ustalone przez państwo ceny. A że w każdym mieście musiał być jakiś miejscowy bolszewik, to i Mańkowice miały swojego.

Hieronim wędrował więc teraz do niego przez całe miasteczko, popatrując przy okazji na swe ręce, których nie udało mu się domyć po wczorajszym malowaniu stołu na plebanii. Bo i do takich poleceń posunął się jego zdewociały na starość przełożony. Werner pewnie by się uśmiał, gdyby mu to opowiedzieć.

Ratajczakowi ciężko było na sercu, gdy otwierał furtkę i o siódmej rano niszczył niepokalaną dotąd biel ogródka pani Wróblowej. Tu Werner wynajmował dwa pokoje z opierunkiem. „Do Wernera – dzwonić raz", głosiła kartka. Elektryczny dzwonek (jak widać, na wynajmie można się dorobić) zabrzmiał głośno jak kościelne dzwony. Biedny Werner musi się strasznie irytować za każdym razem, kiedy to słyszy, pewnie dlatego „dzwonić raz".

Otworzył mu zaspany Werner w samych kalesonach. Na widok Ratajczaka coś mu od razu zaświtało, więc mrugając szelmowsko, zakrzyknął wesoło:

– Ha! Przybyłeś sprawdzić, co też planuję na ten miły dzień wizytacji biskupa? Czy też chcesz mnie od razu zamknąć na wszelki wypadek? Spokojnie, dzień mam zamiar przechlać w swoim własnym luksusowym towarzystwie. Nie zapraszam do środka, bo mam bałagan, a sprzątać mi się nie chce. Dziś urlop. Księgarni nie otwieram, bo przecież nikt do mnie nie przyjdzie po jakieś tam książki, kiedy można biskupa

Kostkę-Łukomskiego we własnej uszatej osobie zobaczyć.

Ratajczak westchnął. To prawda, biskup miał odstające uszy, ale podkomisarz jako katolik uważał, że to nie jest kwestia zasadnicza.

– Słuchaj, naprawdę będę wdzięczny, jeśli zostaniesz w domu. Jak się pokażesz w pobliżu biskupa, to sam cię zamknę, niestety. Chyba że chcesz, aby to zrobili dwaj tacy faceci z Poznania. Strasznie chcą się wykazać, więc mogą cię nawet zapakować do klatki i pokazywać jako świeżo upolowanego komunistę. W dodatku twierdzą, że z pewnością są tu też polityczni, którzy napiszą na nas raport, jakby co. Teraz na przykład bomby szukają i są pewni, że któraś pani z koła różańcowego ukryła ją w placku dla biskupa. Najpierw nie chcieli, bo podobno mają za wysokie kwalifikacje do tropienia materiałów wybuchowych, a teraz proszę, spodobało im się. Ewentualnie jakiś świeży trup by ich zadowolił.

Żart był średni, ale Werner uprzejmie się uśmiechnął. Ratajczak miał tendencję do kiepskiego dowcipkowania, kiedy tylko czuł się skrępowany wyrzutami sumienia.

– Tak Bogiem a prawdą, to ja znam tych dwóch. Trawiński i Kamiński się nazywają, nie? I to oni są trochę polityczni, choć słyszałem, że za karę ich przenieśli do tropienia trupów. Zauważ, jak ładnie to brzmi: „tropienie trupów”. Ale wprawę mają. W czasie wojny szukali polskich buntowników, teraz, widzę, bolszewików. Dla takich ciągle jest praca. Zawsze się, gnidy, odnajdą.

Werner skrzywił się, jakby chciał splunąć.

– Mówię ci, przyjdzie taki czas, że endeków będą szukać. Jeszcze ciebie zamkną albo twojego świętego przełożonego. A, właśnie, co do pobożnych osób, to sobie coś przypomniałem. Głupia sprawa, ale zupełnie poważnie mówię ci: zapytaj, co też twoja ciotka Helena robi wieczorami w lesie. Te spacery to dziwne zajęcie dla starszej pani w takie mrozy.

Ratajczak spojrzał na swojego dawnego szkolnego przyjaciela ze zdumieniem. Oszalał? Skąd nagle ciotka Helena? W tym wrogim otoczeniu popadł pewnie w jakieś dziwne stany.

– Dobrze, zapytam. No, a teraz życzę ci miłego picia. Nie wychodź nigdzie. Rzeczywiście, straszny mróz mamy ostatnio.

Ratajczak uchylił policyjnej czapki, chcąc przypomnieć o powadze urzędu. Natychmiast jednak zrobiło mu się wstyd. Werner popatrzył na niego ze smutnym politowaniem, wzruszył ramionami i zatrzasnął drzwi. Po chwili jednak z okna na półpiętrze wysunęła się jego kudłata głowa i księgarz krzyknął:

– Hieronimie, nie przejmuj się! To tylko polityka! A Klarę też zapytaj, czy nie lepiej dbać o płuca, jeśli się kaszle w tak młodym wieku. Las jako miejsce zdrowych zimowych przechadzek cieszy się chyba zbyt dobrą opinią.

Ratajczak pomachał mu i poszedł w melancholijnym nastroju sprawdzić przygotowania w szkole imienia Mickiewicza (dawniej Goethego). Wiedział, że tam z kolei będzie musiał pogadać z obrzydliwym Zuberem.

Nie ma sprawiedliwości na świecie. Z tych dwóch przecież to Werner był znacznie bardziej wartościową jednostką – światły, oczytany, pomagający ubogim ze skromnych dochodów księgarza. Zresztą, prawie każdy w Mańkowicach jest z moralnego punktu widzenia więcej wart. Ale to Zuber będzie witał biskupa razem z Kormanem, mimo że jasno mu Ratajczak udowodnił kontakty z nieletnią uczennicą. Oraz wręczanie jej prezentów.

Druga próba aresztowania była bardziej udana niż pierwsza. Miał wtedy w końcu jakieś trzydzieści minut satysfakcji, bo rozległ się jednak dzwonek telefonu. Ale warto było choćby dla tych paru chwil. Co nie zmienia faktu, że nie ma sprawiedliwości na tym świecie. I żadni bolszewicy na to nie pomogą. Na tej konkluzji zakończył rozmyślania, bo dotarł do celu.

Zobaczył znajome twarze. Zubera już nie było, jak doniósł zaaferowany łacinnik, facet w wytartym płaszczu i z długą brodą. Ciekawe, że ci łacinnicy zawsze tak wyglądają.

– Zuber czeka na stacji – dopowiedział wyperfumowany i zarumieniony ksiądz katecheta.

– To niech czeka, oby mu nogi do tyłka przymarzły – mruknął do siebie Ratajczak

Hieronim splunął, stając przed budynkiem szkoły. Jakoś dziwnie mu się to wszystko nie podobało. Nie wiedział, co konkretnie najbardziej. Ale wzdrygnął się na niejasne wspomnienie wizyty dostojnika kościelnego, gdy on sam był uczniem gimnazjum. Podobny mroźny i jasny, świetlisty dzień oraz dziwne złe przeczucie. Wtedy było słuszne: dzień po wizycie Hieronim wyleciał ze szkoły.

Gimnazjum udekorowane było biskupim herbem i biało-czerwonymi flagami, młodzież męska tworzyła szpaler. Tworzyła go zresztą od godziny, mimo że oczekiwany gość miał się zjawić dopiero około dziesiątej. Jakiś chłopiec już zemdlał, ciekawe, co będzie potem. Ratajczakowi przypomniało się, jak witali inspektora szkolnego w gimnazjum w Lesznie. Wtedy też był szpaler, a uczniowie odśpiewali kilka niemieckich pieśni patriotycznych. Hieronim wcale by się nie zdziwił, gdyby i dziś jakiś nauczyciel z nieuwagi zaintonował pieśń o dębach pragermańskich.

Zrobił rundę dookoła rynku. Większość osób była już na posterunku. Gapie dreptali w miejscu, chcąc się ogrzać. Co to w ogóle za pomysł, żeby wizytować w grudniu. Podobno chodziło o to, że przez wojnę i powstanie były, delikatnie mówiąc, zawirowania w planie wizyt duszpasterskich; ostatni raz biskup wizytował Mańkowice siedem lat temu. Ale i tak dziwny pomysł.

W planie było powitanie w wykonaniu oficjeli na stacji kolejowej, przejazd biskupa przez miasto, przemówienia na rynku pod baldachimem oraz uroczysta msza święta. Trawiński i Kamiński obstawili kolej, on i jakiś typ z kurii mieli na celowniku kościół i rynek. Tfu, nie na celowniku, żadnych celowników. Nie słyszał o przypadku ataku na biskupa, poza jakimiś historiami z książek historycznych. Wasiak oszalał na starość. Ale, z drugiej strony, zabójstwo Narutowicza sprawiło, że wszystko wydawało się możliwe. Skoro można spokojnie podejść do prezydenta i oddać kilka strzałów, to pewnie można i do biskupa. Jak już endecy strzelają, czemu nie mieliby tego robić komuniści?

Obiegł rynek jeszcze dwa razy i postanowił posilić się landrynką. Złe myśli wróciły. Niby wszystko przygotowane, ale Ratajczak miał jednak od rana to cholerne przeczucie nadciągającej kompromitacji. Żadnych strzałów, żadnych zamachów, ale coś się stanie. Typ z kurii, pan Marian chyba (bo strasznie mamrotał i trudno było stwierdzić, czy może nie Marek), też zachowywał się dziwnie. Właśnie popatrywał z powątpiewaniem w oczach na donice ze świerkiem, które ktoś pomysłowy umieścił w wielkich wiklinowych koszach i przywiesił na hakach do budynku szkoły od strony rynku. Głupio to jakoś wyglądało. Nienaturalnie.

Zupełnie jak panna Anna Woźniakówna, która ostentacyjnie przeszła właśnie przez cały rynek, prezentując swoją krótką fryzurę. Krótką to mało powiedziane, miała włosy jak kobiety z okładek ilustrowanych czasopism. Była nauczycielka nic sobie z wizyty biskupa nie robiła. Odprowadzana wzrokiem wszystkich zgromadzonych podeszła do drzwi piekarni, chwyciła za klamkę, a następnie ostentacyjnie zdziwiła się, że jest zamknięte. Potem, nadal unosząc dumnie głowę, wróciła do swej twierdzy (sześć mieszkań na wynajem plus sklep na parterze). Ratajczak trochę jej zazdrościł. Kamienica, jak widać, daje wolność.

Nagle pomruk poszedł po tłumie. Zaczęło się. Chór stojący na podwyższeniu pod ratuszem buchnął *Boże, coś Polskę* (sopran Felicji na pierwszym planie). Automobil przejechał między gimnazjalistami w strojach galowych. No i kolejny nie wytrzymał, zemdlał po tych trzech godzinach na mrozie dokładnie w momencie, gdy mijał go biskup. Dwóch nauczycieli wyciągnęło nieszczęśnika z pierwszego rzędu.

Gdy Ratajczak chciał dziękczynnie westchnąć, że spodziewana kompromitacja odbyła się małym kosztem, usłyszał zbiorowy pisk, w który przemieniła się pieśń przy słowach *skarć naszych wrogów zamiary szkodliwe*. Zamieszanie spowodowała wielka donica ze świerkiem, która uderzyła o ziemię dokładnie na dziewięć centymetrów przed czwartym altem (pani Jasińska, aptekarzowa). Cały rynek skierował oczy na nieszczęsną kobietę, bo zaczęła przeraźliwie wrzeszczeć. Na to, że biskup właśnie wychodzi z samochodu, a wraz z nim idą dyrektor szpitala i kierownik szkoły, nikt prawie nie zwrócił uwagi.

Tylko jedna osoba wpatrywała się w dostojnego gościa, nie dopuszczając do siebie żadnego innego bodźca: Maciuś Król. Założył się z kolegą, że jeśli biskup ma uszy bardziej odstające niż pan od polskiego, ten szczerbaty drugoklasista stawia rurki z kremem. Jak nie, to on, Maciuś. A że nie był w najlepszej kondycji finansowej, uszy biskupa przyciągały go wręcz magnetycznie. Jeśli będzie tak jak na zdjęciu w gazecie, rurki załatwione. Jeśli nie – trzeba będzie chyba pożyczyć od Janka.

I nie zauważył ani spadającej donicy, ani histerii pani Jasińskiej, ani też ręki, która wyłoniła się z mieszaniny świerku, ziemi, śniegu oraz fragmentów węzła. Była to dłoń panny Łucji Kalinowskiej, nauczycielki przyrody.

Zarówno ta część, jak i reszta ciała, które właśnie wyplątywał spośród iglastych gałęzi policjant Ratajczak, stanowiły świetną ilustrację kazania, jakie chciał wygłosić Jego Ekscelencja. Miało być o znikomości wszystkiego, co materialne, i o tym, że dbać należy o duszę, bo z ciała pożytku żadnego mieć nie będziemy. To, co zostało z panny Kalinowskiej, kazało mieć nadzieję, że nauczycielka przyrody nie dała się uwieść materialistycznym ideologiom i o duszę dbała. Dla jej ciała było już zdecydowanie za późno nie tylko na uzdrowienie, ale i na w miarę przyzwoity pogrzeb z otwartą trumną.

Hieronim oraz Trawiński i Kamiński, którzy wyrośli jak spod ziemi, zajęli się rozganianiem gapiów.

Nie było to łatwe, bo nawet ci, którzy postanowili śledzić przejazd biskupa z otwartych okien swoich domostw, teraz próbowali dostać się w pobliże ratusza. Ale panowie dawali sobie radę, używając pałek. Głos Trawińskiego górował nad całym zamieszaniem:

– Gdzie leziesz, chamie? Wynocha! Odsunąć się! Bo jak cię zdzielę, ty pruski pomiocie! *Raus!* Coś powiedział? Sam żeś jest od Bismarcka!

Wojtek Nowak też starał się wypełniać służbowe obowiązki, choć niezbyt był wprawny w takich akcjach. Pozostałych podkomendnych Ratajczak nie widział. Za to Kamiński nic nie mówił, tylko lał wszystkich dookoła w sposób bardzo profesjonalny.

Hieronim, jak zwykle w takich sytuacjach, się nie popisał. Miał świadomość, że nikt sobie nic nie zrobi z jego słabych pokrzykiwań:

– Ale bardzo proszę, odsuńcie się, państwo! Dzieciom oczy zakryjcie! Gdzie pani z tym wózkiem tu idzie, nie ma pani czego synkowi pokazywać? Nie ma na co patrzeć, bardzo proszę!

Napotkał ironiczny wzrok Trawińskiego, jednak udał, że nie zwraca na to uwagi. Celowo energicznym krokiem podszedł do trybuny zajmowanej przez władze miasta. Tu wszystko wyglądało mniej dramatycznie, a bardziej komicznie. Burmistrz cucił burmistrzową, kilka pań zemdlało. Nie miał ich kto za bardzo podnosić, więc same się gramoliły, pojękując.

Hieronim napotkał uważne spojrzenie swojej żony, która niewiele sobie robiła z zamieszania. Zachowywała się, jakby nie była członkinią chóru Jutrznia, ale profesjonalną śledczą. Podeszła do trupa Łucji – jej kroki były tak pewne, że Trawiński od razu ją przepuścił – i oczami wskazała Hieronimowi węzeł na sznurze. Tak, to taki sam.

W ogólnym zamieszaniu biskup wsiadł do automobilu z mocnym postanowieniem, że prędzej jak za osiem lat tu nie wróci. Prawie w biegu do pojazdu wsiadł też pan Marian. Proboszczowi Berentowi mignęła myśl o misji w Afryce. Jeden Maciuś był bardzo zadowolony: uszy biskupa spełniły jego nadzieje.

CZWARTEK, 21 GRUDNIA 1922

„Goniec Mańkowicki" (wydanie specjalne, przygotowane przez Annę wspomaganą siłami Klary Nowickiej, w nocy) był w całości poświęcony spekulacjom i złośliwościom. Hieronim czytał i czytał, nadziwić się nie mogąc. Skąd ta kobieta brała te niedorzeczne wymysły? Bo mimo że pod artykułami widniało kilka nazwisk, dobrze wiedział, komu znów zawdzięczać będzie pełne potępienia spojrzenia rzucane przez rodzinę, znajomych i nieznajomych.

Anna sama pisała, sama wydawała i przez pewien czas sama kolportowała „Głos". Teraz nakład pisma stopniowo wzrastał i obejmowało ono zasięgiem coraz więcej ościennych gmin. Ku zaskoczeniu wszystkich, przy okazji morderstw zrobił się z tego niezły interes.

Hieronim myślał, że ludzie lubią czytać o dalekich krainach i wielkiej polityce. Rozmawiał o tym kiedyś z proboszczem i Kalinowską. Berent zgadzał się z nim, Kalinowska zaś od początku się upierała, że wolą czytać o sobie. Trzeba tylko wszystko lekko podkoloryzować i dodać komentarz krytykujący władzę, obojętnie jaką. Przepowiadała swojej koleżance wielką przyszłość w dziennikarstwie.

Teraz Hieronim patrzył na wielkie nagłówki: *Kolejne morderstwo! Kompromitacja na oczach biskupa! Dlaczego policja nic nie robi? Co na to burmistrz i starosta? Czy Mańkowice to nowa stolica zbrodni? Komu zależy na ukryciu prawdy?* Nic dziwnego, że o siódmej rano udało mu się kupić dosłownie ostatni egzemplarz dostępny w promieniu dwóch kilometrów. W dodatku został soczyście zelżony przez osoby stojące w kolejce pod piekarnią.

Kawałki panny Kalinowskiej uświadomiły mu również, że prawdopodobnie rozmawiał z jej zabójcą. I chociaż Wincenty Jasztołd wydał mu się podejrzany, to jak zwykle machnął ręką na sprawę. I wrócił do rodziny w celu konsumpcji placka.

Co więc robił ostatnio? Zamiast zabrać się do sprawy porządnie, zrezygnował ze śledztwa po spotkaniu ze specjalistą od psiego smalcu i zaspaną prostytutką. Wrócił do śledzenia pracowników cukrowni, którzy nadal kradli worki z cukrem i sprzedawali je na czarnym rynku. W przerwie zaś pracował społecznie na plebanii. Wszystko to było żenujące.

Gdyby ktoś spojrzał z boku, uznałby, że Ratajczak jest kretynem albo współpracuje z mordercą (mordercami?). I jakże miło byłoby przyznać, że owszem, jest kretynem. Ale nie, Hieronim był tylko biednym prowincjonalnym policjantem, który od czasu do czasu robił coś odważnego, a potem natychmiast się wycofywał.

Rozmyślania przerwał mu Wojtek, który od paru minut rzucał znaczące spojrzenia. Hoffmanna nie było, bo zajęty był swoim domowym śledztwem. Aspirant Kowalczyk wyszedł, więc jedyny wielkopolski policjant w szaliczku postanowił się odezwać:

– Panie podkomisarzu... ja mam taką teorię: ta sprawa może być polityczna.

Ratajczak zarumienił się. Otaczali go idioci z obsesjami politycznymi, nawet taki młody chłopak już głupieje. Wydusił przez zaciśnięte szczęki:

– To idź przedstaw tę teorię mojej żonie. Ona cię chętnie wysłucha.

I wyszedł.

Świadomość swojej sytuacji mieli także Trawiński i Kamiński, spędzający kolejny bezowocny dzień w Mańkowicach. Nie zdziałali nic, a przybył kolejny trup. Pensjonat przy rynku obrzydł im już całkowicie. Zostali w nim jako jedyni goście. Wcześniej przez kilka dni był też facet z nadmiarem pomady na wąsach, ale szybko się zmył.

Wszystko wskazywało na to, że przyjdzie im w tym uroczym odosobnieniu spędzić święta. Telefony do Poznania nic nie dawały, bo sepleniący przełożony, cholerny Litwin przysłany do Wielkopolski w ramach ponownego łączenia zaborów, cały czas powtarzał, że mają zostać w Mańkowicach i działać. Obaj panowie, dotąd tak zgrani, zaczynali odczuwać do siebie nawzajem coś na kształt nienawiści.

Gdy więc Ratajczak przeglądał lokalną gazetę, Trawiński rozmyślał, chodząc po rynku. Czekał na Kamińskiego, bo ten pedant poświęcał równo osiemnaście minut na poranne czyszczenie butów. Trawiński robił już trzecią rundkę, smętnie popatrując na resztki dekoracji z okazji wizyty biskupa. Nikomu nie chciało się tego nawet posprzątać. Na ratuszu wisiał wielki transparent: MIŁOŚĆ JEZUSA JEDNOCZY NAS WSZYSTKICH. Trawiński zastanowił się, czy uda się zjednoczyć wszystkie członki ciała Łucji Kalinowskiej. Wiele wskazywało na to, że lewa stopa bezpowrotnie zaginęła.

Popatrzył po raz kolejny na budynek pensjonatu. Zrobił to w dobrym momencie, bo Kamiński siłował się właśnie z drewnianą okiennicą. Piętro poniżej swojego pokoju, co przyjaciel zarejestrował ze zdziwieniem. Wreszcie Kamiński dał sobie z oknem radę, wychylił się i powiewając niezawiązanym do końca krawatem, wrzasnął:

– Ignac, cho no tu!

Trawińskiemu serce zabiło mocniej. Wreszcie coś mieli. Wielkimi susami przemierzył kawałek rynku i schody. Jego kolega stał w drzwiach pokoju zajmowanego wcześniej przez przystojniaka z wąsami, triumfalnie dzierżąc coś w dłoniach. Po bliższym przyjrzeniu się Trawiński stwierdził, że jest to trawa morska, używana przez tapicerów do wypełniania mebli. Już miał wydrzeć się na przyjaciela, ale po namyśle się powstrzymał. Taki triumf w oczach Kamińskiego widział ostatnio przed wojną, gdy udało im się złapać... no, w zasadzie nieważne. Podekscytowany kolega wychrypiał:

– Upuściłem mydelniczkę i jakiś dziwny odgłos podłoga wydała. Powiedz mi, po co ten facet wygłuszał pokój od swojego sufitu a mojej podłogi? To chyba nie jest jakiś lokalny obyczaj, co?

I zrobił pauzę.

– Nie mam pojęcia, no mów, cholera jasna, no. Mów wreszcie, ty gnoju złośliwy!

Trawiński nigdy nie umiał zachować klasy i spokoju.

– Ty się przestań drzeć, ty mnie posłuchaj, Ignacy. Wygłuszył sobie pokój, bo kogoś w nim trzymał. Albo kogoś w nim zabił. Taka jest moja teoria.

– I co? Koniec na tym? A teoria na temat tego, kogo zabił? Kalinowską na przykład? Albo te dwie panny?

Trawiński zrobił się czerwony na twarzy ze złości.

– A co jeszcze chcesz? To chyba jest jakaś wiedza? To babsko sprzątające mówiło, że wyjechał dwa dni temu.

– Zapłacił?

– Zapłacił, nawet coś jej tam zostawił. Wyobraź sobie, że album o osobliwościach Paryża.

W tym samym czasie Wincenty Jasztołd udawał się właśnie do Hotelu Centralnego przy Alejach Jerozolimskich, który miał być miłą odmianą po tych prowincjonalnych pensjonacikach. Nie był to może Bristol, ale jak na zawodowego rządcę i tak dość. Odczuwał głębokie wewnętrzne zadowolenie, choć jeszcze wczoraj zastanawiał się, czy wszystko nie jest zbytkiem łaski ze strony Opatrzności.

Ale jakoś to szczęście przyjął, szybko wsiąkając w atmosferę warszawską. Korzystając z okazji, zapragnął poznać mieszkających w stolicy rodziców przyszłej żony. Oszczędzi im oczywiście szczegółów i przedstawi się jako pogrążony w bólu wdowiec, a także doskonały pracodawca. Przy okazji będzie mały rekonesans. Bo może jednak ten browar?

A dziś wieczorem trochę rozrywki się człowiekowi należy. Wyrzuty sumienia są, ale – miał już praktykę – potrwają jeszcze najwyżej z tydzień. Wszystko się doskonale układa. No i trzeba kupić krepę na kapelusze.

PIĄTEK,
22 GRUDNIA 1922

Od samego rana Hieronim przeszukiwał pokój Łucji w kamienicy Woźniakówny. Chciał to zrobić przed Trawińskim i Kamińskim, którzy zgodnie ze swoimi wielkomiejskimi obyczajami mieli przyjść dopiero na siódmą trzydzieści. A do tego czasu Hieronim planował dowiedzieć się wszystkiego, czego tylko można się dowiedzieć po gruntownym przeszukaniu szesnastu metrów kwadratowych.

Sama szczęśliwa spadkobierczyni kamienicy została odwieziona do Gniezna, do szpitala dla nerwowo chorych. Okazało się to konieczne, gdy odzyskała przytomność po ciężkim zemdleniu i zaczęła wyzywać zgromadzonych wokół jej łoża przyjaciół od katolickich bezbożników i komunistycznych drobnomieszczańskich świń niszczących ten młody kraj. I tak w kółko przez kilka godzin. Nie pomogły zaordynowane przez doktora Kormana zimna kąpiel i okładanie lodem, chora cały czas rzucała się jak wściekła. Propozycja Kaczmarkowej, aby prosić księdza Berenta o egzorcyzmy, spotkała się z kolejnym potokiem wyzwisk. Dlatego wieczorem doktor zapakował pacjentkę do swojego świecącego nowością automobilu i udał się w kierunku trasy gnieźnieńskiej.

Hieronim nie musiał więc się nikomu tłumaczyć z faktu, że o piątej trzydzieści wyważył drzwi do pokoju Łucji. Przyczłapała tylko Nowakowa, ale, zobaczywszy Ratajczaka, machnęła ręką i wróciła do swoich porannych zajęć. Z pewnością się nie nudziła.

I oto stał teraz na progu. Pierwsze, co go uderzyło, to konstatacja, że nie ma tu nic specjalnie uderzającego. Pokój był wyłożony tapetą w kwiatki, a umeblowanie składało się z metalowego łóżka, sporej szafy, sekretarzyka, jednego krzesła i fotela. Widać, że Łucja nie planowała osiedlać się w kamienicy na dłużej. Trochę książek, w tym śpiewnik ewangelicki i Darwin, który nie wiedzieć czemu sprawił, że Ratajczak uśmiechnął się głupio do siebie. A potem zaraz tego się zawstydził i dla pokrzepienia zaczął pogwizdywać.

W szafie wisiały dwie sukienki, dwie bluzki i jedna spódnica. Na półce dość smętna staropanieńska bielizna. Na ten widok Hieronimowi kolejny raz zrobiło się nieprzyjemnie. Nie miał jakiejś specjalnej praktyki w przeszukiwaniu pokojów osób nieżywych. Ale skoro już tu wszedł, obejrzał każdą rzecz bardzo dokładnie. Podobno Łucja była zamożna: zarabiała najwięcej w szkole, no i miała ten mityczny majątek pod Łomżą, który w opinii społeczności Mańkowic urastał powoli do rozmiarów ordynacji. Zresztą, wypomadowany Jasztołd nie wyglądał na takiego, co pchałby się do biednej rodziny. Z drugiej strony, nie robił też wrażenia kogoś bogatego z domu, może więc nawet parę hektarów było dla niego kąskiem?

W każdym razie, pokój wyglądał bardziej na schronienie ubogiej guwernantki niż miejsce zamieszkania dziedziczki, której zachciało się uczyć przyrody na prowincji. Ubogo, smutno. A może takie wrażenie wzięło się stąd, że Hieronim znał zakończenie losów lokatorki pokoju?

Wrócił do książek. Słowacki – wiadomo, Spencer – słyszało się: społeczeństwo jako organizm, słownik angielski – wiadomo, Marks – hm, a to ciekawe, dwie powieści niezbyt ambitne – obie podpisane nazwiskami uczennic, więc konfiskata. Niemądre te panny, żeby takie rzeczy podpisywać. Może zwrócić właścicielkom? A w zasadzie, po co im takie lektury, samemu się przejrzy, bo tytuły nieznane. I śpiewnik ewangelicki. Najbliższy działający kościół ewangelicki był w miasteczku oddalonym o dwadzieścia kilometrów. Gdyby Łucja tam jeździła, na pewno plotki doszłyby do Hieronima. Czyli nie jeździła. Zajrzał. Żaden śpiewnik, tylko pamiętnik. Cholera jasna.

Okładka, i owszem, głosiła, że jest to zbiór do użytku członków zboru. Strona tytułowa też. Potem było wprowadzenie jakiegoś ewangelickiego biskupa. A następnie kilkadziesiąt stron zapisanych dużym, przechylonym w prawo pismem. Zapiski zaczynały się w styczniu 1920 roku, a kończyły kilka dni temu. Widać, że autorka nie miała serca do regularnej pisaniny, bo niektóre miesiące nie zostały zaszczycone żadną wzmianką. Za to taki choćby maj 1921 roku – proszę, kilkanaście kartek. A tegoroczny listopad – nic, jakby Łucja nie zauważyła, że w tym miesiącu straciła pracę i spotkała się oko w oko z trupem. Logiki w tym nie ma. Przynajmniej pozornie. Ale żeby to ocenić, trzeba rzecz przestudiować.

Hieronim szybko przeprowadził następujące rozumowanie: może teraz usiąść w fotelu, przeczytać wszystko, zrobić notatki i odstawić śpiewnik na półkę. Znajdą go Trawiński i Kamiński – w zasadzie tak być powinno, bo niby są delegowani do tej sprawy. Trzeba odłożyć. Ale wtedy Ratajczak ryzykuje, że coś pominie. Nawet na pewno pominie, bo ma najwyżej godzinę. To oczywiście obrzydliwe, ale chyba ukradnie ten dowód rzeczowy. Jest jakieś inne wyjście?

Jeśli to zrobi, to weźmie na siebie odpowiedzialność za całą sprawę. Jeśli się nie uda, a ktoś odkryje, że Łucja prowadziła pamiętnik? Albo sam nie wytrzyma i przyzna się do kradzieży przed końcem śledztwa? Wziął głęboki oddech. Wreszcie ma szansę przestać być kojarzony jedynie z workami cukru.

W tym momencie usłyszał znajome głosy i postukiwanie laseczki Kamińskiego. Zakończył dylematy, szybkim ruchem wkładając pamiętnik do teczki. Na progu stanęli obaj panowie. Nie mieli pretensji do Hieronima za samowolne rozpoczęcie przeszukiwań. Zresztą, co niby on mógł znaleźć? Obaj byli w doskonałych nastrojach, więc skinęli mu tylko głowami. Kamiński popatrzył na Ratajczaka i powiedział:

– Dzięki za otwarcie drzwi, bo widzę, że wymagało to trochę prymitywnej siły. My się już tutaj sami zajmiemy przeszukaniem. Dobrego dnia.

Hieronim, zamiast wyrazić niezadowolenie, spokojnie pożegnał obu panów. Głowę miał zajętą rozmyślaniem nad tym, gdzie mógłby się niepostrzeżenie zająć lekturą swojego znaleziska. Felicja jest na pewno w domu, bo od jakiegoś czasu coraz mniej wychodziła. No i nie miała już Hanki do pomocy. Zaraz. Weźmie śpiewnik i pójdzie do kościoła.

Klara źle spała już od dwóch dni. Śnił jej się trup dawnej nauczycielki przyrody (która, nawiasem mówiąc, dręczyła ją straszliwie, każąc się uczyć na pamięć łacińskich nazw płazów). Całe miasteczko tym żyło. Wcześniejsze morderstwa (bo teraz nikt nie miał wątpliwości: to nie były samobójstwa, żaden mańkowiczanin nie był tak naiwny, co to to nie) budziły zainteresowanie, ale obecnie nie mówiło się już o niczym innym. Wczorajszym pociągiem przyjechała nawet wycieczka egzaltowanych paniuś z Poznania, które kazały pokazywać sobie feralny hak, na którym zawieszony był kosz ze świerkiem i trupem. Jedna nawet zemdlała. Oprowadzał je łacinnik Majewski, który niespodziewanie dla wszystkich wykazał się przedsiębiorczością. Planował rozwinąć ten interes na szerszą skalę.

W zwykłych warunkach już sam fakt odwiezienia Anny do zakładu dla nerwowo chorych byłby tematem wystarczającym na miesiąc (Korman jeszcze nie wrócił, zatelefonował tylko do domu, że w celach naukowych zostanie w Gnieźnie przez dodatkowy dzień). Teraz prawie się o tym nie mówiło, bo ręka Łucji na pierwszych stronach stołecznej prasy przyćmiła wszystko. Tylko tyle pokazano, cenzura obyczajowa uznała, że i to już przesada. Mańkowice stały się wreszcie sławne.

Z kolei w gazetach poznańskich więcej uwagi poświęcono analizowaniu tej sprawy niż prezydentowi Wojciechowskiemu, którego po wielkich mecyjach w końcu wybrano. Ale, Bogiem a prawdą, kogo w Mańkowicach mogło to obchodzić? Gdyby ewentualnie skończył jak poprzednik, byłoby o czym mówić. Tak czy tak, miejscowe trupy są zawsze bardziej interesujące niż stołeczni prezydenci.

Klara czuła się nieswojo, wracając do codziennych obowiązków w niecodziennej sytuacji. Wczoraj była na mszy wieczornej za spokój duszy tej nieszczęśliwej Łucji. Proboszcz Berent, całkowicie załamany klęską wizyty biskupa, wygłosił przejmujące kazanie. Także szybko zwołany chór dawnych uczennic doskonale wpisał się w klimat nabożeństwa, bo w pewnym momencie wybuchnął zbiorowym szlochem. A po chwili wraz z nim cały kościół, w tym także proboszcz. Ksiądz płakał prawdopodobnie nad straconą ostatnią szansą wydostania się z Mańkowic bez wyjazdu na misję, ale nagle okazane serce i wrażliwość sprawiły, że parafianie zapałali do niego cieplejszymi uczuciami. Jak dotąd więc Berent był beneficjentem wydarzeń. Nie można tego powiedzieć o mańkowickiej policji, której siedzibę ktoś w nocy obrzucił fekaliami.

Rozmyślając nad tym wszystkim, panna Klara Nowicka udała się na ulicę Szewską, by jak co dzień otworzyć czytelnię. Posadę dostała zaledwie kilka tygodni temu i był to jedyny chyba w historii Mańkowic przypadek, gdy ktoś został zatrudniony ze względu na pasję do czytania francuskich powieści. Poprzedniczka wskazała właśnie ją, gdy komitet biblioteczny zapytał, kto mógłby zostać godną następczynią. W końcu i tak prawie codziennie tu przychodziła.

Dzisiaj pod drzwiami czytelni spotkała Zenona Wiśniewskiego. Jej wytrwały konkurent niecierpliwie przestępował z nogi na nogę. Klara była zaskoczona. Otwierając drzwi (dwa zamki), zapytała:

– Nie powinieneś być teraz w pracy, hm?

Zenon, rumieniąc się cały czas, wyciągnął dużą kopertę. Odchrząknął i poinformował szeptem:

– Wiem, że się tym interesujesz. Nikomu nie mów, że ci to dałem, bo mnie chyba zabiją. Albo stary, albo policjanci. Widzisz, nie jestem taki znów tchórzliwy. Do jutra musisz oddać.

Wzięła kopertę i nawet nie zajrzała. Wiedziała, co tam może być. Ale nie chciała, by Zenon wiedział, że zrobiło to na niej wrażenie. I gdzie to teraz schować, u licha?

– Dziękuję. No i? – oparła się o framugę drzwi w pozycji wyczekującej.

– A, nic już. To ja chyba... idę.

Klara schowała kopertę pod bluzkę, rozpinając ją lekko, tak żeby mógł się jeszcze trochę zawstydzić. Zarumienił się na pożegnanie i poszedł.

Dawkując sobie przyjemności, poszła zrobić herbatę. Wróciła po chwili, bo w czytelni jak na złość zaczął się ruch. Najpierw przyszła mama z dwójką małych dzieci po jakieś książeczki z obrazkami. Potem starsza pani, która czytała wszystko alfabetycznie, i planowała, że umrze, jak tylko skończy lektury na „z" (tak robiło dużo mańkowiczan, gdyż większość była systematyczna i porządna). Ponieważ jednak była dopiero przy „d", wciąż cieszyła się doskonałym humorem i zdrowiem.

Obie czytelniczki, korzystając z okazji, podzieliły się ploteczkami. Wstyd po prostu, wstyd. Młodsza, która nie wiedziała, że Hieronim jest szwagrem Klary, konspiracyjnym szeptem zwróciła się do niej: „Słusznie w gazecie napisali, że nic nie robią i że Mańkowice to czarna plama na polskiej mapie zbrodni". Klara tylko kiwnęła głową, bo solidarność rodzinna była w niej jednak bardzo silnie zakorzeniona.

Po chwili znowu była cisza. Od dziesiątej Klara zaczynała zwykle odliczać czas do czternastej, kiedy wpadnie chmara dzieci ze szkoły powszechnej i potem, po piętnastej, gimnazjaliści. Przed południem zwykle porządkowała książki, ścierała kurze i sama coś czytała. Tym razem jednak panna Nowicka po prostu zamknęła czytelnię, a na drzwiach przywiesiła kartkę z opisem choroby, która niespodziewanie ją zmogła. Zgasiła wszystkie lampy, tak żeby nie było z ulicy widać, że ktoś jednak tu przebywa. Sama usiadła pod ścianą i świeczką oświetlała kolejne fotografie. Do domu nie zdecydowała się z tym wszystkim iść, ciekawość jej siostry Melanii mogła być zbyt wielka.

Od czasu do czasu przeszkadzały jej głosy na korytarzu, bo zawiedzeni gimnazjaliści odchodzili od drzwi. Nie tylko czytelniczy głód ich tu przywodził. Panna Nowicka nosiła najkrótsze spódnice spośród wszystkich mańkowickich dam. Co prawda daleko jej było do tych fotografii z berlińskich miesięczników, gdzie pokazywano upadłe kobiety tańczące w rytm nowoczesnej muzyki. Ale kawałek łydki na żywo to więcej niż kolano na zdjęciu. Choć pewnie mniej niż odcięta stopa, która była głównym elementem pierwszej fotografii dostarczonej przez Zenona.

Po obejrzeniu wszystkich zdjęć postanowiła, że pokaże je najrozsądniejszej osobie, jaką zna.

Mimo grudnia w powietrzu zdawała się wisieć jakaś podejrzana duchota. Doktor Korman wrócił do domu kilka minut po tym, jak dzwony fary wydzwoniły południe. Był bardzo zmęczony. Nawet jazda automobilem, przecież jednym z trzech w mieście i bez wątpienia najlepszym, nie przyniosła mu radości. Że też wcześniej nie zauważał, jaki ten pojazd jest głośny i śmierdzący. Maria miała rację, że to głupi wynalazek. Maria w ogóle ma we wszystkim rację. On tylko w miarę przyzwoicie diagnozuje i rozmawia głosem pełnym troski.

Wszedł do domu i rozejrzał się. Czysto. Bardzo czysto. Tęsknił trochę za psem, przynajmniej było z nim trochę zamieszania. Teraz rozumiał określenie, które znalazł w jakiejś powieści: „moralne znużenie". Oprócz bolącej głowy, braku snu i lekkiego przeziębienia odczuwał właśnie moralne znużenie.

Ładna była, bardzo. W zasadzie nie miała po kim być brzydka, więc to nie było zaskakujące. Śliczna dziewczyna. Ale niezbyt mądra. I szczerze powiedziawszy, to też było uzasadnione. Nieuzasadnione było tylko jego własne działanie. Dlaczego tam łaził? Czego się spodziewał? Nie miał żadnych szans, żeby to jakoś rozwiązać. Wydawało mu się, że coś tu się jeszcze da zrobić. Idiota.

Myślał, że przeżyje następne swoje dni w jakiś w miarę przyzwoity sposób, ale, jak widać, nie było szans. Gdyby spojrzeć z boku, szło mu dotąd nieźle. Lecz sam dobrze wiedział, że ci, którzy patrzą z boku, nic nie widzą. Na jego ojca też tak patrzyli i nikt nie miał racji. Rację mieli tylko on i matka, ale jej racja umarła wraz z nią, a jego wyprowadziła się najszybciej, jak to było możliwe.

Obie córeczki były jeszcze w szkole. Żony chyba nie było, a przynajmniej nikt nie odpowiedział na jego wołanie. Kucharka też gdzieś poszła. Był tylko on i pokojówka. Zgodnie ze swoim zwyczajem bardzo spłoszona. Uśmiechnął się do niej pokrzepiająco:

– I jak się... Małgosia miewa? A jak matka?

– Dziękuję, radzimy sobie dobrze – dziewczyna się zarumieniła.

Była zaskoczona, że doktor pyta – najwyraźniej – o to, jak się z mamą czują po śmierci Hanki. Zirytował się, że dziewczyna nawet nie próbuje ukryć swojego zdziwienia. No tak, widocznie jego wcześniejsze zachowanie pozwalało stwierdzić, że jest egoistyczną świnią. Kiwnął głową na znak, że już może sobie iść. Trochę żałośnie to wypadło.

Zawsze miał problem z okazywaniem ludziom zainteresowania, jeśli nie byli pacjentami. Nawet zresztą i pacjentami szczególnie się nie interesował, bardziej ciekawiły go choroby. Jako człowiek dobrze wychowany w pełen wdzięku sposób rozmawiał z zamożną klientelą, ale leczyć biedoty nie potrafił. Choćby nawet chciał, nie mógłby być takim doktorem, co to chodzi po suterenach. Kiedyś próbował, ale już drugiego dnia złamano mu nos. Nie poszedł z tym na policję. Wiedział, że diagnoza piegowatego osiłka bez rzęs była słuszna: on tam nie pasował.

Myśli krążyły mu po głowie bez ładu i składu. Właściwie Małgosia była brzydka. Koślawe stopy miała. Coś mu się wcześniej przywidziało. Jej siostra też była brzydka i pewnie sympatyczna, choć trudno to ocenić w sytuacji, gdy ktoś tak leży w kawałkach świeżo odcięty od drzewa i trzeba stwierdzić zgon. W czym taka Małgosia i jej siostra Hanka są gorsze od niego? W niczym. On wykonuje ważny zawód i jest ludziom podobno potrzebny, ale robi to tylko dlatego, że jego ojciec był lekarzem. Nawet się nie zastanawiał, poszedł, gdzie mu kazali. Gdyby stary Korman, obiektywnie nieciekawy typ, był furmanem? To pewnie i on woziłby teraz jakiś węgiel. I też byłby ludziom potrzebny, pewnie nawet bardziej, bo w Mańkowicach pacjenci zgłaszali się zwykle do lekarza dopiero wtedy, gdy niewiele już można było zrobić. Z wyjątkiem tych mających nadmiar czasu i pieniędzy, ale im bardziej pomogłaby wycieczka na świeżym powietrzu niż medykamenty.

Usiadł ciężko przy stole w jadalni i zapatrzył się na portret seniora, który wisiał nad kominkiem. I po co to przywiózł z Leszna? Przecież ojciec nawet podobny do siebie tu nie jest. Na przeciwległej ścianie wisiało lustro, w którym odbijał się teraz portret i obok niego on sam, Korman junior, dyrektor szpitala, też ojciec i mąż.

Obiektywnie miał chyba bardziej udane życie. Ale od dziwacznych myśli o żonie, które go dziś nachodziły w czasie drogi, nie potrafił nadal uciec. Kichnął. Trzeba położyć się spać. To jest najlepsze lekarstwo na przeziębienie, zmartwienia i podejrzenia. A potem z tym wszystkim skończyć.

SOBOTA, 23 GRUDNIA 1922

Nie można było mieć wątpliwości, że to pamiętnik nauczycielki przyrody. Hieronim rozpoznawał jej pismo, znane mu z zabaw szaradowych na probostwie. Rozpoznawał też styl, a nawet główną obsesję nauczycielki przyrody – dziedziczność. Uczennice opowiadały mu o tych chwilach (mniej więcej raz na miesiąc, wiosną nawet częściej, bo maj budził w nauczycielce jakieś dziwne refleksje i tęsknoty), gdy Kalinowska stawała nagle pośrodku klasy i pytała wybraną uczennicę, czy na przykład ktoś pochodzący z rodziny złodziei będzie na pewno złodziejem. A jeśli tak, to z przyczyn biologicznych czy z powodu wychowania? A może dlatego, że wszyscy będą go z góry traktować jak złodzieja? I czy mając wiedzę na temat przeszłości swej rodziny, ten ktoś też powinien mieć dzieci? Mimo całej postępowości szkoły to ostatnie pytanie budziło popłoch wśród uczennic. Było zresztą jasne, że nauczycielka nie oczekuje odpowiedzi od żadnej z nich.

Ciekawe, choć może nie dla sprawy, było to, jak wiele uwagi Łucja poświęcała opisowi swoich przeżyć w majątku rodzinnym. O samej śmierci Marianny nie było nic. Był za to długi opis porodu Jadwigi (siostry?). Widać, że Kalinowska pozbawiona była wewnętrznej potrzeby większości prowadzących pamiętniki (że ktoś znajdzie, choćby za sto lat, zachwyci się i wyda) i nie było tu fragmentów tłumaczących ewentualnemu odbiorcy, kto jest kim. Zawsze wydawało mu się sztuczne, że autor, pisząc pozornie do siebie, dodaje, iż opisywana osoba to na przykład jego matka. Jakby sam tego nie wiedział i musiał się poinformować, albo obawiał się, że w przyszłości może zapomnieć, i dlatego starał się mieć rzecz na piśmie.

Ale to, co irytuje w książkach, w przypadku policyjnych dowodów jest całkiem przydatne. Mogłaby, u licha, podawać więcej szczegółów. O, na przykład tu:

Podobno do zbrodni prowadzą miłość, zemsta albo pieniądze. Żadna z tych rzeczy nie pasuje, jeśli brać pod uwagę moją dzisiejszą wiedzę, tym dziwniejsze mnie samej wydają się te podejrzenia. Dlaczego wydaje mi się, że winna jest osoba, której nikt nie podejrzewa? A przecież mamy w Mańkowicach złodziei, pijaków, wariatów. Egierówna, czy jak ona się nazywa, kilka razy z nożem biegała. Nawet jakaś kobieta męża podobno zabiła. Ale żonie, która nie wytrzymała z mężem, mało kto się tak naprawdę dziwi. Każdy ma czasem ochotę zabić domowników. A dwie młode dziewczyny, z takim okrucieństwem w dodatku? Zwłaszcza w przypadku Hanki wygląda to tak, jakby rzecz była zemstą. Za pierwszą śmierć? Nie wiem, ale jeśli pierwsze morderstwo wydaje się trochę przypadkowe, to drugie jest konsekwencją pierwszego. A trzecie będzie pewnie, z punktu widzenia zbrodniarza, wręcz nieuniknione.

Czyli Kalinowska była przekonana, że zabójca był jeden. A gdyby rzeczywiście nauczycielka padła ofiarą chciwego szwagra? Takie uzasadnienie zbrodni (pieniądze) pasowałoby świetnie do teorii samej zamordowanej.

Kolejną przeszkodą były używane w niektórych przypadkach inicjały. Kim na przykład była H.K.? Kim W.? Mańkowice miały kilkanaście tysięcy mieszkańców, przed Hieronimem ciężkie zadanie. A przecież niekoniecznie to musieli być miejscowi. Rozpoznał oczywiście siebie, swoją żonę oraz Klarę (*egzaltowana tak samo jak w wieku lat piętnastu)* i kilkanaście innych osób. O bibliotekarce było zresztą w pamiętniku trochę więcej, ale niestety nic specjalnie pochlebnego. To go zafrapowało. Skąd takie zainteresowanie panną Nowicką?

A przede wszystkim: czy morderca miał rację, stwierdzając, że nauczycielka przyrody jest w posiadaniu zbyt niebezpiecznej wiedzy? Jednym słowem, czy opłacało się ją zabić?

Jeśli jej mąż ma być wiecznym podkomisarzem, to przynajmniej powinien siedzieć więcej w domu. Felicja nasłuchiwała odgłosów walki dochodzących z pokoju starszych dzieci. Na pewno Zosia wygrywa, Piotruś, ten anemik, nie miał szans w starciu z energiczną siostrą. Coś się rozbiło chyba. Ciekawe, może ten wazonik z gliny, który Hieronim dostał jako prezent imieninowy. Był tak brzydki, że schowała go przed gośćmi u dzieci, licząc na nieubłagane prawo przyrody, które nakazywało potomstwu prędzej czy później wszystko zniszczyć. Powinna tam iść, nakrzyczeć i kazać posprzątać. Ale jej się nie chciało. Oczy same się zamykają. Od rana szorowała wszystko, prała, gotowała i odkurzała. Dzieci po powrocie ze szkoły pomagały, ale już po godzinie kazała im iść się bawić gdziekolwiek, byle daleko. Dobrze, że chociaż bliźniaki już spały.

Nienawidziła sobót już od dzieciństwa. Pamiętała, jak matka budziła ich jakimś gongiem (skąd ten pomysł?) o piątej trzydzieści. Przed pójściem do szkoły musiała wyszorować ryżową szczotką podłogę w pokoju, w którym mieszkała razem z siostrami. Po powrocie – to samo, ścieranie, szczotkowanie, pucowanie. I rózga za każdą smugę na oknie. Cały czas miała przygarbione, spięte plecy, bo nigdy nie było wiadomo, kiedy matka uderzy, a tak bolało trochę mniej. Ojciec gdzieś znikał i Felicja była długo zupełnie poważnie przekonana, że to właśnie sobotnie porządki wpędziły go w morfinę.

Tak więc niedzielny poranek witała zwykle, zastanawiając się, czy ma wszystkie kości na miejscu. Już wtedy sobie mówiła, że będzie lepszą matką dla swoich dzieci. Kiedy tylko widziała najmniejszą oznakę zmęczenia, kazała im uciekać i dziękowała za pomoc. Myśl, że ktokolwiek mógłby ją uznać za podobną do matki, była czymś na kształt obawy przed wykazaniem podobieństwa do Nerona. A przecież była podobna, z tym bieganiem po domu i szukaniem zbędnych pyłków. Tyle tylko, że pretensje miała głównie do siebie. Wiedziała dobrze, że przesadza, że nie da się osiągnąć tego stanu, który jej matka nazywała „no, w miarę jakim takim porządkiem" (mama mówiła „porzundkiem"). Ale potrzeba dążenia do stanu idealnego była silniejsza.

Siostry Felicji, dla odmiany, obie demonstrowały niechęć do sprzątania. Co nie oznacza oczywiście, że tego nie robiły. Jeśli mieszkasz w miasteczku pod Poznaniem, jesteś kobietą i nie sprzątasz kilka razy dziennie, to czujesz się jak margines społeczny. Nie, Felicja nie była pozbawiona poczucia śmieszności tych działań. Ale co komu po świadomości, jeśli potrzeba użycia miotły trzy razy dziennie jest silniejsza?

Teraz, kiedy już wszystko było idealnie, Felicja czekała z kolacją na męża. Siedziała w kuchni i wpatrywała się we wzór na obrusie. Już koło siódmej.

Śnieg padał, zasypując ulicę równą warstwą od popołudnia. Bardzo ładnie to wszystko wyglądało, ale Felicja zastanawiała się, czy jeśli mąż nie wróci w miarę szybko, nie będzie musiała sama odśnieżyć trochę przed domem. Rano Hieronim pewnie znowu gdzieś zniknie, a jeśli już musi sama to robić, wolałaby teraz, kiedy jest ciemno i nikt nie widzi, że pani podkomisarzowa biega z szuflą. Wcześniej mogła wysyłać do takich zadań Hankę, ale teraz to już całkiem była zdana na siebie.

Myślała przy tym wszystkim o Klarze i jej dziwnych pomysłach. Felicja chyba trochę przeceniła dobry wpływ stałej posady na stan psychiczny siostry. Trzeba to było jednak trochę zweryfikować. Bała się też, że panna Nowicka podzieliła się swoimi przemyśleniami z ciotką Heleną, która na starość stała się jakoś dziwnie egzaltowana. Jeszcze mogłaby w to wszystko uwierzyć. Wszystkie trzy siostry szanowały panią Kaczmarkową, ale trudno było nie zauważyć, że zachowuje się ona coraz dziwaczniej.

Usłyszała szczekanie Łysego. Czyli mąż wrócił. Stuknęły drzwi i najpierw wpadł kudłaty pies, niszcząc wyfroterowaną podłogę w przedsionku. Nie widziała tego, ale nie miała problemu, żeby sobie wyobrazić, jak łapy kundla zostawiają mokre ślady na dziele jej rąk, a z sierści kapie woda. Hieronim krzyknął:

– Już, już go wyrzucam! Przepraszam! A co tak pięknie pachnie?

– Co pięknie pachnie, to nie wiem, ale kolacja jest. Jaki miły. Długo to nie potrwa. Wyrzuty sumienia starczają zwykle na kwadrans, no, może pół godziny. Wszedł, stanął na progu kuchni zaróżowiony. Buty zdjął, chociaż tyle. Zawsze jak człowiek wraca z mrozu do domu, to jest zadowolony. Tak więc Hieronim, jak na te nieciekawe okoliczności, też był.

Usiadł przy stole, a ona zaczęła rozstawiać naczynia i sztućce. Po chwili już jadł, z zadowoleniem komentując, że kiełbasa z tej świni musi być dobra, bo sam ją przecież wybierał. Świnię. Obrzydliwy był.

Patrzyła na męża, siedząc naprzeciwko. Nagle znieruchomiał i spojrzał na nią uważnie, odkładając nóż i widelec:

– Trochę już masz mnie dosyć, prawda?

Popatrzyła na niego poważnie. Tak, właściwie tak, miała dosyć.

– To wszystko przez to, że późno wracam, prawda?

– Tak, to przez to – odpowiedziała, uśmiechając się lekko – oprócz tego wydaje mi się, że mnie uważasz za nudną, a dzieci za głupie. Ale to oczywiście drobiazg, bo przecież nie bijesz mnie, a nawet nie pijesz wódki. Piwa też nie. Świętemu Józefowi powinnam za takiego męża dziękować. W końcu wyszłam za ciebie tylko po to, by siostry mi z głodu nie poumierały. Jak na to wszystko, bardzo dobrze nam się małżeństwo udało. A, Julian był. Mówił, że coś ostatnio nie możecie na siebie trafić.

Wyszła, zostawiając go z kolacją. Było już odśnieżone. Pewnie miała się ucieszyć z tej niespodzianki. Popatrzyła w okno kuchni. No i je, jakby nigdy nic, pewnie nawet z siebie zadowolony. Pociągnęła nosem. To z zimna.

Stanęła na ganku i patrzyła na ulicę, którą w szybkim tempie przeszła znajoma postać. Już chciała zawołać, kiedy coś nakazało jej raczej poprzestać na obserwacji. Tym bardziej że po chwili pojawiła się i druga osoba, z sylwetki też podobna do kogoś znajomego. Ale nie można było mieć pewności, bo twarz była całkowicie zasłonięta.

Felicja usłyszała płacz bliźniaków. Wróciła do swoich obowiązków. W końcu, oczywiście, nie mogła liczyć na to, że ktokolwiek ją wyręczy.

Helena Kaczmarek szła wolno ścieżką przez las, szukając wzrokiem umówionego światełka. Postanowiła stanąć na chwilę. Czuła, że mimo mrozu jest jej gorąco i duszno. Dziwny stan: palce prawie zamarznięte, a w okolicach serca jakieś promieniujące ciepło. W jej wieku takie wycieczki nie były chyba specjalnie zdrowe.

Ostatnio w ogóle zaczęła odczuwać ciężar lat. Robiła wszystko, co do niej należało, jednak, od kilku lat, z coraz mniejszym zapałem. Te kryminalne historie obudziły w niej dawną ciekawość i chęć działania, ale to już nie to, co kiedyś. Dodatkowo przybiła ją sprawa wizytacji biskupa. Mańkowice skompromitowały się na całą diecezję. Albo nawet na całą Polskę.

Sobota była bardzo męcząca. Najpierw sprzątanie, potem zebranie Towarzystwa Higieny Moralnej i Cielesnej. Przyjechał na nie prelegent z Poznania, który opowiadał o zaniedbaniach prowadzących do gruźlicy u dzieci. Swój wykład wsparł fotografiami, które stawały Helenie przed oczami, kiedy tak szła.

Mogły już sobie dać spokój ze spotkaniami w lesie, pora temu naprawdę nie sprzyjała. Nie ma wątpliwości, że popełniły błąd. Trzeba było walkę o moralność zostawić odpowiednim służbom. Tylko jak się teraz wycofać?

O, jest światełko. Jakaś okutana postać z lampą, trudno w zasadzie rozpoznać, ale nikogo innego niż osoba, z którą się umówiła, raczej się nie spodziewała. Tym większe było jej zdziwienie, kiedy postać podeszła do niej i odezwała się basem:

– Pani Heleno, bardzo panią proszę o zaprzestanie tych wieczornych wędrówek po lesie. W pani wieku to jest zdecydowanie niezdrowe.

I tyle. Przez ścianę śniegu nie rozpoznała nawet głosu, choć wydawał się jakiś znajomy. Postać zniknęła, a pani Helena została sama z dwiema myślami. Po pierwsze, kto to był. Po drugie, gdzie, u licha, jest panna Woźniakówna, z którą się tutaj umówiła.

Wincenty spędził w Warszawie urocze dni. Jak na niego, to nawet zaniedbał trochę obowiązki gospodarskie. Miasto pełne było pokus, a Wincenty pełny był chęci, aby im ulegać. Już w dzieciństwie walczyły w nim tęsknoty: chęć używania wszelkich przyjemności i chęć zarabiania oraz oszczędzania pieniędzy. A że ciężko to było pogodzić (niewiele, przynajmniej zdaniem Wincentego, jest w życiu przyjemności, które są za darmo), już jako dziesięciolatek przeżywał coś na kształt dylematów moralnych: kupić kilo cukierków za ukradzione ojcu pieniądze czy może zaoszczędzić tę sumę? Póki był biedny, zwykle wybierał drogę zwaną przez bliźnich cnotliwą. Stąd dobra opinia, jaką się cieszył wśród okolicznych obywateli ziemskich. On jednak wiedział, że jak tylko zdobędzie wystarczający majątek, zacznie sobie bardziej folgować.

Tymczasem, mimo elegancji i zamożności, krążył po Warszawie jak chodzące przekleństwo fiakrów, szoferów, kelnerów, posłańców i prostytutek. Nie dawał napiwków i targował się o każdy grosz, będąc jednocześnie bardzo rozrzutnym. Teraz też, idąc po schodach całkiem eleganckiej kamienicy przy Złotej, zastanawiał się zgodnie ze swoim zwyczajem, czy nie dałoby się zażyć podobnych przyjemności, ale za znacznie niższą cenę, w Łomży. Wyszło mu, że nie. Jakość usług, szczególnie w dziedzinie higieny, byłaby z pewnością niższa.

Czuł w kościach przyjemne ciepło. Z głębokim zadowoleniem stąpał po miękkim pluszu, którym przykryte były schody. Było miło i dyskretnie. Wciągał w nozdrza woń elegancji. Tak, czymś takim można byłoby przykryć schody w domu.

Pora była wracać do hotelu, bo rano wyjeżdżał. Z pewną czułością myślał o Weronice, która na niego czekała. Jej rodzice okazali się sympatycznymi prostymi ludźmi, nawet im na myśl nie przyszło, że ich córkę może łączyć coś zdrożnego z chlebodawcą. Ucieszyli się, że ich odwiedził. Tym bardziej należało się zastanowić, czy nie da się rozegrać tego wszystkiego bez ślubu. Browar nadal był wolny. A dzieci nadal potrzebowały nauczycielki.

Przy ostatnim stopniu schodów stali dwaj faceci, z czego jeden bardzo elegancko ubrany. Skądś znał te gęby, ale kiedy człowiek wychodzi z apartamentu panny Amelii, nie pyta napotkanych osób, czy może już się wcześniej widzieli. Ci dwaj byli jednak zainteresowani Wincentym. Niższy niby to przypadkiem trzymał laskę w obu rękach, wiejskim obyczajem, jakby to była sztacheta. Wyższy popatrzył Jasztołdowi w oczy, zastępując drogę. Wincenty zatrzymał się:

– Co jest, panowie?

– A co ma być? Ładnie to tak, nieutulony wdowiec, szwagierka poćwiartowana, w domu dziatki czekają, a tu panienka na godziny?

– Nie pana sprawa.

Wincenty chciał wyminąć faceta, ale w tym momencie drugi też zastąpił mu drogę. Już pamiętał, skąd ich znał. Prusacy cholerni. I jaka szwagierka poćwiartowana?

– Zabieramy pana na rozmowę. W sprawie śmierci Łucji Kalinowskiej i pana podróży krajoznawczej do Wielkopolski. Chyba spędzi pan Boże Narodzenie w Warszawie. Przy okazji, chciałbym też spytać o techniki wygłuszania, wielce mnie to zafrapowało.

Trawiński miał irytujący obyczaj: im sprawa była pilniejsza, tym chętniej wygłaszał przemowy i starał się być ironiczny wobec podejrzanego. Teraz też nabierał powietrza, żeby jeszcze coś powiedzieć. Jakby dawał mu czas na przygotowanie jakichś wykrętów.

Drugi z policjantów był zdania, że lepiej od razu dać w gębę albo przynajmniej trochę podręczyć sukinsyna psychicznie. Kamiński westchnął i szybko wziął Jasztołda za ramię. Po drugiej stronie stanął Trawiński. Odruchowo cała trójka dokonała synchronizacji kroków. Z okna obserwowała ich, pogryzając suszone morele, panna Amelia, która, choć nie znała poznańskich policjantów, nieomylnie rozpoznała w nich stróżów prawa. Trochę bowiem trwało, zanim dorobiła się dyskretnego apartamentu.

WIGILIA BOŻEGO NARODZENIA, 1922 ROK

Sprawa z Hanką od policjanta jest dowodem na to, że nic mi się nie wydawało. Najpierw te dziwne przeczucia odganiałam. Przeczucia w ogóle nie są racjonalne, można je traktować tylko jako element wiedzy o nas samych, a nie na temat obiektywnej rzeczywistości. Bo to, że mam jakieś przeczucie, zwykle bierze się ze mnie, z tych obszarów, których do końca nie znam i nie mogę opisać. Nie kłóci się to z racjonalnością, ale jest obok niej, może na równych prawach? Tego nie wiem. Od czasu, kiedy psychologia zrobiła się modna nawet w Mańkowicach, trzeba się pilnować, żeby nie popaść w jakąś egzaltację i szukać w sobie i innych Bóg wie czego.

Ale jeśli pierwszy błysk, ta myśl, która mnie uderzyła, gdy stałam w progu, stwierdzenie jakby oczywiste: „kara", było słuszne, to skąd się we mnie wzięło? Dlaczego mnie w ogóle nie zaskoczyło, że stoję oto nad trupem szesnastoletniej uczennicy powierzonej mojej opiece i myślę, że spotkała ją kara? Sama śmierć – tak, to oczywiście wszystkich zaskoczyło, mnie też. Ale ta myśl? A może też tak naprawdę myślę (to słowo skreślone i zamiast niego: *uważam* – Łucja dbała o styl nawet w pamiętniku), *że Marianna powinna zostać ukarana? Przecież wtedy jeszcze nie wiedziałam o tym, co uczennice robiły z tymi starszymi mężczyznami. Czyżbym była w gruncie rzeczy taka głupia i zawistna, żeby uważać, że Mariannie należy się kara za grzechy matki? Bo jeśli tak naprawdę jest, to i mnie się taka kara należy.*

Hieronimowi też. Studiował pamiętnik już kolejny dzień i nie widział tu niczego, co mogłoby się przydać. Przecenił Łucję i jej inteligencję. Widać, że to umysł sprawny, ale bezpłodny. Gdzieś się zapędza, próbuje rozwiązać własne problemy przy okazji czyjejś śmierci, jakby te egoistyczne kwestie zostały uwznioślone przez dyndające na marynarskim węźle ciała młodych kobiet. Ten, kto ją zabił, też najwyraźniej przecenił pannę Kalinowską.

Od paru dni wiedział, że święta się raczej nie udadzą. Nikomu chyba w całych Mańkowicach, ale najbardziej jemu. Na każdym kroku spotykały go drobne nieprzyjemności, które razem zebrane odbierały chęć do życia.

Kiedy kupował mak w sklepie przy rynku, podeszła jakaś staruszka i celując w niego brudnym palcem, zapytała, czy służy szatanowi, czy jest po prostu imbecylem. Niektórzy znajomi nie odpowiadali na pozdrowienia, aż w końcu sam zaczął przemykać pod ścianami domów oraz między opłotkami. Dostał nawet dwa anonimowe listy, z czego jeden pisany lewą ręką, a drugi na papeterii z magistratu. Oba podobne w wymowie i zaczynające się od wyzwisk. Pierwszy: *Nędzniku i nierobie, niemiecka świnio utrzymywana z naszych podatków*, a drugi: *Bolszewiku pozbawiony chrześcijańskich uczuć, obyś poszedł do piekła razem z tym zbrodniarzem, którego ukrywasz*. Najgorsze, że pretensje były słuszne. Hieronim czuł się jak niemiecka świnia i bolszewik w jednej postaci. Albo nawet jeszcze gorzej.

Komisarz Wasiak także przemykał gdzieś po kątach, od kiedy na mszy któraś parafianka zapytała go, dlaczego ma czelność podchodzić do Stołu Pańskiego. Jedyna pociecha w tym, że Trawiński i Kamiński otrzymali pozwolenie wyjazdu i nie kłuli mańkowickich policjantów w oczy.

W tej właśnie atmosferze nadeszły święta. Na wigilii były Klara i Melania. Od zawsze spędzały święta razem z rodziną Hieronima. Lubił tę atmosferę. Cieszył się dotąd, że wżenił się w rodzinę może trochę dziwną, ale przynajmniej mocno ze sobą związaną.

Jednak w tym roku najchętniej spędziłby święta w jakimś odosobnieniu. Oczywiście, nie wypadało zrobić czegoś takiego. Dlatego starał się przynajmniej nie rzucać w oczy. Po odczytaniu Biblii i modlitwie

Hieronim zajął się przeżuwaniem, udając, że jako głowa rodziny jest ponad towarzyski przymus konwersacji przy świątecznym stole.

Klara rzucała mu cały czas spojrzenia, które miały być pocieszające, aż Felicja zaczęła się czuć nieswojo i dodatkowo poirytowana. Starsze dzieci kłóciły się, kto ma dłuższą słomkę i kto w związku z tym będzie żył dwieście czterdzieści lat. Bliźniaki pochlipywały.

Tylko Melania była zadowolona, bo tydzień temu znalazła nową pracę, w domu jakiegoś poznańskiego Żyda opiekowała się dwiema dziewczynkami. Opowiadała o nich jak najęta, bo to podobno bardzo ciekawi Żydzi, do synagogi nie chodzą i mają dwa pokoje pełne książek. Zosia zrobiła duże oczy i zapytała ciotkę, przerywając przełykanie kompotu:

– To gdzie chodzą? Do kościoła, jak my?

– Nie, właśnie nigdzie nie chodzą. Są ateistami, czyli w Boga nie wierzą. Nie modlą się, tak jak u nas pan Werner. Tylko nie są bolszewikami. Ale są też, jak powiedział pan Abraham, tolerancyjni. I dają mi wolne na wszystkie święta żydowskie i polskie. Wyobrażacie sobie, będę miała wolne razem ze cztery miesiące!

– A do kogo się modlą? – indagowała mimo wszystko Zosia.

– Wcale się nie modlą.

Zosia nie rozumiała, jak to możliwe. Co to znaczy i co na to żydowski Bóg?

– Jezus Maria, przestańcie – zirytowała się Felicja, zwracając się ku siostrze – czy naprawdę nie masz o czym mówić przy wigilijnym stole, tylko o Żydach, którzy w Boga nie wierzą? Przy dzieciach o tym? Przestań się egzaltować cudzymi sprawami.

Kiedy już nawet Melania zamilkła, przez resztę kolacji panowała cisza. Przerywały ją uwagi, że śniegu dużo i bardzo ślisko, a śledź niezwykle się udał. Hieronim w milczeniu przeżuwał, co mu podawali.

Na pasterkę nawet się nie wybierał, bo wiedział, że i tam wszyscy będą na niego potępiająco patrzeć. Trzy siostry ubrały dzieci w kilka warstw ubrań i poszły.

Spędził ten czas bezmyślnie, wpatrując się w wolno padający za oknem śnieg. Nabił sobie fajkę. Jedyna dzisiaj przyjemność. Popatrzeć sobie przez okno. Ludzie wędrujący do kościoła, poruszający się wolno i niezgrabnie wśród zasp, robili wrażenie śmiesznych mechanicznych figurek. Jakby się zastanowić, byli śmiesznymi figurkami. Gdzieś to chyba wyczytał, nie wierzył, że sam by wpadł na takie porównanie.

Zapadł w jakiś letarg i kiedy po ponad dwóch godzinach zobaczył wędrujących w drugą stronę, zdawało mu się, że minęło najwyżej pięć minut. A może po prostu zasnął, coraz częściej zasypiał po posiłkach, jak większość mężczyzn w średnim wieku. Co to właściwie znaczy: w średnim wieku? Starzejących się mężczyzn. Nie ma co się oszukiwać. Należy mieć tylko nadzieję, że nie spał z otwartymi ustami. I się nie ślinił.

Wszedł pod kołdrę i gdy Felicja stanęła na progu ich pokoju, wnosząc zapach mrozu, udawał, że śpi. Żona oczywiście nie dała się zwieść. Spokojnie podeszła do łóżka, dotknęła jego pięt i uznając, że Hieronim położył się jakieś pół minuty temu, obwieściła:

– Mela dzieci kładzie. Wasiaka też nie było. I ciotki Heleny z wujkiem. Jutro rano pójdę zobaczyć, czy któreś może chore nie jest. Jeśli nie, to przychodzą do nas na świąteczny obiad, pamiętasz. No, nie martw się, w końcu jest Boże Narodzenie.

Po czym usiadła z boku łóżka i zaczęła wyciągać z włosów szpilki. Wymowa tego pojednawczego gestu była jednoznaczna.

– Widzisz przecież, że śpię – obwieścił Hieronim zduszonym głosem spod kołdry.

PONIEDZIAŁEK, 1 STYCZNIA 1923

Anna miała moralny dylemat. Nie była głupia. Nie była również, niestety, taka młoda. Wiedziała, do czego doszło. Otóż: zadurzyła się nieodpowiednio. Mniej odpowiednio się chyba nie dało, co trzeba było sobie jasno powiedzieć. Ale co innego wiedzieć, a co innego czuć.

Nowy rok przywitała więc jak jakaś kobieta upadła, z potężnym kacem moralnym i fizycznym. Przyczyną bezpośrednią były opróżnione w absolutnej ciemności salonu (nie mogła zapalić światła, bo udawała, że nowy rok wita z rodziną na wsi) dwie butelki wina. Pośrednią zaś – świadomość własnej głupoty.

Zza ściany dochodziło niemieckie szwargotanie; niepotrzebnie wynajęła mieszkanie temu dziwnemu małżeństwu z Berlina, które przyjechało odwiedzić krewnych. Niby Polacy, a ze sobą mówią po niemiecku. Od zawsze ją ten język drażnił i nie miało to nawet związku z uczuciami narodowymi.

Jej przybrany ojciec był Niemcem, i to najbardziej chyba niemieckim z Niemców w województwie poznańskim. Przefarbowanych Niemców było zresztą w Mańkowicach więcej. Ojczyma Anny w końcu ktoś zastrzelił w wielkim zamieszaniu zimy 1919 roku. Nikt nie miał głowy do szukania sprawcy, a już na pewno nie nowa policja. Anna nie odczuła specjalnego żalu, oczywiście. Spadek pod postacią kamienicy również nie obudził w niej lepszych uczuć dla ojczyma i jego rodziny. A teraz nawet miłe niemieckie rozmowy o śniegu przypominały jej tego typa, zwłaszcza że walczyła z kacem. Kac to też niemieckie słowo.

Anna westchnęła i postanowiła zagłuszyć sąsiadów zza ściany. Znalazła płytę. Po chwili z patefonu popłynęło:

W kawiarni stałym gościem był,
Cel życia miał utarty.
Zwyczajnie, ot, bezmyślnie żył:
Kobietki, wino, karty!
Kawiarnia domem była dlań,
Tam oddychał piersią całą,
Przy boku Helek, Zosiek, Mań
Wcale spać mu się nie chciało.
A rankiem w biurze, jak przez mgły,
Złociste roił sny...

Piosenka, doprawdy, kretyńska. W sam raz na kaca.

Rok 1923 zapowiadał się niezbyt wesoło, choć nie do końca umiała sobie wyobrazić, co musiałoby się stać, by był gorszy od 1922. Czasami przychodziło jej na myśl, że od kiedy dostała tę kamienicę, jej życie wcale nie zmieniło się na lepsze. Nie musiała już, co prawda, uczyć (samo przekazywanie wiedzy lubiła, ale atmosfera szkolna, ciągłe powtarzanie tego samego, ją nużyła), otworzyła gazetę i stała się bardziej samodzielna, ale od tego momentu wszystko nadmiernie się już skomplikowało. Naraziła się wielu osobom. W zasadzie całemu magistratowi, urzędnikom starostwa, policjantom, pracownikom szpitala, nauczycielom, dyrekcji cukrowni... Tak, udało jej się w ciągu niecałego roku istnienia pisma skrytykować chyba wszystkich, którzy mieli jakąś władzę w Mańkowicach. Prawie nikt jej nie lubił, choć niektórzy dość umiejętnie to ukrywali. Ale przecież pisała tylko prawdę.

A może rację miał lekarz z Gniezna, który stwierdził, że na wszystkie histerie najlepszym lekarstwem jest wyjście za mąż i urodzenie dzieci? Miała już dwadzieścia dziewięć lat. A rocznikiem... nie, pewnych rzeczy nie należy nawet w myślach artykułować zbyt wyraźnie.

SOBOTA, 6 STYCZNIA 1923

Pierwsze w nowym roku zebranie Towarzystwa Czytelniczego miało przejść do historii za sprawą pana Holzera, honorowego członka, który postanowił uwiecznić na fotografiach zarząd koła i uczestników spotkań. Wszyscy z pewnym niepokojem oczekiwali tego wydarzenia. Całkiem łysy i z trzęsącymi się rękami, staruszek sprawiał wrażenie, jakby rozkładanie statywu fotograficznego stało się dla niego po sześćdziesięciu latach pracy ponownie nową, nieznaną czynnością.

Rzecz trwała już czterdzieści minut. Nikt nie mógł mu jednak w tym pomóc, bo ambicją osiemdziesięciolatka było robienie wszystkiego samemu. Dlatego praktykant Zenek, zarumieniony, stał obok niego, opuściwszy bezradnie ręce. Jednocześnie próbował porozumieć się wzrokiem z panną Klarą. Nagle już go nie poznawała. A zdjęć wcale mu nie zwróciła.

Pewnie, ona jest kierowniczką w bibliotece, a on nadal praktykantem, bo ktoś musi robić wszystko za Syna. Ale jeszcze trochę.

W sali czytelni pachniało świerkiem, kawą i plackiem. Przybyli siadali wokół zestawionych stołów. Byli już prawie wszyscy, jakieś trzydzieści osób. Nawet ci, którzy opuszczali wiele spotkań, dzisiaj planowali dać się uwiecznić jako członkowie koła. W ogóle całe Mańkowice polowały „na ostatnie zdjęcia pana Holzera". Zrobił się z tego dziwny sport, przez który Zenek mógł ostatnio fotografować tylko trupy. One nie brały już udziału w tym wyścigu i nie prosiły, żeby jednak poprosić starszego pana.

Drzwi się otworzyły i zamaszyście weszła Anna, której przybycie spowodowało szmer wśród zebranych. Po raz pierwszy pokazała się publicznie od czasu powrotu z Gniezna. Była niewątpliwie ubrana najlepiej ze wszystkich zgromadzonych, a krótkością spódnicy mogła rywalizować z Klarą. Ze szczególną przyjemnością patrzył na nią ksiądz Berent, wielbiciel pięknych kobiecych nóg. Uwagę zwracało też ich opakowanie – pończochy, najbardziej jedwabne z jedwabnych.

– Ciekawe, jak to wypadnie na fotografii, czy od nóg będzie szedł jakiś blask? Cholerna dziedziczka – mruknęła do siebie, odrobinę za głośno, Klara.

Zaraz za Anną do sali wsunął się jak cień Ratajczak. Był aktywnym członkiem towarzystwa, ale oczywiście zależało mu głównie na tym, by obserwować wszystkich potencjalnych podejrzanych w jednym miejscu.

Powoli zebrani się uciszali. Spotkanie rozpoczęto od minuty ciszy i wspomnienia o Łucji Kalinowskiej odczytanego przez pannę Klarę. Zuberowa, znana ze słabych nerwów i przesadnych reakcji, wybuchnęła płaczem, aż trzeba było ją uspokajać. Anna uległa potrzebie wypowiedzenia paru zdań o młodym państwie i młodym kraju w kontekście zasług nieboszczki.

Aż wreszcie Holzer stanął za statywem. Wszyscy natychmiast się wyprostowali i przybrali uroczysty wyraz twarzy. Helena Kaczmarek uniosła się z miejsca, podniosła rękę napoleońskim gestem i otworzyła usta, by uroczyście zagaić zebranie. W słowo wszedł jej jednak pan Holzer:

– Co wy robicie? Mówiłem: naturalnie? Ile razy mam powtarzać! Jesteście kołem czytelniczym, a nie radnymi magistratu. Co pani z tą ręką robi? Nie prostujcie się tak dziwnie! Czemu patrzycie z taką zgrozą? Całe życie powtarzam, macie być naturalni! Sześćdziesiąt lat powtarzam, waszym dziadkom powtarzałem, ale nic nie dotarło przez tyle lat! Tym głupcom w Poznaniu też mówiłem. I dlatego, powiadam, najbardziej lubię fotografować ptaki.

– To co mamy robić? – zapytała pani Helena, która co prawda darzyła fotografa szacunkiem, ale nie cierpiała, kiedy ktoś nie dawał jej dojść do słowa.

– Może każdy weźmie jakąś książkę – zasugerowała Anna – i na przykład będziemy zatopieni w lekturze?

Holzer popatrzył na nią, uspokojony:

– Doskonała idea. Tylko tak, żeby to wyglądało, powtarzam, naturalnie. Nie patrzeć, jakbym miał bić w mordę. O, przepraszam panie. Nie krzywić się. Potomni nie mogą myśleć, że byliśmy bandą ponuraków z problemami gastrycznymi. O, przepraszam panie. Najlepiej niech każdy weźmie książkę, która odpowiada jego zainteresowaniom i gustom. Będzie to jakaś pamiątka tego, co was interesowało w styczniu 1923 roku. A potem proponuję zdjęcie zbiorowe, w trakcie posiłku.

Pani Kormanowa zaprotestowała, niby żartem, ale widocznie skrępowana:

– Ależ pan chce, żebyśmy się zbiorowo zadławili. Mam jeść i zastanawiać się, kiedy zrobi pan zdjęcie? Nie spodziewałam się po panu takich morderczych instynktów! Człowiek nigdy nie wie, co siedzi w innych.

Z kąta odezwał się nagle Ratajczak:

– W rzeczy samej, w rzeczy samej. Nawet w najbardziej szanowanych obywatelach.

Chciał sprawdzić, jaka będzie reakcja. Powie coś czy nie powie? Zarumieni się chociaż? W przypadku Holmesa po czymś takim natychmiast sprawa stawała się jasna. Kormanowa spojrzała na niego spokojnie i wzruszyła ramionami. Pani Helena odchrząknęła i rozdrażniona popatrzyła na bratanka.

– No, ty byś, Hirek, się nie odzywał. Wy w policji to już zupełnie nie wiecie, co w ludziach siedzi. A potem człowiek musi się oglądać na ulicy i zastanawia się, czy gdzieś nie czai się złodziej i morderca. I to w takich Mańkowicach.

W tym momencie wstała Klara i posyłając wszystkim uśmiech gospodyni, poprosiła:

– Mili państwo, dość utarczek. Wejdźmy w nowy rok w dobrym nastroju. Jedna fotografia zbiorowa w trakcie posiłku, druga bardziej upozowana, na przykład na tle naszej pięknej *Bitwy pod Grunwaldem,* oraz fotografie indywidualne, z książkami. A teraz sięgnijmy po ulubione lektury i dajmy pracować panu Holzerowi. Potem porozmawiamy o dzisiejszym utworze. Przypominam, że będą to opowiadania Poego, amerykańskiego autora.

W sali zrobił się gwar, wszyscy podeszli do półek z książkami, zaczęły się drobne utarczki i przepychanki. Niby żartem, ale trzy panie zupełnie poważnie poróżniły się o jedyny egzemplarz *Dziwnych losów Jane Eyre*. Hieronim wybrał szybko *O pochodzeniu gatunków*. Panna Klara sięgnęła po tom Hoelderlina w oryginale, pani Kormanowa zaś zatrzymała się przy półce z pisarzami rosyjskimi.

– Ten Darwin to deklaracja czy aluzja? Jak pan myśli – zwróciła się do Hieronima, który obserwował ją (tak mu się zdawało) dyskretnie – *Zbrodnia i kara* czy *Wojna i pokój*?

Hieronim trochę się speszył, choć od rana powtarzał sobie, że będzie dziś pewnym siebie, błyskotliwym stróżem prawa.

– Przyznam, że czytałem tylko *Wojnę i pokój*. Nie znam się na literaturze, nie zdążyłem zdobyć porządnego wykształcenia, ale to było ciekawe. Zwłaszcza ten... Bezuchow mnie ujął. Podobało mi się, choć chyba nie do końca pojąłem przemyślenia autora na temat... no, losów jednostki wobec różnych wydarzeń... historycznych...

Zaplątał się, więc niecierpliwie machnęła ręką i stwierdziła:

– Pewnie nie. Ja lubiłam najbardziej Drubeckiego. Ale dość rozważań – pani Kormanowa uniosła lekko kącik ust – chyba wybiorę to. Literatura obcojęzyczna. Jeszcze nie przetłumaczyli, a szkoda. Egzemplarz z biblioteki w Stanisławowie. Oni się takich rzeczy pozbywają. Proponowałam Klarze, żeby w ramach wymiany wysłać im te tomy Hegla. Nie dość, że niezrozumiałe, to jeszcze po niemiecku.

Postukała paznokciem w wytłoczony napis.

– Zna pan rosyjski? Tak myślałam. Ja cały czas się dokształcam w różnych dziedzinach, co i panu polecam. Takie rzeczy pomagają awansować chyba nawet w policji. Też Dostojewski, *Idiota*.

Przeprosiła go i poszła do swojej przyjaciółki Zuberowej. Po chwili obie wybuchnęły śmiechem.

Z Kormanową nie miał szans. Ta kobieta go onieśmielała i zawsze w końcu robił z siebie... właśnie. A przecież, gdy poszedł powiadomić ich o śmierci pudla i tak bezwstydnie się rozkleił, była dla niego bardzo miła. Nawet się zwierzała. Teraz zaś aż nazbyt wyraźnie dawała do zrozumienia, co też negatywnego o nim myśli. Ostentacyjnie wręcz.

Nawet jeśli, jak sugeruje pamiętnik Łucji, ona i Zuberowa mają coś wspólnego ze śmiercią Marianny, to Ratajczak nie umie tego udowodnić. Jest na to za mało inteligentny. Klara, na którą liczył, też nie mogła nic tu pomóc, choć przeczytała może nawet więcej książek niż Kormanowa. Hieronim wzdrygnął się, bo ktoś chwycił go za ramię. Odwrócił się. Pan Holzer, ożywiony i wesolutki, przesyłał mu profesjonalny uśmiech.

– Teraz pana kolej. Proszę otworzyć książkę i uśmiechnąć się do potomności.

I tak oto członkowie Towarzystwa Czytelniczego znaleźli się „na ostatnich zdjęciach pana Holzera". Właściciel salonu fotograficznego szczęśliwie zdążył je wywołać jeszcze tej samej nocy. Potem położył się spać w poczuciu dobrze wykonanego obowiązku.

Zdjęcia wypadły w miarę naturalnie. Ich autorowi śniło się, że wędruje po Mańkowicach z niewidocznym aparatem i robi wszystkim fotografie z zaskoczenia. Nikt nie przybiera dziwnych min do zdjęcia. Dzięki temu przyszłe pokolenia poznają mańkowiczan jako sympatycznych ludzi, grono pogodnych prowincjuszy, ale z pewnymi intelektualnymi ambicjami. Westchnął przez sen z satysfakcją i uśmiechnął się. Takiego, zadowolonego i trochę już zimnego, znalazł go rano syn.

PONIEDZIAŁEK, 8 STYCZNIA 1923

„Posener Neueste Nachrichten". Tak nazywała się gazeta, którą wuj Maurycy czytał ostentacyjnie przy śniadaniu. Hieronim jak zwykle na ten widok wzniósł oczy do nieba. Dziwne, że nie zakazali im wydawania tego szmatławca po niemiecku. Jeszcze kilka lat temu to była najbardziej antypolska gazeta w zaborze pruskim, a teraz, jak gdyby nigdy nic, wydają ją dalej i pozwalają na różne złośliwości pod adresem polskiego rządu. Ciotka Helena równie ostentacyjnie czytała „Orędownika", od czasu do czasu popatrując na męża. To byłaby doskonała para, gdyby nie kwestia narodowościowa.

Ratajczak odchrząknął i odstawił demonstracyjnie głośno filiżankę, by wreszcie na niego spojrzeli. Trochę tak głupio ignorować gościa, choćby bratanka. Poczęstowali go śniadaniem i od tego czasu ani słowa.

– Słuchajcie, musimy porozmawiać. Niełatwo o tym mówić, ale sprawa jest ważna.

Ciotka Helena odłożyła gazetę. Jej mąż również. Popatrzyli na niego w tym samym momencie i z tym samym wyrazem twarzy. Niechętnym. Emerytowany pruski kolejarz powiedział:

– A co? Wszyscy wiedzą, że jednak prowadzisz to śledztwo, chociaż ani ty, ani ten cały komisarz się do tego nie nadajecie. Powinniście poczekać na panów z Poznania, niedługo wrócą pewnie. Spodziewam się więc, że coś odkryłeś? Może jesteśmy podejrzani, co, Hela?

Pani Helena, jak to się mówi, spłonęła rumieńcem i chwyciła łyżeczkę, która dotąd leżała na spodku przy herbacie. Mąż spojrzał na nią poważnie. Helena Kaczmarek westchnęła i popatrzyła prosząco najpierw na męża, potem na bratanka. Litości. Dolała sobie herbaty dla kurażu i powiedziała drżącym trochę głosem:

– To ja wam już lepiej coś opowiem. Wiecie, bo wszyscy wiedzą, że jestem w kilku towarzystwach i kółkach. Tak to już jest, gdy człowiek usiedzieć na miejscu nie może. W Towarzystwie Higieny Cielesnej i Moralnej jestem przewodniczącą, ponoszę więc całą odpowiedzialność, jeśli moje przeczucia są słuszne. Do rzeczy: jesienią zeszłego roku zajmowaliśmy się głównie kwestią demoralizacji młodzieży i dzieci. Był profesor z Poznania, opowiadał nam o skutkach niemoralnych zachowań, o chorobach wenerycznych przenoszonych na niewinne dzieciątka, o deformacjach cielesnych i tym podobnych nieszczęściach. Pojawiła się koncepcja, by walczyć z demoralizacją w naszym własnym środowisku. Wiecie, taka praca organiczna. Już nam się, szczerze mówiąc, te wszystkie teoretyczne spotkania zaczynały nudzić. Stąd potrzeba działania. Przepędziłyśmy z miasta tę pannę z Piasków, co prawda wróciła po miesiącu, ale była satysfakcja choć przez chwilę. Przy okazji dowiedziałyśmy się, że takich osób jest w naszym mieście więcej, ale tylko ona robi to oficjalnie. Swoją drogą, wiedzieliście, że córki Zarzyckiej, tej wdowy, wcale nie są krawcowymi, tylko też oddają się prostytucji? Podobno Wasiak o tym wie, taki niby świątobliwy człowiek. Dobrze, Hirek, min nie rób, wracam do tematu. Wyszło nam, że gniazdem demoralizacji są tańce u Moserowej. Nie robią tam niczego złego z prawnego punktu widzenia, więc niby nie można zgłosić na policję, ale stwierdziłyśmy, że damy sobie radę same. Wpadłyśmy tam dwa razy w kilkanaście, z wodą święconą od księdza. Panny z pensji, tfu, szkoły żeńskiej (ciężko się przyzwyczaić do tych nowoczesnych wymysłów) zamknęłyśmy tak, że jedna nogi sobie połamała. Wymyśliła sobie skakanie z okna. Ta od Maszyńskiej, blade stworzenie z taką trupią twarzą. Służące każda w domu zamknęła. Gimnazjaliści dostali... no, odechciało im się w każdym razie. Te nekrologi Moserowej to też my. Wiem, to nie było w dobrym guście. Ale sprawa była ważna. I się skończyło...

– No, rzeczywiście, tańce u Moserowej już się nie odbywają – Ratajczak pokiwał głową z uznaniem

– a my już przed wojną próbowaliśmy dać sobie z tym radę. Widocznie wymagało to skoordynowanej akcji. Dobra, to kto głównie działał oprócz cioci? Wszyscy z towarzystwa czy jacyś członkowie wybrani, dopuszczeni sekretnie? Przecież niemożliwe, żeby w mieście o tym nie mówiono, skoro jest u was ze setka osób.

Kaczmarkowa zastanowiła się przez chwilę. Okłamywanie otoczenia nie było jej najlepszą stroną i wiedziała o tym dobrze. Lepiej zrzucić wszystko z serca.

– Wymienię po kolei: panna Wachowska...

Policjant poruszył się na krześle.

– Wachowska? Byłaby w stanie przyznać, że w szkole nie wszystko jest idealnie? Ona panny zamykała?

Ciocia popatrzyła na niego z kpiącym uśmiechem. Niby policjant, a nic na ludziach, zwłaszcza kobietach, się nie zna:

– Wachowska to inteligentna osoba. Wiedziała, że trochę przesadziła z tymi nowoczesnymi metodami i z pozwalaniem na wszystko. Tylko głupio jej się było z tego tak oficjalnie wycofać i przyznać, że popełniła błąd. A zastanowiłeś się, czemu tak chętnie po tym wszystkim zamknęła szkołę i wyjechała? W ogóle myślę, że może... miała już zwyczajnie dość. Potem obie aptekarzowe – Jasińska i Lewandowska, chociaż one zajmowały się głównie kłóceniem ze sobą. Była też Kormanowa z Zuberową, jak zwykle razem.

– Tak, zwłaszcza Zuberowa to znana specjalistka od higieny moralnej.

Hieronim pozwolił sobie na pozorną złośliwość, żeby ciotka lub wujek się obruszyli i może coś ciekawego powiedzieli. Rzeczywiście, obruszył się wuj Maurycy;

– Jak kobieta piękna, to jej zaraz wszyscy coś im... imputują. Dobre słowo. O twojej Felicji też mówią, że nic się nie starzeje, bo kiedy męża nie ma, przychodzi jego żydowski kolega.

– Co takiego?

Co do cnoty Felicji był pewien. Zasadniczo. Chodziło raczej o plotki na temat powiązań jego rodziny z domniemanym bolszewikiem.

– Przestań, wiadomo, że to głupoty. Dopiero jak kobieta całkiem szpetna i bez jednej nogi, to nic o niej nie gadają. Lepiej ciotki słuchaj, bo to wszystko ciekawe.

Helena mówiła dalej:

– Teraz następne: Zawadzka, znasz. Potem nasza Klara. Do tego panna Woźniakówna, ta od kamienicy. To były najbardziej aktywne członkinie. Jeszcze burmistrzowa, ale ona jest już za stara, pomagała nam tylko opracować koncepcję. To znaczy, w moim wieku jest, ale kiepsko się trzyma. Pracy pewnie za mało miała w młodości. W żadnej akcji nie brała udziału osobiście z powodu korzonków i serca.

– Wszystko rozumiem, ale Woźniakówna? Taka nowoczesna? Myślałem, że ona ma nas za zaścianek. Nawet ostatnio na zebraniu patrzyła na nas jak na chłopów pańszczyźnianych. A widzieliście, jaką książkę wzięła? Zapolska, *Przedpiekle*. Znacie?

– Pojęcia nie mam, jestem na „k". Maurycy za to wcale kobiet nie czyta. A ty przestań rzucać głośno jakieś myśli. Ciotkę podpuszczasz? Też się zdziwiłam, że się do nas przyłączyła, ale myślę, że ona ma jakieś osobiste zatargi z Wachowską. Coś tam się musiało dziać w tej szkole, czego ja nie wiem, ale one to sobie pamiętają do dziś. No, więc wymieniłam wszystkie kobiety zaangażowane w sprawę. Ale miałam też opowiedzieć, co jeszcze robiłyśmy.

– To było coś jeszcze? Nie doceniałem cioci. A to wszystko wielce szeroko zakrojone, ho, ho.

Hieronim zwykle głupio żartował, kiedy zaczynał mieć dreszcze przerażenia. Wiedział, co jeszcze Towarzystwo Higieny Cielesnej i Moralnej mogło odkryć, a przynajmniej spodziewał się, jakiego typu mogły to być odkrycia.

– Ty masz w ogóle tendencję do przeceniania obcych i niedoceniania swoich, zupełnie jak Maurycy, co Niemca udaje.

Wuj uśmiechnął się pod wąsem:

– Jak już, to Prusaka. I nie udaję, z charakteru jestem Prusak, a ty jakaś szalona Słowianka.

– Dobrze, opowiadam dalej. Przy okazji Moserowej wyszły jakieś dziwne sprawy, takie obrzydliwe, że choć w pierwszej chwili chciałyśmy to jakoś bliżej zbadać, to szybko nam się odechciało. Na początku to była bardziej zabawa, a potem zrobiło się strasznie. Kilka panien z gimnazjum dostawało... no, prezenty, wiadomo za co. Na przykład ta Marianna, mała

Maszyńska i te dwie panny od praczek, które szkoła przyjęła, żeby mogły opuścić szkodliwe środowisko i zdobyć patent nauczycielski. To uderzyło w Wachowską. Klara też się wściekła, bo tym od praczek dawała zarobić przy katalogowaniu książek, niby takie biedne były. Zawadzka za nie poręczyła na pensji. A Zuberową pewnie zmartwiło, że wśród dających prezenty był jej mąż. Tak, dyrektor szkoły właśnie. Choć nic na ten temat nie powiedziała, jednak to oczywiste. A także i Jasiński, i Lewandowski, czyli obie aptekarzowe też były wściekłe. No i numer na koniec, którego nawet św. Teresa by się nie spodziewała: nasz lekarz Korman, taki sympatyczny człowiek, najbardziej był w to wszystko zamieszany. On dawał prezenty wszystkim, całej pensji w zasadzie. Że romansowy był, to wiedzieliśmy, ale to jakaś bardziej obrzydliwa sprawa była. Po co te prezenty, przecież za nim każda kobieta by poleciała.

Wuj Maurycy obruszył się:

– To już przesada, nie uwierzę.

Ciotka Helena odwróciła się w jego stronę i podniosła palec wskazujący, co zaakcentowało powagę kolejnych słów:

– Marianna wszystko wyznała. Podobno odwiedzał ją już od kilku lat, nawet jak była całkiem... wiecie, niedojrzała. Ale nic złego z nią nie robił, tak mówiła Marianna. Innym niby dlatego prezenty przynosił, żeby nic nie mówiły. Rozmawiał, książki dawał, namawiał do nauki. Dziwne, prawda? My w to nie uwierzyłyśmy, pewnie go polubiła i nie chciała mu robić kłopotów. Wszyscy go przecież lubiliśmy.

Ciotka Helena jednym haustem opróżniła filiżankę do końca, jakby to był kieliszek czystej. Westchnęła po raz kolejny i opuściła ramiona, bo ciężar wyznań lekko ją przygniótł:

– I powiem wam, że pożałowałyśmy tego wszystkiego. Jako mężczyźni do końca tego nie zrozumiecie, ale spróbujcie. Po pierwsze, na mężów i synów zaczęłyśmy patrzeć z niesmakiem, bo nikt już nam się nie wydawał porządnym człowiekiem. Maurycy, nie obruszaj się, wiem, że ty masz sumienie czyste. W końcu same w tajemnice popadłyśmy i zaczęłyśmy spotykać się w lesie, jak jakaś konspiracja. Wstyd. Po co nam się było pchać w nie swoje sprawy, wypytywać? Nie było żadnego oczyszczenia moralnego, tylko większe kłopoty to wszystko sprowadziło na nas. Dom Moserowej był chyba na jakiś tam sposób potrzebny, a nam ta wiedza do niczego się nie przydała. Bo co niby z tym wszystkim zrobić? Rozwiedzie się któraś z mężem? Gdzie pójdzie? Z dziećmi? Tylko sobie spokój ducha zniszczyłyśmy. No i przez to wszystko są trupy. Tego jestem pewna. Obie te panny były podejrzanej konduity, obie u Moserowej widziano. A Łucja Kalinowska pewnie odkryła, kto to. Proste. Któraś z nich, to znaczy z nas, to zrobiła.

Nalała sobie jeszcze herbaty. Identycznym jak przed chwilą ruchem wychyliła filiżankę. Maurycy spojrzał na nią spod oka i mruknął coś o wzroście cen. Ciotka Helena jednak nic sobie z tego nie robiła. Skonkludowała tylko swoją opowieść:

– Że mi też na starość coś takiego przyszło.

Hieronim wstał. Uśmiechnął się do ciotki pokrzepiająco:

– Dziękuję. Wiedziałem, że ciocia coś wie, ale wstydzi się powiedzieć. Poznałem po tych złośliwościach na zebraniu. Sama sobie ciocia próbowała wmówić, że ze mnie taki beznadziejny policjant i że nie warto ze mną gadać. No, może i jestem beznadziejny, ale ciocia dotąd zawsze we mnie wierzyła. Rozumiem, tak działa psychika ludzka. Wypożyczyłem sobie *Zbrodnię i karę*, ciocia na pewno czytała, bo jest pod „d". Dostojewski.

– Czytałam. Niby smutne, ale w zasadzie to nawet wesołe.

– A ja nie czytałem. Rosyjskie książki są szkodliwe. Ale co ja tam wiem, prosty emerytowany urzędnik kolejowy – pokiwał głową Kaczmarek.

Hieronim podszedł do drzwi. Na progu odwrócił się jednak jeszcze raz i powiedział do wuja Maurycego:

– Z wuja to jest dobry mąż, ale kiepski aktor. Ciocia już na pewno zwierzyła się ze wszystkiego, ale lojalnie wujek udawał, że nic nie wie. „Imputować"? Na pewno wujek sprawdził to słowo w słowniku, bez obrazy. Dziękuję za śniadanie.

Wychodząc, zatrzymał się jednak na progu:

– Zaraz, a gdzie wuj strzelby pochował?

Krewny wzruszył ramionami:

– Na powstaniu z nimi byłem, psiamać. Pochowałem, bo co to za państwo, gdzie do prezydenta strzelają? Lepiej nie trzymać na wierzchu, żeby komu co głupiego do łba nie przyszło. Jeszcze na koniec wystrzeli.

Obiektywnie rzecz biorąc, do Klary nie powinien już mieć zaufania. Nie powiedziała mu, że jest w sprawę zamieszana, choćby tylko pośrednio. W dodatku, widocznie zdenerwowała się, gdy poprosił o tego Dostojewskiego. Pewnie pomyślała, że Hieronim już wie o – nazwijmy rzecz po imieniu – jej zdradzie. Byli przecież rodziną, Hieronim dokładał do jej wykształcenia. Dlaczego nic mu nie powiedziała? Nie, nie podejrzewał Klary bardziej niż innych, ale jakoś powoli tracił do niej serce.

Idąc po skrzypiącym śniegu do siedziby Wernera, zastanawiał się, jak ubrać w słowa to, o co chciał zapytać swojego przyjaciela. Nie, nie o Felicję. Ale pamiętał: księgarz już wcześniej sugerował, że ciotka Helena ma coś wspólnego z całą sprawą. Skąd to wiedział? Czy miał jakąś teorię na ten temat?

Robiło się już ciemno, chociaż była dopiero trzecia. Zwykle wędrówka po śniegu sprawiała mu przyjemność, ale teraz nawet nie zauważał lekkiego szczypania w policzki i rześkiego powietrza. Na Dworkowej zobaczył w oknie apteki cień Lewandowskiego pochylającego się nad kontuarem. Tak, aptekarz był bardzo sympatycznym człowiekiem. Hieronim wiedział, że obiektywnie w zainteresowaniu szesnastolatkami nie ma nic dziwnego. Na wsi takie za mąż wychodzą. Obiektywnie to raczej zainteresowanie trzydziestolatkami było jakieś perwersyjne.

Szedł dalej przez miasteczko. Miał głębokie przekonanie, że zza wszystkich firanek obserwuje go osoba mająca coś na sumieniu. Życzą mu, żeby się poślizgnął na śniegu, uderzył głową w lód, stracił pamięć i dał sobie spokój z węszeniem. Ciocia Helena miała rację, że różne grzeszne rzeczy są potrzebne, bo inaczej ludzie oszaleją. No, ale ile można mieć na sumieniu, żeby to nie było za dużo i żeby grzech nie wypełzł i nie zalał całej bieli tego śniegu? I kto jest na tyle obiektywny, by to ocenić? Na pewno nie on, Ratajczak, były drugoroczny gimnazjalista i wieczny podkomisarz.

Pod domem Wróblowej spotkał samą właścicielkę. Zirytowana kobieta na widok Hieronima przerwała energiczne wymachiwanie szuflą:

– Wernera pan szuka? Nie ma, wyprowadził się wczoraj. Księgarnię na cztery spusty zamknął. Co prawda, zapłacił mi za dwa następne miesiące, żebym nie była poszkodowana, ale gdzie ja takiego lokatora znajdę? Niepijący, dzieciom lekcje wytłumaczył za darmo. Teraz pewnie jakiegoś przyjezdnego urzędniczynę będę musiała wziąć na pokoje, chłystka z Kongresówki. Albo innego degenerata.

Hieronim był zdumiony. Poczuł się nawet trochę oszukany. Kolejny już raz dzisiaj. Tak bez słowa?

Łączące ich dotąd więzy ostatnio się poluzowały z powodów politycznych, ale przecież nadal byli dobrymi znajomymi. Drugim uczuciem była zawodowa podejrzliwość. Dlaczego tak nagle? Werner miał jednak coś do ukrycia? Uciekał? Jeśli tak, to przed czym? Nie, nie powinien podejrzewać takiego porządnego człowieka o jakieś niecne sprawy. A może jednak powinien?

Jego mieszane uczucia zauważyła Wróblowa. Bystrym okiem przywykłym do oceniania ludzi (i ich zdolności płatniczych oraz potrzeby sprzątania) przyjrzała się policjantowi i stwierdziła:

– Przykro panu? No, nam wszystkim w domu też. To dobry człowiek był. Zaszczuli go, uczciwy Żyd był, a nie żaden bolszewik czy socjalista. A tak swoją drogą, to się czymś różni? Pewnie panu głupio, że mu nie pomogliście?

Ratajczak popatrzył na nią trochę tępym wzrokiem. W czym mieli pomóc?

– Te listy mi pokazał, aż w końcu, Bogiem a prawdą, zaczęłam podbierać i odkładać, żeby się nie denerwował. Pewnie i na księgarnię dostawał. No, brzydko pisali, brzydko. Aż wstyd powtarzać. Ale pan widział pewnie, to co będę gadać.

Ostatnie zdanie wypowiedziała tonem, który sugerował, że już wie: Werner nic policjantowi Ratajczakowi ani żadnemu innemu stróżowi prawa nie powiedział. I nie pokazał. Hieronim zrobił się całkiem czerwony na twarzy, ale oczywiście można to zwalić na mróz. Nieuprzejmie odwrócił się na pięcie i szybkim krokiem poszedł w kierunku domu. Na plecach czuł niechętny wzrok kobiety. Poślizgnął się przy furtce i zachwiał, ale nie przewrócił. Wróblowa wróciła do odśnieżania.

Ratajczak truchtem przebiegł dystans do swojego domu. W progu zderzył się z Felicją, która najwyraźniej gdzieś się wybierała.

– Wiedziałaś, że Werner wyjeżdża?

No, proszę, wiedziała, od razu to widać. Nawet nie próbowała udawać, że nie. Czyżby rzeczywiście? Felicja zdjęła szal, który najwidoczniej przed chwilą zaczęła wkładać, a potem podeszła do kredensu i wyjęła z niego kopertę. Bez słowa podała ją mężowi.

Drogi Hieronimie,

Ponieważ nie zastałem Cię, przekazuję Felicji list. Niestety, muszę opuścić Mańkowice. Niezwłocznie. Jeśli byłeś u Wróblowej, wiesz, że zacząłem dostawać dziwne i nieprzyjemne przesyłki. Nie martw się tym i nie wstydź za mańkowiczan – sam je napisałem. Jeśli je widziałeś, przyznasz, że dość udatnie. Chciałem, żeby mój wyjazd wyglądał na paniczną ucieczkę Żyda, który czuje w powietrzu pogrom i potłuczone witryny swej skromnej księgarenki (ha, ha!). Jadę do Warszawy, potem może dalej, zobaczymy.

Trawiński i Kamiński mnie rozpoznali. Wiedzą, co robiłem w Poznaniu (o szczegóły mniejsza), i jak tylko tu wrócą z Warszawy, będą chcieli mnie wsadzić.

Skierowałem ich na fałszywy trop, żeby mieć czas na zamknięcie swoich spraw. Wiedziałem, że komuś innemu tego nie zlecą, bo koniecznie chcą się sami zasłużyć, najlepiej zamknąć mnie w klatce i obwozić po wsiach jako komunistycznego agitatora. Dlatego spieszę się przed ich powrotem. Pojechali za Jasztołdem (szwagrem Łucji Kalinowskiej, na pewno pamiętasz tego gościa z pomadą) do Warszawy, bo zainteresowała ich trawa tapicerska w jego pokoju (ciężko o nią w Mańkowicach, przyznam). Kretyni. Jasztołd to co prawda świnia, ale ćwiartowanie zwłok dokładnie wzdłuż ścięgien? To umie tylko ktoś o jakiejś wiedzy przyrodniczej. Albo rzeźnik, co Ci poddaję pod uwagę.

Na koniec zostawiam najważniejsze, przynajmniej jeśli chodzi o mnie samego: drogi Hieronimie, naprawdę jestem komunistą, a za dobrych lat byłem nawet agitatorem. Moje młodzieńcze sympatie wcale mi nie przeszły. Książki lubię, ale księgarnia była oczywiście tylko przykrywką. Rozumiesz chyba, że w Mańkowicach nie utrzymałby się nikt żyjący na serio ze sprzedawania literatury pięknej? Moi goście z Poznania to oczywiście nie wydawcy, choć z pisaniem niektórzy mają dużo do czynienia. W mieście jest kilka osób, które mniej lub bardziej ze mną współpracowały. Wybacz, ale nawet po starej przyjaźni nie zdradzę ich nazwisk. Żadna z nich nie robiła nic nielegalnego, a już na pewno nieprzyzwoitego. O to bądź spokojny.

Felicja chyba się niecierpliwi. Bogiem a prawdą, przyszedłem specjalnie o tej porze, żeby Cię nie było.

Komuniści są podobno bezczelni i niewychowani, ale nie umiałbym Ci tego wszystkiego powiedzieć w twarz. No i chyba powinieneś mnie wtedy zamknąć? Mam nadzieję, że zachowasz o mnie dobre wspomnienia, choć kilka.

Z uszanowaniem,
Julian

– Czytałaś?

Felicja uśmiechnęła się lekko. Czyżby jednak?

– Czytałam. Dostałam samą kartkę, wsadziłam potem do koperty. Dał mi i patrzył, jaki mam wyraz twarzy przy czytaniu. Wydawało się w pierwszej chwili, że to jakiś żart. Nieprawda, że nie jest bezczelny. Przecież powinnam go zadenuncjować. Co zamierzasz z tym zrobić?

Hieronim popatrzył na nią całkiem zdezorientowany:

– Ty chyba naprawdę masz do niego słabość? Dokąd się teraz wybierałaś?

Felicja podeszła do okna. Dopiero stojąc tyłem, odpowiedziała, pomijając jego drugie pytanie:

– Wiesz, kobiety uwielbiają konspiratorów walczących o jakąś sprawę. Mniejsza nawet, o jaką.

Odwróciła się z błyskiem w oku:

– Przy okazji, to on znalazł pracę naszej Melanii. U tych kupców. A nie chciała się przyznać. Już wiem, dlaczego miała tyle wolnych dni: za każdym razem przywoziła do Mańkowic coś dla Wernera. I odwoziła jakieś rzeczy do Poznania. Właśnie. Mam nadzieję, że moja siostra nie wybiera się dla odmiany do Warszawy. A jeśli się wybiera, powinna sobie sprawić jakieś futro porządne. Nie pojedzie przecież w tym swoim cienkim płaszczu. To już przecież prawie Rosja.

– Wyjeżdża prawdopodobnie z bolszewikiem i nikt nie wie, czy wróci, a ty się martwisz, że zmarznie?

Felicja wzruszyła ramionami:

– Daj spokój, każda kobieta o czymś takim marzy. To człowiek idei. Fascynująca osobowość. Nie daje ci to wszystko jakoś do myślenia? – zapytała lekceważącym tonem, jakby Hieronim był nie tylko nudnym policjantem, ale i kompletnym idiotą.

WTOREK, 9 STYCZNIA 1923

Trawińskiego i Kamińskiego nadal nie było. Była za to rozmowa telefoniczna aż z Warszawy. Zadziwiająco dobrze Ratajczak wszystko słyszał jak na taką odległość. Wincenty Jasztołd okazał się niewinny, co oczywiście w tym momencie już za bardzo Hieronima nie zdziwiło. Oględziny ciała Łucji (czy raczej: części ciała Łucji) dokonane w Poznaniu wskazywały na to, że zabito ją zdecydowanie przed przyjazdem łomżyńskiego obywatela ziemskiego do Mańkowic. Jasztołd, choćby chciał, nie miał z tym nic wspólnego. Nie mógł zabić siostry swojej żony. Na poparcie zeznań miał wielu świadków, bilety kolejowe i kwity z hoteli. Nie dało się więc podtrzymywać tej wersji.

Ale trzeba przyznać, że to on właśnie wydawał się czerpać z tego wydarzenia największe korzyści. Kwestie majątkowe same się uregulowały. Szkoda, że Jasztołda jednak nie przetrzymano jakoś dłużej w areszcie. Wyszłoby mu to na zdrowie. Moralne z pewnością.

O tym wszystkim myślał podkomisarz, siedząc za swoim nowiutkim biurkiem. Zamówione trzy miesiące temu meble wreszcie dotarły, co niefortunnie zbiegło się w czasie z gwałtownym pogorszeniem opinii obywateli miasta o pracy policji. Z taktycznego punktu widzenia był to duży błąd. „Goniec Mańkowicki" ustami Anonimowego Zainteresowanego donosił:

Zwracam uwagę Szanownej Redakcji na oryginalne pożytkowanie energii przez naszych stróży prawa. Komisarz Wasiak postanowił wzbogacić komendę o nowe meble, z czego część z litego dębu. Jak wiadomo, udatnie to pomoże naszym policjantom w rozwiązaniu spraw, którymi żyje teraz całe miasto. Przy dębowym biurku przestępcy sami się demaskują, a trupy uprzejmie obwieszczają, kto też je doprowadził do rzeczonego stanu. W tym chyba jedyna nadzieja naszej policji, bo że komisarz Wasiak i podkomisarz Ratajczak oraz ich gwardianie sami coś wykoncypują, w to nie wierzy chyba nikt. Ze swej strony polecam jeszcze jeden zakup, także z drewna: brzozową witkę. I codzienne okładanie się w ramach pokuty za indolencję.

Szczerze oddany,
Anonimowy Zainteresowany

Tak, zdecydowanie poparcie społeczne nie było najlepszą stroną mańkowickiej policji. Ten styczniowy poranek też nie zapowiadał przełomu, ani w samej sprawie, ani też w podejściu do niej opinii publicznej.

Podkomisarz Ratajczak z pewnym skrępowaniem wiercił się w nowym fotelu i, rysując na kartce papieru dziwaczne wzory oraz inicjały, myślał. Należało skreślić z listy Jasztołda. I, między Bogiem a prawdą, prawie wszystkie panie z Towarzystwa. Ciotka Helena miała rację, że być może wiedzą one coś więcej, ale trudno uwierzyć, że któraś profesjonalnie posługuje się siekierą oraz nożem rzeźnickim. No i żeby kogoś zabić, trzeba mieć siłę. A tu jednej serce szwankuje, druga ma reumatyzm... Taka Wachowska była niewiele wyższa od Zosi i pewnie miała podobną wagę. Nie powiesiłaby Marianny, a nawet nie uniosłaby siekiery, żeby podzielić na części Hankę. Tak naprawdę tylko Anna, Kormanowa i żona kierownika gimnazjum robiły wrażenie osób na tyle silnych, by sobie poradzić z techniczną stroną zabójstwa. I Klara, niestety.

Rozmowy ze wszystkimi członkiniami Towarzystwa mają sens tylko dlatego, że może któraś przez przypadek powie coś, co okaże się ważnym szczegółem. Tak, ale nazwiska czterech pań nadal widnieją na liście. Z nimi trzeba porozmawiać w pierwszej kolejności. I z Zuberem też oczywiście, może niepotrzebnie podkomisarz wziął go za histeryka? Do listy z ciężkim sercem dopisał Wernera. A skoro jego, to i Melanię. No i proszę: powinno być coraz mniej nazwisk, a jest więcej. Znowu trzeba chodzić po domach i wypytywać.

Męczące te rozmyślania. Hieronim w dodatku czuł się jak skacowany, choć przecież już od trzech lat należał do Bractwa Trzeźwości i nie miał w ustach alkoholu. Piotruś w nocy dostał wysokiej gorączki, wezwano lekarza, młodego Szulca, ale przyjechał sam Korman. Szulc podobno też zachorował. Dyrektor szpitala zachowywał się dziwnie, jakby spłoszony. Na Hieronima prawie nie patrzył, zwracając się tylko do Felicji. Ale trzeba przyznać, że miał podejście do dzieci: wyleczył Piotrusia chyba samą rozmową, a wystraszonych rodziców poinformował, że dziecko bardziej niż lekarstw potrzebuje korepetytora. Najlepiej ze wszystkiego. A w dodatku po prostu boi się szkoły. Hieronim wiedział, że jego męski potomek jest płaczliwym niezdolnym niezgułą, ale słowa dawnego gimnazjalnego kolegi były wyjątkowo dla niego nieprzyjemne.

Od zawsze nie lubił swojego dziecka. Coraz częściej się przekonywał, że Piotruś odziedziczył po dziadku Józefie Ratajczaku walory intelektualne. Za to charakter, łagodny i bojaźliwy, miał po Bóg wie kim. Może jakby tak sprać dzieciaka, coś by to dało? Ale jak tu bić takiego? Jakby jakąś szybę zbił albo komuś nos złamał, to tak. Ale za to, że nieśmiały i kiepsko się uczy? Hieronim też był nieśmiały. Nie uznawano go również za geniusza. Nie miałby więc sumienia bić. Może się jeszcze dzieciak wyrobi.

– Witaj, Ratajczak, co tam?

Wasiak patrzył na niego z nadzieją, jakby rzeczywiście te nowe meble miały coś dać. Przeżuwał przy tym kanapkę z boczkiem. Drugą ręką kręcił młynki zegarkiem, by ukryć zakłopotanie. Rozmowa miała być naturalna i prowadzona mimochodem. Jego łysina odbijała się w blacie biurka Hieronima. Świetna jakość.

– Po staremu. Ale pracujemy.

– A gdzie Wojtek? – zapytał Wasiak, przełykając kolejny kęs.

– W aptece Lewandowskiego.

– Aha. A pozostali panowie?

– Cukru szukają.

Wasiak pokiwał głową i poszedł do siebie. Miał przygarbione plecy. Hieronimowi zrobiło się nieprzyjemnie. Przez kilkanaście lat swojej pracy był nieporadnym policjantem, ale okoliczności go nie demaskowały. Teraz już nie było wątpliwości. Jak więc musiał się czuć Wasiak, skoro okazało się, że on z kolei był nieporadny przez lat czterdzieści?

Hieronim podszedł do bocznego okna. Jeśli wzrok go nie mylił, ulicą Chrobrego (dawniej Ottona, nie wiedzieć czemu, I) paradowały kolejne złaknione sensacji poznanianki. Prowadził je jakiś brodaty przewodnik. Znajoma twarz, ale było zbyt daleko, by ją z pewnością rozpoznać. Już pobieżna obserwacja przyjezdnych pozwalała stwierdzić, że eleganckie panie w tym roku nosiły jeszcze krótsze fryzury i jeszcze krótsze spódnice niż w zeszłym. Niedługo ostrzyżone na chłopaka zaczną paradować z gołymi kolanami. Ta moda przyjdzie też do Mańkowic, choć jak zwykle trochę spóźniona. Podkomisarz nie miał pewności, czy bardziej go to oburza, czy cieszy. Jego żona miała bardzo zgrabne nogi, ale czy wszyscy muszą o tym wiedzieć? Spojrzał jeszcze raz. Panie oddaliły się w stronę feralnego lasku.

Miał wychodzić, ale czekał na Wojtka. Wrócił więc do lektury, mniej więcej po raz setny próbując znaleźć w pamiętniku Łucji coś, czego wcześniej może nie zauważył. Jeszcze raz, jeszcze raz i jeszcze raz.

Z tymi panami Marianna spotykała się już wcześniej. Tak twierdzi E.M., i teraz nie ma chyba powodu jej nie wierzyć. Dziewczyna jest całkowicie zrezygnowana i widać, że wszystko jej jedno. Odruchowo więc pewnie mówi prawdę. Zubera skreślam. Nie wiem, skąd to uczucie, ale w pełni jestem przekonana, że ma on za mało odwagi, by zrobić coś takiego. Nawet jeśli go szantażowała, wolałby się pewnie przyznać żonie. A inni by nie uwierzyli, Zuber to przecież bardzo porządny obywatel. Gdyby mógł zrobić to jakoś higienicznie: bez brudzenia, bez krwi i bez silnych emocji, to może i by ją zabił. A tak, pewna jestem, że to dla niego za dużo. Czyli, mimo że racjonalnie rzecz biorąc, powinien to być on, szukam dalej. Stąd K. Dużo rzeczy pasuje, choć nieprzyjemnie mi o tym myśleć. To ktoś, kogo wszyscy lubimy. I ja mam tę dziwną słabość.

E.M. to oczywiście panna Maszyńska, którą zresztą wydano ekspresowo za mąż gdzieś pod Piłą, zanim złe plotki dotarły do rodziny nowego wybranka. Musiało to być niedobrane stadło, zwłaszcza że mąż był najniższym urzędnikiem pocztowym. Maszyńscy liczyli z pewnością na więcej, ale na bezrybiu... wiadomo.

A, ciekawe. Dopiero teraz zauważył, że Łucja zapisywała inicjałami nazwiska tych osób, co do których miała pewne podejrzenia. Gdy te znikały, posługiwała się pełnymi nazwiskami. Domniemanie niewinności, jak w gazetach. Ta jej obsesja, żeby nikomu nie uchybić, nie zrobić przykrości nieuprawomocnionymi podejrzeniami... Tacy ludzie, kiedy ktoś za nimi idzie w ciemnej ulicy, nie przyspieszają kroku, by nie urazić śledzącego. A potem wiadomo.

Drzwi otworzyły się na oścież, na korytarz wpadło trochę śniegu. Wojtek wszedł do pokoju, uśmiechnięty szeroko. Pod szyją miał zamotaną jakąś kolejną dziwaczną, tym razem zieloną, chustkę. Nowa moda czy co?

– I co?

– Byłem w aptece, jak pan kazał...

– ...i przez godzinę flirtowałem z młodą Lewandowską. Ty byś się nadał na fryzjera – dopowiedział Hieronim.

– A gdzież tam! – obruszył się Nowak. – Wymieniłem tylko uprzejme pozdrowienia. Bardzo ostatnio zbrzydła i zaczyna się chyba starzeć. Ale proszę słuchać: pani Lewandowska jakaś wściekła chodzi, jakby ją coś ugryzło. Powiedziała mi, że nie wie dokładnie, co jej mąż robi w niedzielne popołudnia, kiedy zabijane są młode panny, ale sama chciałaby wiedzieć. I że jak będę miał informacje na ten temat, to mam się zgłosić.

– Czyli nic konkretnego?

– Ale nie uważa pan, że o czymś to świadczy? Tak mi to prosto w oczy powiedziała. Kobiecie zwykle głupio, że męża w domu utrzymać nie potrafi.

– To prawda, moja żona też się tym denerwuje – powiedział na głos Ratajczak, pod koniec zdania przechodząc jednak do szeptu.

– No i jeszcze maść na piegi kupiłem – tak samo cicho zamruczał pod nosem Wojtek, jakby miał nadzieję, że przełożony nie usłyszy.

– A to po co?

– Na piegi właśnie. Miał być fundusz na działania pozoracyjne, żeby się w oczy nie rzucać. To przyszedłem porządnie, jak klient. I zakupiłem. Na wiosnę będzie w sam raz, od słońca piegi wychodzą.

Hieronim machnął ręką.

– Gdzie ty tu wiosnę widzisz? Dopiero zwróciłeś na siebie uwagę. Trzeba było pigułki na przeczyszczenie wziąć, jak już koniecznie chciałeś coś kupić. A w ogóle, wiesz co? Idź ty już lepiej do domu.

– Wiosnę czuję. Jest w powietrzu. No, przedwiośnie. A czy Trawiński i Kamiński już wrócili?

– Podobno jutro. Zakochałeś się w którymś z tych ważniaków czy co? Trzeci raz mnie dzisiaj pytasz. A teraz idź na obiad, chłopcze.

– Jeszcze tylko jedno: a co z moją teorią, że to sprawa polityczna? Przecież jesteśmy teraz przy granicy... może... pana żona przyjęła ją z uznaniem.

– Teorię czy granicę? Pilnuj podmiotu w zdaniu. Moja żona jest dobrze wychowana, nie chciała ci zrobić przykrości. W Mańkowicach polityka? Ostatnia zbrodnia polityczna była u nas, jak się radni pobili w jedenastym roku. Idź na obiad.

Wojtek popatrzył na niego jakby z urazą. Ale już po chwili Ratajczak słyszał wesołe pogwizdywanie chłopaka. Takiemu to dobrze. Może zresztą czuć jakąś tam wiosnę. I może jest to sprawa polityczna.

Ratajczak wzdrygnął się. Przypomniał sobie aroganckich facetów, którzy od czasu do czasu wpadali i robili zamieszanie. A potem trzeba było po nich sprzątać. Raz nazywali się Defensywa Polityczna, raz Wydział IV, a czasami wcale się nie przedstawiali. Tylko bałagan pozostawał ten sam. To już lepiej niech to będzie ponury zbrodniarz.

Klara nudziła się dzisiaj w bibliotece po prostu niemożebnie. Czuła, że jeszcze trochę, a zacznie rwać sobie włosy z głowy. Albo gadać sama do siebie.

Kiedy zaproponowano jej tę pracę, była wniebowzięta. Teraz jednak coraz częściej myślała, że nie jest to najlepsze miejsce dla pięknej dwudziestodwuletniej kobiety. W żadnej z czytanych przez nią książek bibliotekarek nie spotykały fascynujące przygody ani wielkie miłości. W ogóle, ciekawa rzecz, że w książkach bibliotekarek jakoś mało.

Nudno, bardzo nudno. Te drobne przyjemności, jakie od jakiegoś czasu próbowała sobie zapewniać, zdecydowanie nie były wystarczające. Westchnęła. Hieronim obrażony. Gdyby chociaż mogła się zastanawiać, o co takiego. Spekulacje są przyjemne. Ale wiedziała: głupia Helena Kaczmarkowa wygadała się mu na temat Towarzystwa. Świadczył o tym fakt, że na ostatnim zebraniu przegłosowano odejście od działań na szeroką skalę. Członkinie miały się zajmować udoskonalaniem pod względem higienicznym własnych gospodarstw domowych. Zacząć należało od kwestii przechowywania żywności, co obwieściła bolejącym głosem Lewandowska. Też coś. Wszystkie były za, Klara także. Przecież i tak nie miałaby żadnych szans w głosowaniu. Dlatego milczała. A działania na szerszą skalę bardzo jej się podobały. No i coś się działo.

Teraz patrzyła, jak promień słońca, powoli przesuwając się, ujawnia kolejne zakurzone powierzchnie. Powinna posprzątać, nie, udoskonalić higienicznie bibliotekę. Będzie miała na to dużo czasu, bo im cieplej, tym mniej czytelników. Sama chętnie poszłaby teraz nad rzekę popatrzeć, jak pękają kry. Z jej szczęściem, kiedy tylko stąd wyjdzie, mróz zaraz wróci.

Jednak będzie jakiś gość. Zaskrzypiały schody, otworzyły się drzwi i na progu stanął podkomisarz Hieronim Ratajczak. Uśmiechnięty, z elegancką laseczką. Zapatrzył się chyba na tego jednego z Poznania. Wziął krzesło i usiadł naprzeciwko jej pulpitu.

– Widzę, że czytelników brak? To dobrze, chciałem ci coś powiedzieć. Chyba już wiem, kto zabił Mariannę.

Klara zagapiła się na niego. Tak szybko? Sam na to wpadł?

– Tylko nie zemdlej, jak to kobiety mają w zwyczaju. Doktor Korman.

Odchrząknęła.

– Z tego, co słyszałam, to raczej ty masz w zwyczaju mdleć. Co do Kormana – nie wierzę. Równie dobrze możesz od razu oskarżyć swoją ciotkę Helenę. Niby dlaczego on?

– Wiesz, że ojciec Marianny jest nieznany? I że Korman spotykał się z nią już od dawna? Tak przynajmniej wynika z tego, co ustaliła Łucja. Na pewno gdy miała dwanaście lat. Czyli był nią zainteresowany w sposób... no, nie jak kobietą. To nie były więc stosunki takiego rodzaju, jak się wydaje na pierwszy rzut oka. A zarówno matka Marianny, jak i Korman przebywali siedemnaście lat temu w Berlinie. Tak wynika z jej nekrologu z tego New Jersey. Ci z Poznania nam go przysłali. Pasuje. Zrób mi herbaty, dobrze?

Klara weszła do wnęki i uruchomiła maszynkę. Nie mogła się jednak skupić na przyrządzaniu herbaty. Wystawiła głowę jeszcze na chwilę:

– Ale dlaczego miałby zabijać swoje dziecko?

Hieronim podniósł głos, żeby dobrze go słyszała.

– Powodów mogło być wiele. Czytasz przecież powieści. Mogła go szantażować, chcieć pieniędzy, grozić, że powie wszystko jego żonie. Wszyscy wiedzą, że jest romansowy, ale dziecko? To już za dużo jak na Mańkowice. Kto by się u niego leczył w takiej sytuacji?

– Dobrze. Przypuśćmy, że pasuje. Ale kto w takim razie zabił Hankę? – popatrzyła na niego uważnie, znowu wysuwając głowę.

– Pewności oczywiście nie mam, ale przypominam, że siostra Hanki służy u Kormanów. Może się czegoś dowiedziała? To bliźniaczki, zbrodnia mogła być pomyłką. Jeśli popełnił jedno morderstwo, mógł i drugie. Wydaje mi się, że w takiej sytuacji jest już łatwiej, z górki.

Usłyszał głuchy dźwięk zza kotary.

– Łyżeczka mi spadła. Wiesz co, myślę, że trochę za dużo tej psychologii. Zabił Hankę, bo było z górki, a potem Łucję, bo co? Bo było jeszcze bardziej z górki? Z góry, powiedziałabym?

– Nie. Bo ona go podejrzewała. Uważała, że to może być on.

Klara wyszła z herbatą na tacy i postawiła ją przed Hieronimem. Swoją filiżankę wzięła do rąk. Przyjemne ciepło.

– Masz jeszcze kogoś na oku czy to jedyna podejrzana osoba?

– Podejrzana to może nie, ale to, co się działo z Anną...

Klara weszła mu w słowo:

– O, widzisz, dla mnie też ona jest podejrzana. Gniezno, histeria... Pewnie miała w tym jakiś interes. Ona udaje bardzo uduchowioną z tym młodym krajem i tak dalej, ale jest łasa na pieniądze. Przecież ją znam. Druga Wachowska, nic dziwnego, że się nie lubiły. No, co? Tak, pomagam jej z gazetą, jednak to nie ma nic do rzeczy. Ma jakąś tajemnicę i trochę udaje taką postępową. Literatura literaturą, ale cwana z niej sztuka. Ten pokój mogła przecież wynająć i mieć z tego zysk. Po co zaprosiła Łucję?

Przez chwilę panowała cisza. W końcu Klara zapytała:

– Ale przede wszystkim: a Marianna i Hanka? Jeśli to Anna zabiła Łucję, co mogło mieć związek z jakimiś szkolnymi porachunkami, to dlaczego na przykład miałaby zabijać Hankę?

Hieronim tracił powoli pewność. Albo to jeszcze ktoś inny? Zabił, wsiadł do pociągu i tyle go Mańkowice widziały?

– Może niepotrzebnie się upieramy, że to była jedna osoba? Może Korman zabił pierwsze dwie, a Woźniakówna Łucję? W tej szkole działy się ciekawe rzeczy, masz rację. A Łucja przecież wszystkiego nie napisała. Przy okazji: gdzie się podziewa Wachowska? Wiesz coś na ten temat? Już do Mańkowic nie wróci? Czy to nie jest trochę dziwne? Może ona wie coś więcej? Ciotka Helena mówiła, że uczestniczyła w tych waszych działaniach.

Klara zarumieniła się.

– Nie martw się, nie mam pretensji. Wiem, że obiecałaś tajemnicę.

Uśmiechnęła się do niego lekko.

– Dziękuję, że mimo wszystko dopuszczasz mnie do tej sprawy.

Hieronim odstawił filiżankę i spojrzał na nią z powagą:

– Zależy mi na twojej inteligencji. No i ta sprawa wydaje mi się taka... kobieca właśnie. Nawet jeśli to

Korman, on zresztą, wybacz, też trochę taki babski jest. Nie widać motywu pieniędzy, a zawsze mi powtarzano, że to jest najczęstsza przyczyna morderstw. A tu z jednej strony wielkie emocje, przecież te dwa trupy są zmasakrowane. A z drugiej: precyzja. Łucja była w kawałkach jak z podręcznika anatomii, Hanka też profesjonalnie pocięta. Sprawa jest zawikłana i potrzebuję twojej pomocy. Na Wasiaka liczyć nie mogę. Odlicza dni do emerytury i – zniżył głos do szeptu – ciągle psioczy na Piłsudskiego. A Nowak chyba się zakochał czy co. Nieprzytomny jakiś chodzi. No i, jak mówię, kobieta wydaje mi się odpowiedniejsza.

Klara zatrzepotała rzęsami kokieteryjnie:

– Przecież mógłbyś porozmawiać z Felicją.

Szwagier westchnął:

– Wiesz, że niezbyt nam się układa. Ona jest taka zajęta przy dzieciach. Smutno to przyznać, ale moja żona straciła dużo... polotu.

Klara milczała. Nie wypadało się zgodzić, ciężko było zaprzeczyć. Hieronim wstał z krzesła i pożegnał się. Był bardzo zadowolony z przebiegu tej rozmowy. Klara także. Psychologia to jednak dobra rzecz.

NIEDZIELA, 14 STYCZNIA 1923

Powinna być zadowolona, ale nie była. Miała dziwne uczucie, że jednak ją oszukał. Analizowała wydarzenia ostatniego tygodnia, szukając miejsca i czasu, kiedy to nastąpiło. I jakichkolwiek by akrobacji myślowych dokonywała, zawsze czuła, że najrozsądniej byłoby przyjąć najgorszą, straszną nawet, wersję wydarzeń. Bo najwięcej właśnie na nią wskazywało.

Wycieczka do Poznania się udała. Anna musiała co prawda jechać już w środę i nocować w hotelu, żeby nikomu nie przyszło na myśl, że podróżują razem. Tak powiedział. Zaplanowali wszystko nieźle, ale i tak najpierw czuła się bardzo nieswojo, wstępując w progi Hotelu Rzymskiego. W zasadzie nawet jako posiadaczka kamienicy nie była zazwyczaj skłonna do wydatków ponad stan, ale uznała, że lepsze jest takie luksusowe miejsce z Prusakami niż hotelik na przedmieściu, z prusakami.

Jednak w nocowaniu w hotelu jest coś nieprzyzwoitego, tak jej zawsze powtarzała babcia.

– Tylko rozwódki i aktorki nocują w hotelach – mówiła stara Pierzyńska, kiwając głową, na której trzęsła się peruka – uczciwi ludzie nocują w swoich domach albo też u rodziny. Jeśli zaś nie masz w jakiejś miejscowości rodziny, po co chcesz tam jechać?

Anna wiedziała, po co jedzie, ale wcale nie miała przez to czystszego sumienia. Bała się tego następnego dnia. Wieczór spędziła, przypatrując się w ostrym świetle elektrycznym swoim zmarszczkom. Były, mało, ale były. Rankiem czuła się jednak, jakby miała z dziesięć lat mniej. Albo nawet jedenaście. Pobiegła na dworzec i nie mogła opanować drżenia serca, kiedy lokomotywa powoli (strasznie powoli!) wtaczała się na peron. Poszli do palmiarni, potem spacerowali po Starym Rynku.

Gdyby miała potem streścić całe popołudnie, sprawiłoby jej to problem. W zasadzie nawet dużo nie mówili. Maszerowali równo obok siebie, elastycznie jak podczas górskiej wędrówki. Z boku więc ten spacer z pewnością nie przypominał wycieczki pary zakochanych. Daleka krewna, spotkana po latach? Tak mniej więcej miało to wyglądać i chyba wyglądało. Anna oczywiście miała cały czas poczucie niestosowności swojego zachowania i sytuacji. Gdyby to było stosowne, wędrowaliby przecież po Mańkowicach, a nie pięli się na Górę Zamkową. Nie poczułaby też tego nagłego skurczu serca na widok sylwetki przypominającej do złudzenia panią Zawadzką. Wszystko to było prawdą, ale kiedy on odwrócił głowę i uśmiechnął się do niej znad drzewka pomarańczowego w palmiarni, poczuła, że teraz albo nigdy. Od tego dnia już się co prawda nie odezwał, ale to przecież właśnie taki specjalny gatunek ludzi, innych niż ten nudny tłum. Nie musiał codziennie przychodzić i gadać jej o miłości, żeby wiedziała.

Wszystkie jej obawy i podejrzenia wydawały się niedorzeczne, kiedy przypominała sobie to spojrzenie. Błysnęła jej myśl, że trzeba sprzedać tę cholerną kamienicę jak najszybciej. Potem wyjechać za nim i porzucić to płaskie życie.

O tym właśnie myślała, przeglądając księgi w niedzielne przedpołudnie. Bardzo ładny zysk. Znajdzie się z pewnością kupiec. Mańkowice się rozwijają, teraz są nawet sławne. Na swój sposób, oczywiście.

Rozmyślania przerwał jej Ratajczak, który stanął na progu salonu. A może stał tu już dłużej, zamyślona Anna mogła go nie zauważyć.

– Nowakowa mnie wpuściła – wyjaśnił, przestępując próg. – Zawsze się zachwycam widokiem z tych okien. Ma pani doskonałą perspektywę na rynek. Czyli najważniejszą część Mańkowic na oku. Nam by się coś takiego przydało, a nie ta siedziba prawie że w lesie.

Anna uśmiechnęła się do niego kpiąco.

– Proszę usiąść. A pomysł świetny, zwłaszcza że chcę sprzedać kamienicę.

O, jaki zaskoczony. Aż podniósł brwi. Usiadł na wskazanym fotelu.

– Niestety – powiedział z udawaną powagą – obawiam się, że nie będzie nas stać na taki wydatek. Zwłaszcza że, jak pani wie, wykosztowaliśmy się na meble.

Zarumieniła się.

– Szkoda, poszłaby w dobre ręce. Państwowe. A tak to pewnie jakimś Żydom się dostanie. W tym salonie będą obierać cebulę. Albo Niemcy będą kapustę gotować. À propos, słyszałam, że Werner wyjechał, pana przyjaciel? Czy to sprawdzona wiadomość?

– Panno Anno, po pani nie spodziewałem się takiego anty... no, antyjudaizmu. Proszę powściągnąć te uczucia, bo nie przystoją nowoczesnej kobiecie. Antygermanizm rozumiem, to ma przynajmniej jakieś historyczne uzasadnienie. Tak, mój przyjaciel Werner wyjechał z powodu obrzydliwych listów, które jacyś patrioci mu wysyłali.

Wcale nie zwróciła uwagi na te przytyki, choć przecież wiedział, że jej główną ambicją jest być najbardziej postępową osobą w całych Mańkowicach. Odpowiedziała:

– To był żart, oczywiście. Przepraszam, że jakoś tego nie zaznaczyłam. Myślałam, że z panem nie muszę. Trochę jestem zamyślona... – machnęła ręką. – Samemu diabłu sprzedam, byleby się stąd wynieść. Chcę zacząć nowe życie. Tu się nie da. Żydów nie lubią, kobiet nie lubią, biednych nie lubią, zbyt młodych nie lubią, zbyt starych nie lubią...

Ostatnio wszyscy psioczą na Mańkowice. Akurat ci, którym się dobrze wiedzie. Co mają powiedzieć te dzieciaki z całkiem zagrzybionego pokoju? Anno z kamienicą, a może ty masz całkiem inne powody, żeby stąd uciekać?

Podsunęła mu tackę z ciasteczkami. Popatrzył na jej jasne włosy, jasne oczy i jasną skórę. Ładna była, choć trochę wyblakła. Powinna chodzić w czymś bardziej wyrazistym, a nie tej bladoniebieskiej sukni. Sukience w zasadzie, bo bardzo to krótkie było.

– Myśli pani, że gdzie indziej jest inaczej?

Zarumieniła się mocniej niż poprzednio. Od razu lepiej, jaki koloryt.

– Pewnie nie, nie jestem idiotką, żeby tak myśleć. Nie mam już niestety osiemnastu lat, żeby sądzić, że poza Mańkowicami jest jakaś kraina szczęśliwości. Ale może łatwiej się schować?

Nie, tak wprost by tego nie powiedziała. Chodzi jej o coś innego. Zrobiło mu się jej żal.

– Prawdopodobnie. Ale myślę, że lepiej byłoby żyć tak, żeby nie musieć się chować. Tak twierdzi Werner: że ludzkość będzie szczęśliwa dopiero wtedy, gdy każdy z nas będzie się mógł przyznać do wszystkich swoich uczynków, kiedy nie będzie tajemnic i brudnych spraw. O, zarumieniła się pani. Wtedy i policja nie będzie potrzebna. Swoją drogą, mówi pani trochę jak doktorowa Kormanowa. Ona też uważa, że w Mańkowicach ciężko się żyje.

To ostatnie stwierdzenie puściła mimo uszu.

– Wie pan doskonale, że to utopia. Policja zawsze będzie potrzebna, inaczej się pozabijamy. A taka sytuacja, kiedy można się przyznać do wszystkiego, oznacza, że nie będzie też namiętności i romantyzmu. Bo one muszą kryć w sobie tajemnicę. I niby po co żyć w takim świecie?

Zdenerwowana wstała i podeszła do okna, ale wiedział, że go słucha.

– Werner twierdzi, że to wszystko wpojono nam, żeby ukryć obrzydliwą stronę stosunków damsko-męskich. Tak naprawdę to kwestia kupna i sprzedaży, ale tej świadomości moglibyśmy nie znieść. Stąd ten cały romantyzm. Proszę zauważyć, że starożytni nie byli jakoś specjalnie tkliwi. To wszystko pod wpływem chrześcijaństwa i kapitalizmu.

Odwróciła się, smutna, i jakoś zawstydził się tych wykładów. Uśmiechnął się do Anny pokrzepiająco:

– Ale może to bzdury. Wiem, że czasami mówię jak rasowy bolszewik. Werner jest wyjątkowo przekonujący. Proszę tego nie powtarzać nikomu.

– Niestety, to brzmi całkiem logicznie i sensownie. W wielu sprawach się z Wernerem zgadzam. Tym bardziej nie będę powtarzać. A na razie – podała mu rękę, więc wstał – Anna, a nie Woźniak i nie Woźniakówna, z tym idiotycznym podkreślaniem, że za mąż nie wyszłam.

Dygnęła przy tym po pensjonarsku. Z tą samą powagą podkomisarz odpowiedział:

– Hieronim, a nie pan Ratajczak.

Cały czas zastanawiał się, czy to niezwykle cwana bestia, czy też może zwykła nieszczęśliwa kamieniczniczka. Najważniejsze to nie dać się zwieść pozorom.

PONIEDZIAŁEK, 15 STYCZNIA 1923

Nie wiedział, która najpierw, a która potem. Rozmowa z Anną się udała, ale chyba już wyczerpał limit szczęścia. Miał swoje niezawodne przeczucie kompromitacji, jedyna kwestia była w tym, które spotkanie wypadnie gorzej. W pierwszej chwili zastanawiał się nawet, czy nie wysłać Wojtka, przecież dobrze rozmawiał z kobietami. Ale to byłoby tchórzostwo.

Stanął w otwartym oknie kuchni i popatrzył na podwórko. Wrony. Jeśli liczba parzysta, to Kormanowa. Jeśli nie, to Zuberowa. Ależ to się głupio rymuje. Jedenaście, policzył. Ale kiedy wymruczał pod nosem ostatnią liczbę, przyleciała jeszcze jedna. No i teraz pytanie, co się liczy? Jedenaście czy dwanaście? Cholera. Postanowił, że najpierw, skoro rano ma świeży umysł, Kormanowa. Dzięki temu nie zostanie może pokonany od razu, ale po jakichś dwudziestu minutach.

Los jednak zdecydował za niego. U Kormanów nikogo nie było. Stanął więc przed wielkim domem burmistrza. Zuberowie mieszkali z rodzicami, ale nie było w tym nic dziwnego. Podobno dom miał dwanaście pokojów, więcej niż niektóre dwory. Trochę to wszystko onieśmielało. Ale iść trzeba. Otworzył mu mały chłopiec, który przychodził czasem bawić się z Zosią. Właśnie, nie z Piotrusiem, ale Zosią, bo Zosia była najfajniejszym chłopakiem w okolicy, jak głosiły wpisy do jej pamiętnika.

Pyzaty blondynek nie miał chyba ani jednego zęba, przynajmniej z przodu. Patrzył z fascynacją na mundur Hieronima. Miło, jak tak od rana człowieka docenią, choćby wzrokiem:

– Dzień dobly, przyszedł pan kogoś zaalesztować?

– Dziś nie, ale spodziewam się niedługo to zrobić – odpowiedział Ratajczak.

– A ja się spodziewam, że zostaniemy wcześniej powiadomieni, żeby można to było zobaczyć. Krzyś uwielbia takie rzeczy.

Melodyjny kobiecy głos odezwał się zza pleców chłopca, Hieronim poczuł lekki zapach perfum, a po chwili na progu stanęła najpiękniejsza mieszkanka Mańkowic, a kto wie, czy nie całej Wielkopolski. Wysoka brunetka o cudownych jasnych oczach. I to najpiękniejsza już od jakichś piętnastu lat, bo świeża cera i wesołe spojrzenie sprawiały, że można byłoby ją wziąć za siostrę Krzysia. Jak plotkował cały powiat, było to efektem kremów sprowadzanych z Berlina.

Podkomisarz był jednak w Berlinie i dobrze wiedział, że jego mieszkanki tak nie wyglądają. Nikt mu znany tak nie wyglądał.

Jedyną wadą jej urody był trochę za gruby, prawie męski głos, ale tę cechę ukrywała dzięki starannej modulacji. Ratajczak usłyszał jego prawdziwe brzmienie tylko raz, kiedy zaczęła krzyczeć po odkryciu ciała Łucji. Pamiętał jak dziś, że na chwilę cały rynek zapomniał o trupie, tak dziwnie zabrzmiał ten bas pruskiego żandarma. Na co dzień piękna kobieta mówiła głębokim altem. Wiedział jednak, że nie byłoby nic dziwnego w tym, gdyby w emocjach znów zaczęła mówić cokolwiek grubiej.

Pani Stefania uśmiechnęła się do niego promiennie, jednocześnie dając znak, by synek poszedł do siebie.

– Męża niestety nie ma. Jest w szkole, oczywiście. A tata... wiadomo.

Zatrzepotała rzęsami. Ratajczak czuł zapach jej skóry, więc profilaktycznie przywołał w wyobraźni sytuację na rynku. Nie, to wcale nie jest piękna kobieta. Piękne kobiety nie mówią basem. Choć, szczerze mówiąc, było to dziwnie podniecające. Ale może te rzęsy też ma sztuczne?

Hieronim wykonał ustami grymas, który miał być odpowiedzią na jej uśmiech. Czuł, że wargi ma jak sparaliżowane. Ładną miała sukienkę, chociaż bardzo długą jak na dzisiejszą modę.

– Nie szkodzi, nie szkodzi. Ja w zasadzie do pani – odpowiedział, zastanawiając się jednocześnie, dlaczego u licha mówi „w zasadzie". To jakieś takie wiejskie.

Nie wyglądała na zaskoczoną. Takich kobiet nic nie zaskakuje, na wszystko są przygotowane. Gdyby odtańczył tu jakiś afrykański taniec, też rzuciłaby mu to spokojne, wybaczające spojrzenie. Zamrugała tylko znowu powoli rzęsami na pół twarzy.

– Rozumiem, w takim razie bardzo proszę do środka.

Hieronim znalazł się w jasnym holu, a po chwili wszedł za panią domu do salonu umeblowanego meblami biedermeier. Dom burmistrza był jedynym, w którym mieszkańcy nie zmieniali mebli, jak tylko było ich stać na nowe. I słusznie, zdaniem Ratajczaka, bo ta powojenna moda powodowała, że człowiek bał się usiąść w fotelu. Wszystko mało solidne i niewygodne.

Zaraz pojawiła się herbata, przyniesiona przez Królową. Na tacy leżały też chruściki. Królowa wyglądała jak swój własny cień, zabiedzona i wychudła. Hieronim już ją znał i poczuł się jakoś bardziej swojsko. Uśmiechnął się pokrzepiająco do jej twarzy pełnej zmarszczek, ale natychmiast poczuł się zawstydzony. Ale Królowa chyba nawet tego nie zauważyła. Pani Stefania patrzyła spokojnie. Do rzeczy.

– Przychodzę zapytać o pani działalność w Towarzystwie Higieny Moralnej i Cielesnej.

– Tak? A konkretnie? Nie wystarczyły panu informacje od ciotki?

– Nie.

Uśmiechnęła się spokojnie.

– A, to proszę bardzo. Jak pan wie, razem z innymi członkiniami towarzystwa prowadziłam działalność mającą na celu podniesienie poziomu moralnego mieszkańców Mańkowic. To trudne zadanie, nie da się ukryć. Robiłam to samo co inne, więc doprawdy nie wiem, o czym tu niby rozmawiać. Ale, oczywiście, możemy pokonwersować. Za godzinę mąż przyjdzie na obiad, więc może i on dołączy do dyskusji. A potem tatuś.

Znowu się uśmiechnęła jak do dziecka z ochronki. Hieronim pamiętał o tatusiu, pamiętał.

– Specjalnie przyszedłem wcześniej, by, jak się pani uroczo wyraziła, pokonwersować tylko z panią. Do rzeczy: pani mąż korzystał z usług co najmniej kilku nieletnich panienek. Pani, dzięki działalności w towarzystwie, o tym się dowiedziała. Musiało to głęboko zranić tak piękną kobietę jak pani. Prawda?

Wzruszyła tylko nieuprzejmie ramionami. Jaka ta warstwa dobrego wychowania jest cieniutka. Widać pod nią prawie wszystko. Mówił dalej:

– Miała więc pani świetny powód, by zabić Mariannę Szulc. Fakt, że w dniu zabójstwa pani mąż był widziany w okolicy szkoły, świadczy tylko o tym, że mógł panią doprowadzić do pasji jakimś kolejnym spotkaniem z panienką. Dlatego będę wdzięczny za informację, co też pani robiła w tym dniu.

Ta kobieta musi mieć coś na sumieniu. Choć prawdopodobnie coś innego. Nawet się nie oburzyła, że oto oskarża się ją o zabójstwo. Sięgnęła po chruścika z tacki i trzema ruchami pięknych ząbków unicestwiła go. Przybliżyła swoją twarz do jego, aż poczuł się nieswojo.

– A więc znalazł pan już wszystkie brakujące worki z cukrem i postanowił jednak prowadzić mrożące krew w żyłach śledztwo? Powieści w odcinkach się pan naczytał? Obawiam się, panie Ratajczak, że to nie na pana nerwy i intelekt. Oczywiście, nie pamiętam, co robiłam któregoś tam listopada.

Mówiąc, wstała powoli i podeszła do małego stoliczka pod oknem. Przerwała na chwilę, szukając czegoś wzrokiem. Na stole leżały jakieś papiery i jakby to one ją natchnęły.

– A raczej wiem, że robiłam to samo, co wszystkie porządne kobiety z Mańkowic: byłam w kościele, a potem był rodzinny obiad, drzemka po nim, później spacer i wizyta u teściowej. Nic specjalnego, przyzna pan.

– Świadków na to oczywiście pani ma? Przede wszystkim tatusia i męża?

– O, widzę, że postanowił pan być ironiczny? Tak, nie może mi pan nic zrobić. Nawet gdybym połowę szkoły żeńskiej wymordowała. A teraz żegnam, idę sprawdzić sos na obiad. Królowa to sympatyczna kobiecina, ale sosy nie są jej mocną stroną. Przy okazji: nie mam ochoty na spełnianie obowiązków małżeńskich, więc mąż może się spotykać z uczennicami. I z kim tam sobie chce. Jedyne, co mnie zirytowało, to brak dyskrecji.

Spocony Ratajczak nawet nie zauważył, kiedy znalazł się za drzwiami. Końcówka rozmowy poszła zupełnie nie tak, jak się spodziewał. Zuberowa była uważana za kobietę piękną i uroczą, ale niezbyt inteligentną. W zasadzie nie wiedzieć czemu, bo nigdy nie słyszał, żeby powiedziała coś głupiego. To pewnie przez tę urodę. A tutaj zrobiła z niego idiotę i wyrzuciła z domu jak psa. Nie doceniał tej pani.

W dodatku miała rację na całej linii: był bez szans, nawet jeśli to ona zabiła Mariannę, a potem kolejne osoby. Zresztą nie wierzył w jej winę. Już chyba raczej sympatyczna przyjaciółka ma coś na sumieniu. Co do niechęci do wypełniania małżeńskich obowiązków, jakoś od razu uwierzył pani Zuberowej.

Wychodząc, zauważył tego szczeniaka od Królowej, który znowu się przyglądał jak święta inkwizycja. Wcisnął mu też kartkę, pomiętą i brudną, a na niej drukowanymi literami napisane było: „UWAGI DO ROZMOWY NA SZESNASTEJ STRONIE". I co niby miało to znaczyć? Szczeniak się nie wypowiedział, bo oczywiście natychmiast zniknął.

Ratajczak kopnął kamień z pobocza, a potem wsiadł na rower. Jakoś się po tym topniejącym śniegu jechało. Cholerne miasto, tu się człowiek, nawet prowadząc śledztwo, nie ukryje, a jak jakimś cudem do czegoś dojdzie, to nikomu nie zależy, żeby sprawcę ukarać. Szanse mogli mieć tylko Trawiński i Kamiński. Oni są z Poznania i nikt im tutaj nic nie może zrobić. Mogli sobie na przykład jechać do Warszawy, bo chcieli. Tylko gdzie ci dwaj się podziewają teraz?

A w domu doktora Kormana nadal nikogo nie było. Nie licząc jak zwykle spłoszonej Małgosi, która w dalszym ciągu nie wiedziała, ani gdzie państwo są, ani kiedy wrócą. Hieronim poszedł więc na komisariat, żeby wykonać rozmowę telefoniczną. Z Poznaniem. Chciał wiedzieć, kiedy ci dwaj przemądrzalcy wrócą. Ale nawet w tym przypadku telefon nie przydał się do niczego. Hieronim najpierw czekał pół godziny, a potem w Poznaniu odebrał jakiś idiota, który z kresowym zaśpiewem wyraził jedynie zdziwienie:

– To w Mańkowicach już macie telefon?

WTOREK, 16 STYCZNIA 1923

Obudził się pod czujnym i oczekującym wzrokiem Felicji. Patrzyła na niego z łóżka obok, z mieszaniną rozbawienia i zdziwienia. Mimo rozespania od razu wiedział, co żona obserwuje. Dawno mu się to nie zdarzało. I to w takich wymiarach. Jak w gimnazjum. W dodatku pewnie gadał przez sen, Bóg wie o czym. Udał zawstydzenie i przykrył się kołdrą. Felicja wzruszyła ramionami, ale widać było, że jest jej przykro. Poszła do kuchni.

Od dwóch dni Hieronim był w jakimś dziwacznym nastroju. Jakby z boku spojrzeć, rzecz była uzasadniona: chodził przecież po mieście i rozmawiał z ładnymi kobietami (dwie starsze aptekarzowe oraz panią Zawadzką zostawił sobie na koniec). Do tego na przykład taka Anna była na swój sposób nieszczęśliwa. Ratajczak miał miękkie serce i głęboką potrzebę pocieszania (bezinteresownego).

Ręka sama powędrowała pod kołdrę. Był w końcu tylko mężczyzną i miewał dziwne myśli w towarzystwie tych wszystkich pań. Świadomość, że wśród nich jest morderczyni, wcale nie gasiła nieprzyzwoitych instynktów. Wręcz przeciwnie. Zbrodnia pociąga, nawet jeśli jesteś policjantem. A to, że Zuberowa potraktowała go jak psa, było dziwacznie przyjemne. Słyszał o takich zboczeniach, ale nigdy dotąd nie wpadł na to, że i on chętnie dałby się trochę podręczyć jakiejś okrutnej kobiecie. Tfu, trzeba się przeżegnać i iść do pracy.

Jakby na potwierdzenie niestosowności swojego zachowania, usłyszał z kuchni znajomy męski głos, dość nerwowy. Felicja z kolei wydawała się jakaś zaaferowana („już, już, zaraz go zawołam, oj, coś mi do oka wpadło, nie, nie śpi już oczywiście o tej godzinie, gdzie tam"). Ratajczak wyskoczył jak z procy i szybko zaczął wkładać spodnie. Po głowie chodziła mu opowiastka ze szkoły, w której do chłopca oddającego się grzechowi samogwałtu przychodził Anioł Sprawiedliwości.

Dzisiaj miał on oblicze księdza Berenta. Nawet nie zapukał, tylko wpadł do pokoju. Jakiś rozczochrany, chyba mało spał.

– Niech będzie pochwalony, co księdza sprowadza? – zapytał Hieronim, dopinając jednocześnie spodnie.

– Na wieki. Mam chyba ważną informację. Przepraszam, że tak z rana, oczywiście. Nie chciałem z tym iść do Wasiaka, bo... mniejsza o to. Rzecz w tym, że chyba wiem coś na temat morderstwa.

– Którego?

– A, no tak, przepraszam. Chodzi o Łucję.

Felicja stanęła w drzwiach.

– Może herbatki? – zapytała tym specjalnym tonem, jakim kobiety zwracają się zwykle do księży.

– Nie, idziemy z księdzem proboszczem na spacer – odpowiedział Hieronim, zanim Berent zdążył rozważyć propozycję.

– Tak, tak, idziemy na spacer – potwierdził ksiądz.

Hieronim już po chwili żałował swojego pomysłu. W domu miałby więcej śmiałości. A teraz, idąc przez miasteczko z proboszczem, czuł, że dosłownie wszystkie firanki w oknach się ruszają. Trochę kręciło mu się w głowie. To już nie ten wiek, żeby tak z łóżka wyskakiwać. Z drugiej strony, podejrzliwa Felicja z pewnością by podsłuchiwała. Proboszcz też czuł się nieswojo, to było widać. Drgało mu skrzydełko nosa. Trochę komicznie to wyglądało, bo nos ksiądz miał pokaźnych rozmiarów. Zaczął mówić, dopiero gdy przeszli przez rynek.

– Nie mogłem o tym rozmawiać z Wasiakiem, bo to kwestia tajemnicy spowiedzi. Pan komisarz jest bardzo religijnym człowiekiem, i to mu się oczywiście chwali.

– Oczywiście.

– I, niestety, jest też mało bystry. Albo raczej: celowo stawia swojemu myśleniu pewne ograniczenia. Żeby sobie nie komplikować wizji świata.

Po chwili dodał:

– Co jest poniekąd zrozumiałe.

Tego już Ratajczak nie skomentował. Znowu chwila ciszy.

– W związku z tym, żeby zrozumiał, o co chodzi, musiałbym mu chyba opowiedzieć całą treść spowiedzi, oczywiście.

– Oczywiście.

– I powiedzieć, kto dokładnie się spowiadał. A tego zrobić nie mogę.

– Oczywiście.

– Czy ty sobie kpisz? – zapytał z lekkim zaskoczeniem proboszcz.

Raczej rzadko się zdarzało, by ktoś w Mańkowicach tak z nim rozmawiał. I to w dodatku Hieronim?

– Oczywiście, że nie – odpowiedział tym samym spokojnym tonem Ratajczak – po prostu przestałem księdza słuchać, choć wiem, że to coś ważnego. Zaraz ksiądz opowie. Ale najpierw ja będę pytać.

– Oczywiście – potwierdził trochę zgryźliwie proboszcz.

Nie oburzył się na złośliwości, bo z natury się nie oburzał. Taką miał szczęśliwą naturę.

– Czytał ksiądz Marksa?

– Tak – odruchowo odpowiedział Berent – dlaczego tak patrzysz? Gdybyś nie wiedział, że czytałem, tobyś nie zapytał. Nie ma w tym nic dziwnego, człowiek wykształcony powinien różne rzeczy znać, nawet jeśli się z nimi nie zgadza.

– Ale mimo wszystko... dobrze, teraz pytanie drugie. Za co księdza wyrzucili z seminarium, to znaczy z posady wykładowcy liturgiki? Tak to się nazywa?

– Tak, mniej więcej. Za wywrotowość, a konkretnie za odprawianie mszy w nieodpowiednich intencjach.

Dlatego jestem w Mańkowicach już tyle lat i nie zanosi się, żebym mógł się gdziekolwiek przenieść. Choć ewentualnie mógłbym teraz poudawać trochę weterana walki z zaborcą, może by się znalazło jakieś lepsze miejsce, ale to niesmaczne. Nawiasem mówiąc, zauważyłeś, że im dalej od wojny, tym więcej mamy ofiar Prusaków? Ale ty już to wszystko wiesz, bo nawet głową nie kiwnąłeś. Skąd?

– Z pamiętnika Łucji. Wiem też, że się lubiliście. To nic nowego, spotykaliśmy się przecież razem na plebanii. Ale że wy spotykaliście się też osobno – nie mam przecież nic złego na myśli – tego już nie wiedziałem. I że bardzo się bała, by ksiądz nie okazał się literą „k" z jej pamiętnika. Może było to „k" jak ksiądz? Bo tego człowieka na „k" podejrzewała o morderstwa. Do końca, to znaczy do swojej śmierci.

– Tak, Łucja była moją ulubioną parafialną ateistką. Widziałem, że w kościele rozmyśla o wszystkim, tylko nie o przykazaniach. – Ksiądz uśmiechnął się szeroko. – Dużo rozmawialiśmy, na przykład o dziedziczności. To był jej ulubiony temat. Ale także na temat Marksa, niech ci będzie.

– Drugą część mojej wypowiedzi ksiądz pominął.

– Dodałeś ją tylko po to, żebym się zmieszał. Księży w Mańkowicach mamy dziewięciu. Oprócz tego, wiesz dobrze, że panem K. jest Korman. Prawdopodobnie. Nie wiem, czy słusznie go podejrzewała, ale, tak jak pewnie ty, wiem, że to on był ojcem Marianny. Ma trochę na sumieniu, te wszystkie romanse... Ale czy ją zabił? Pewności nie mam, ty też. Za sympatyczny się na to wydaje. Fakt, że Łucja go podejrzewała, nie znaczy jeszcze, że to on. No i... jakoś ogólnie trudno mi uwierzyć, żeby człowiek, którego wszyscy w Mańkowicach lubimy...

– Tak, Łucja powtarzała kilka razy, „wszyscy go przecież lubimy", czy jakoś podobnie.

– Widzisz, „k" to nie mogę być ja. Mnie tu prawie nikt nie lubi. Może ksiądz Dąbrowski? Kiedy ktoś ma dziewięćdziesiąt lat, to wszyscy już go lubią.

Ksiądz odpiął górny guzik płaszcza. Było coraz cieplej. Przez chwilę trwała cisza. Hieronim zastanawiał się, czy jeszcze o coś zapytać.

– To teraz ja – powiedział Berent.

– Słucham.

– Przyszedł do mnie ktoś. Wyspowiadać się. Mężczyzna, znany u nas. Bardzo szanowany. Z dobrej rodziny.

– Wystarczy.

– Twierdził, że woli się wyspowiadać, bo niedługo umrze. Nie wiedziałem, że jest na coś chory, ale człowiek nigdy nie ma pewności w takich sprawach. Wyglądał bardzo zdrowo. Wysłuchałem go. Ten pan twierdził, że umrze, bo się komuś naraził. Że nagrzeszył, więc w zasadzie to słuszne. To jest ktoś z jego bliskiej rodziny. Ta osoba może go zabić tak, że nikt się nie domyśli. Zbrodnia doskonała, jak się wyraził. I że się nie spodziewał, że coś takiego może go spotkać w Mańkowicach, że przeszłość go dogoni.

– Patetyczne.

– Tak, ale wiarygodne. Ludzie są patetyczni w obliczu śmierci, wierz mi. Zwłaszcza jeśli mogą się do niej przygotować. Dodał, że to jest przeszłość jakby w karykaturze, w krzywym zwierciadle. Jakby los sobie kpił z niego.

– A grzechy? Z czego właściwie się wyspowiadał?

– Uwiedzenie, porzucenie, namawianie do… jak to się mówi, spędzenia płodu.

Ratajczak stanął. Doszli już do tablicy z informacją, że Mańkowice się skończyły. Przed nimi był las.

– Dostał rozgrzeszenie?

– Szczerze żałował, więc dostał.

– Bardziej żałował czy po prostu się bał?

Ratajczak chciał się kpiąco uśmiechnąć, ale mu nie wyszło. Usta ułożyły się w głupi grymas. Berent nie odpowiedział.

Zeszli na pobocze drogi, bo przejeżdżał konny wóz. Powożący chłop prawie oniemiał na widok księdza dobrodzieja i pana podkomisarza stojących pod lasem. Otworzył bezzębną gębę, jednocześnie czapkując zawzięcie. Popatrzyli na siebie porozumiewawczo. Ruszyli w powrotną drogę, nawet tego nie uzgadniając.

– A jak u ciebie z wiarą, Hieronimie? – zapytał ksiądz, tonem niby to towarzyskim.

Ratajczak przystanął na chwilę. A to szelma przebiegła. Ale on też był czujny.

– Mniej więcej tak jak u księdza.

– Nie wyszła ci ta złośliwość. U mnie z wiarą całkiem nieźle, choć jak słusznie podejrzewasz, miewam dużo wątpliwości. Najgorzej wspominam ten okres w życiu, kiedy wątpliwości nie miałem.

– Ale wie ksiądz, że to nie jest tak, że nikt tu księdza nie lubi?

– O, nie bądź nadmiernie uprzejmy. Ale wiem, wiem. Kilka osób mnie darzy sympatią, pochlebiam sobie, że są to osoby wysokiej jakości. Właśnie za to mnie się nie lubi: za poczucie, że tutaj jest tych osób mało i że gdzie indziej, w szerszym świecie, byłbym bardziej przydatny. Łatwo je wyczuć. Ale pozbyć się go nie umiem.

– Bo to słuszne poczucie, ale co zrobić? Tak księdzu przyszło. Lepsze to, niż wiedzieć, że obejmowane stanowisko jest zbyt wysokie i że się do swojej pracy nie nadajemy.

– Ale ciebie to nie dotyczy, oczywiście, nie daj sobie wmówić czegoś innego. Tylko przestań mówić, że jesteś synem szewca. To naprawdę mało kogo interesuje. Jak znajdziesz mordercę chociaż jednej z tych dziewczyn, wszyscy inaczej na ciebie spojrzą. Mam tylko nadzieję, że nie popadniesz wtedy w zarozumialstwo. I że zajmiesz się wreszcie swoją żoną.

Hieronim zarumienił się.

– To znaczy?

– To znaczy, że piękna, jeszcze młoda kobieta nie powinna płakać rano, polerując całkiem czyste sztućce.

Zrobił przerwę, żeby Hieronim mógł się pozbyć głupiej miny.

– Zwłaszcza teraz, kiedy Klara żyje już całkiem w świecie swoich książek, a Melania wyjechała i pewnie nie wróci do Mańkowic. Powinieneś częściej słuchać Felicji, nie możesz jej ignorować tylko dlatego, że ma pewne, uzasadnione może, pretensje. Żebyś nie żałował, Hieronimie.

– Skąd ksiądz wie o Melanii?

– To nie jest efekt jakiegoś śledztwa. Werner do mnie napisał. Przepraszam, pan Hipolit Ratajski. To chyba na twoją cześć, będziecie mieli te same inicjały. Albo sobie żartuje. Kto go tam wie.

Hieronim uznał, że to całkiem niezły kawał, te związki proboszcza i bolszewika. Najwidoczniej Berent miał wrodzoną potrzebę pchania się w dziwne sytuacje.

– Czasami myślę, że bardziej niż ten cały komunizm interesuje go konspirowanie. Bo on nie jest, przypominam, socjalistą. To jest czysty komunizm, te jego teorie. Ale i tak sądzę, że nie mógł już usiedzieć w Mańkowicach, więc Trawiński i Kamiński spadli mu jak z nieba. Widzisz, gdybym działał w innej branży, też mógłbym wyjechać i zatrzeć wszystkie ślady. Zobacz, pani Zawadzka udaje, że się nam nie przygląda.

Wskazał korpulentną panią, która stała we frontowej części swojego ogrodu i po gromkim „Szczęść Boże" zaczęła się wpatrywać w dwa przebiśniegi na tle bieli grządki. Chyba było na nie za wcześnie, ale znowu nie aż tak, by zabijać kwiatki wzrokiem.

– Dzień dobry, pani Zawadzka, doskonale się składa, musimy porozmawiać – krzyknął do niej Hieronim.

Zwrócił się do księdza, który podał mu rękę. W tym samym momencie obaj powiedzieli:

– Dziękuję.

Hieronim poszedł w kierunku spłoszonej Zawadzkiej. Berent pokiwał głową i trochę się przygarbił. Powrotną drogę pokonał w znacznie wolniejszym tempie, pamiętając jednak, żeby iść w miarę rześko. Odprowadzały go przecież setki oczu, mniej lub bardziej życzliwych.

– No i patrz, co się stało: zabili nam Trawińskiego i Kamińskiego.

Hieronim zatrzymał się w pół kroku, zaraz za progiem drzwi wejściowych. Był już zmęczony, bo rozmowa z Zawadzką nic nie dała, kobieta zaczynała mocno się starzeć. Sklerozę miała chyba.

Wasiak stał z różańcem w ręku. Ratajczak zadał pytanie, które w tym momencie wydało mu się sensowne:

– Obu?

Przełożony popatrzył na niego jak na idiotę.

– Tak, obu.

Kolejne słowa Hieronima także nie poprawiłyby notowań policji wśród mańkowiczan, gdyby tylko przechwycił je ktoś z lokalnej prasy.

– Zaraz, ale oni mieli wracać. I oddać moje rękawice. Pożyczyli przecież.

Jakoś natychmiast zrobiło mu się zimno.

– Mieli, mieli, ale ktoś ich zamordował, wyobraź sobie. Jutro będą o tym w gazetach pisać, a na razie zadzwonili do nas z Poznania. Ten sepleniący z Litwy. Kogoś innego nam przyślą. Podobno już tu był, polityczny. Ale pełna konspiracja.

– No, wspaniale. Ale wiadomo, kto ich zamordował? W Warszawie?

Wasiak schował różaniec do kieszeni.

– Tak, w szemranej jakiejś kamienicy. Jutro się pewnie wszystkiego z gazet dowiemy. Najgorsze jest to, że znaleźli ich... jak to powiedzieć... no, nie wiem... wstydzę się, szczerze mówiąc.

– Ależ, panie komisarzu...

Komisarz usiadł ciężko w swoim fotelu.

– Mnie to wszystko przygniata, naprawdę, za moich czasów, nawet jeśli takie rzeczy się działy, to jakoś na poboczu, w tajemnicy... Trochę racji ma wasz Maurycy, że z Piłsudskim to tylko rozpusta przyszła – ściszonym głosem dodał.

Chwilę panowała cisza. W końcu Wasiak postanowił się przemóc.

– Dobrze, więc słuchaj: znaleźli ich w takiej spelunie, gdzie się morfiniści spotykają. Taki trochę burdel. W zasadzie, całkiem burdel. Obaj mieli po jednej kulce w głowie. Nawet nie zdążyli chyba zauważyć mordercy.

Hieronim z kolei wstał i zaczął nerwowo chodzić po pokoju. Czy to możliwe, że Werner pojechał za nimi? Nie uciekł przed nimi, ale właśnie celowo pojechał ich zabić?

– Coś jeszcze wiadomo?

– Tak, to nie koniec. Policja w Warszawie postanowiła uniknąć skandalu i nikt się do nich nie przyzna. To znaczy, że to nie nasi byli, ale jacyś tam nieznani degeneraci. Dlatego jutro w gazetach napiszą, że dwaj, prawdopodobnie cudzoziemcy, zostali znalezieni... i tak dalej. Mordercy, czy tam morderców, za bardzo szukać nie będą, żeby nie rozgrzebywać sprawy. Jeszcze, nie daj Boże, coś więcej by wyszło.

– Ten, kto ich zabił, świetnie to sobie wymyślił.

– Prawda. Nam też Litwin to w tajemnicy powiedział, Wojtkowi i reszcie chłopaków ani słowa. Starczy, że nie wrócą, bo ich przeniesiono do innych zadań. Tajemnica służbowa. Jeszcze jedno: morderca prawdopodobnie był jeden, zostawił kartkę. A na niej coś takiego: *Z uszanowaniem H.R.* Co o tym myślisz?

– Bezczelny. Bardzo bezczelny.

Przez chwilę panowała cisza. Ratajczak rozmyślał w tym czasie o własnej głupocie, a Wasiak prawdopodobnie o Piłsudskim. W końcu komisarz westchnął i z pewnym zadowoleniem stwierdził:

– Ale my tu mamy swoje zwyczajne sprawy. Słuchaj, znowu cztery worki cukru zginęły. Wojtka nie ma na razie, ten osioł Kowalczyk sam sobie nie poradzi. Hoffmann na wsi szuka jakiegoś garnka czy dzbanka, ukradli kowalowi... gdzie to... mam na kartce: w Romanowie. Proszę, wieś ma dziesięć domów, a kowal jest. W każdym razie tylko ty się nadasz. Musisz iść tam i zobaczyć.

– Dobrze, pójdę na spacer do cukrowni. I zobaczę.
Nic innego już mu nie pozostało. Można było wracać do starych problemów.

Wielki budynek z czerwonej cegły trochę przypominał kościół. I Mańkowicom potrzebny był co najmniej tak samo. Tu pracowali prawie wszyscy mieszkańcy. Tu co jakiś czas ktoś tracił rękę, nogę, a raz nawet głowę. Stąd też wynoszono worki z cukrem, a ich tropienie stanowiło do zeszłego listopada główne zadanie mańkowickiej policji. Dzisiaj Hieronim oceniał, że były to dobre czasy.

Przez czterdzieści lat mieszkańcy psioczyli na niemieckich właścicieli cukrowni, ale te narzekania wydawały się nieodzownym elementem życia codziennego. Kiedy w czasie wojny i powstania działała z przerwami, niektórzy zaczęli za nią tęsknić. Nie tylko z przyziemnych powodów (płacono im także z przerwami). Tęsknili również za poczuciem stałości i oczywistości w ich życiu. Przeciągły gwizd oznaczający koniec zmiany, słyszany w całych Mańkowicach kwadrans po czternastej (dlatego kwadrans, by nie konkurować z dzwonami kościelnymi o pełnej godzinie), został wiosną 1919 roku przywitany z widoczną ulgą. Co nie przeszkadzało mieszkańcom naśmiewać się z właścicieli i dyrekcji, którzy nagle okazali się Polakami. Teraz znów obie strony, cukrownia i mieszkańcy, powróciły do poprzedniego stanu, jak by to powiedział jest dobrze: Werner, klasowej wrogości.

Hieronim po kwadransie spaceru przedarł się przez ostatnie kałuże topniejącego śniegu. Buty miał mokre, ale nawet tego nie zauważył. Całą drogę rozmyślał nad swoją głupotą i naiwnością, która – jak jasno teraz rozumiał – widoczna była nawet w okresie gimnazjalnym. Oraz o zaletach umysłowości swojej żony.

Zatrzymał się przed głównym wejściem i zadarł głowę. Obok, pod ścianą, stała grupka robotników. Patrzyli na niego wrogo, ale do siebie wesoło mrugali. Z okna na najwyższym piętrze niósł się głos z wyraźnym niemieckim akcentem:

– Żeby was wszystkich pokarało, wy nieroby, wy złodzieje cholerni, szubrawcy. Wam państwo dać, wszystko rozkradniecie, niepodległość też rozkradniecie i na targu sprzedacie!

Głos niósł się, zwielokrotniony echem, po dziedzińcu. Najwyraźniej trwało zebranie dyrekcji. Podkomisarz poczuł, że krew byłego powstańca burzy mu się w żyłach. Nabrał powietrza w płuca, otworzył ciężkie drzwi, przeszedł przez wielką pustą halę i zaczął się wdrapywać po schodach na trzecie piętro. Wind, a już na pewno gospodarczych, nie uznawał. No, jest lekka zadyszka. Na dębowych schodach minął go młody, elegancko ubrany mężczyzna. Uśmiechnął się i powiedział konfidencjonalnym tonem:

– Znowu się Prusak awanturuje. Ale my się potomkom Bismarcka nie damy.

Hieronim zapukał do ciężkich drzwi. Nikt go nie usłyszał, więc po prostu wszedł.

Pod ścianą stały trzy osoby z dyrekcji. Wszyscy podobni do siebie, z wąsami i średniego wzrostu. Dookoła nich biegał pan Poniedziałek, kierownik produkcji. Na widok Hieronima zatrzymał się.

– No, jest pan. Chociaż mógł przyjść sam komisarz. Co to ma być? Ciągle nas okradają! To nie są tylko cztery worki, to jest moja krwawica! Moja ciężka praca!

Teraz Hieronim powinien zacząć się jąkać i przepraszać. Poniedziałek specjalnie w tym celu zrobił pauzę. A niedoczekanie twoje.

– Proszę się nie awanturować, panie Montag. Mamy też inne sprawy, nie tylko pana cukier.

– Co pan powiedział? Jestem Poniedziałek, nie Montag!

– No, nie wiem, zważywszy na to, co pan przed chwilą krzyczał. Na to też są paragrafy. Antypolskość. Pamiętam, że w powstaniu był pan Montag. W zasadzie nie powinien pan polskiej policji wzywać, niech się pan z Berlinem lepiej skontaktuje.

Panowie pod ścianą zafalowali. Hieronim zauważył to kątem oka, ale nie zaszczycił ich uważniejszym spojrzeniem. Zajęty był bezczelnym wpatrywaniem się w Poniedziałka.

– Panu i tak się to wszystko opłaca, bo Niemcom by pan tak mało nie płacił jak w naszych Mańkowicach. Zresztą, może pan spróbować, może przyjadą do nas na przykład latem na roboty sezonowe.

Wszyscy zebrani usłyszeli gromki śmiech z dołu. A potem oklaski. Kierownik przełknął głośno ślinę, podbiegł do okna i je zamknął. Nie tego się spodziewał.

– Przyślę panu Wojciecha Nowaka, zdolnego młodego policjanta. Kradzież to kradzież, trzeba sprawę rozwiązać. Z nim odtąd proszę się kontaktować w sprawie cukru. Na pewno będzie wam się dobrze razem szukało. Jego ojciec pracował w cukrowni, póki mu nogi nie urwało, więc chłopak zna środowisko. Przy okazji, przypominam o sprawie odszkodowania dla tego ostatniego bez ręki. Coś długo się ciągnie.

Hieronim ukłonił się wszystkim i wyszedł, nie czekając na ewentualną ripostę Poniedziałka. Znacznie lżejszym krokiem zbiegł ze schodów, starając się jednak, by nie wyglądało to na ucieczkę. Na dziedzińcu spotkał większą już grupę robotników. Jeden podszedł i bez słowa podał mu rękę. Hieronim potrząsnął ją, podniósł głowę w stronę okna i bez zaskoczenia zobaczył twarz Poniedziałka. Pomachał mu uprzejmie.

Sam nie wiedział, skąd mu się to wzięło, ale był z siebie zadowolony. Miło powiedzieć coś Niemcowi do słuchu. Ale należy się chyba nad sobą zastanowić: czy to już bolszewizm, czy jeszcze nie? Tymczasem – do pracy. A przynajmniej rozdysponować zadania.

Wojtek nie wykazał entuzjazmu.

– Ja mam iść z nim rozmawiać? I z robotnikami? Ale jak? Ja się bo... to znaczy nie mam doświadczenia w takich sprawach. Wolałbym z jakąś kobietą, z facetami nie umiem. Sam nie dam rady, przecież nigdy sam jeszcze nie chodziłem na takie sprawy. Zjedzą mnie tam żywcem.

– Dasz sobie radę. Ojca w cukrowni miałeś – powiedział Hieronim, choć zaczynał mieć wyrzuty sumienia.

Przecież wysyłał go właśnie dlatego, by udowodnić Montagowi, że jego sprawa nie jest godna doświadczonego policjanta. Zawstydził się. Nowak pokręcił głową przecząco.

– Wszystko ci powiem. Jak rozmawiać i z kim. Tylko zdejmij to czerwone coś pod szyją. Szalik znaczy się.

– To ja może sobie zapiszę, co mam mówić.

Wojtek sięgnął do szuflady i wyjął swój notes. Westchnął głęboko i do tej samej szuflady wrzucił szalik.

– Tak to nazwę: *uwagi do rozmowy z kierownikiem*.

Hieronim wstał jak oparzony, z wdziękiem przewracając swoje nowe krzesło. Podniósł je i zwrócił się do podwładnego:

– Serdecznie ci dziękuję. Twoja wyrafinowana polszczyzna coś mi uświadomiła. Że i tu miałem rację, konkretnie. I że nie można się dać zastraszyć. Wychodzę.

– A uwagi?

– Bądź przebiegły jak Bismarck i brutalny jak Hakata! – rzucił, już w biegu.

– Dziękuję, jest pan nieoceniony – mruknął Wojtek, sięgając z powrotem do szuflady.

W domu Kormanów znowu nikogo nie było. A już sobie wyobrażał, że wpadnie tam w sposób widowiskowy. Żal mu było pożegnać tę myśl. Ale spokojnie, można ten czas wykorzystać inaczej, a równie pożytecznie. Skręcił ścieżką prowadzącą między eleganckimi domami na Piaski. Jedna willa, druga, trzecia, kilka trochę brzydszych domów i był na miejscu.

Topniejący śnieg nie dodawał uroku krajobrazowi. Z daleka coś śmierdziało jak diabli. Niewiele więc się zmieniło od jego ostatniej wizyty. Parterowy dom zamieszkany przez kilka rodzin na szczęście nie był źródłem tego smrodu. Zapukał do drzwi i choć raczej spodziewał się zastać kogoś starszego, to jednak okazało się, że ma szczęście. Szczeniak wyjątkowo był w domu, zamiast się gdzieś włóczyć. Czyli za trzecim razem się udało, taki był bilans poszukiwań dziesięciolatka. Chłopiec stał na progu w koszuli nocnej. Hieronim bezceremonialnie otworzył do końca uchylone dotąd drzwi i wszedł do pokoju. Jednego, z dwoma niepościelonymi łóżkami, szafą, jakimiś półkami na ścianie. I grzybem, oczywiście. Nic dziwnego, że dzieciak w domu zazwyczaj nie siedział.

Maciek Król obserwował go bacznie. Nic nie mówił, bo uważał, że ogólnie gadanie szkodzi. Czekał na pytania. Zresztą wiedział, że ubogi wystrój pokoju zmiesza policjanta. Miał już okazję widzieć w tej scenerii zmartwione panie z Towarzystwa Higieny, melancholijnego księdza Berenta, a nawet zapłakaną panią burmistrzową, kiedy przyszła wspomóc swą chorującą kucharkę. Wiedział, że wszystkim robi się głupio. Podkomisarzowi też się zrobiło. Maciek nie musiał uruchomić nawet swojego pokazowego numeru: trzepotać ciemnymi rzęsami nad niebieskimi załzawionymi oczyma. I dobrze, był chory i mu się nie chciało.

Ratajczak rozejrzał się za czymś do siedzenia, ale jedyne krzesło nie wzbudzało zaufania. Chłopiec stał i patrzył na niego spokojnie. Nie było sensu tego przedłużać.

– Wiesz, czemu przyszedłem?

– Wiadomo – odparł mały Król niespodziewanie ochrypłym głosem.

Miał chyba grypę czy coś podobnego.

– Chory jesteś?

– Tak jakby, ale nie bardzo. Trochę.

– Dobra, to wracaj pod kołdrę.

Najwidoczniej rzeczywiście był chory, bo bez słowa spełnił polecenie. Kołdra była niespodziewanie porządna, opatrzona nawet monogramem. S.Z. Tak. Ratajczak usiadł w nogach łóżka, zastanawiając się, czy wytrzyma jego ciężar. Jęknęło, ale dało radę. Jak tu zacząć? Chłopak patrzył, a zegar kościelny obwieszczał powoli dwunastą. Ratajczak wciągnął powietrze i ze świstem je wypuścił.

– Tak, jesteśmy biedni, a ja jestem chorym dzieciątkiem. Proszę przejść do konkretów – powiedział młody Król urzędowym tonem.

Ratajczak roześmiał się, tak oficjalnie to zabrzmiało.

– Przyszedł pan, żeby się dowiedzieć, co ja wiem?

Podkomisarz pokiwał głową.

– Wreszcie, bo ja, jak pan widzi, zostałem ostatnio unieruchomiony. To chwilowy stan, oczywiście.

Zaskakuje pana mój sposób wypowiedzi? Widzę po wyrazie twarzy. Czyta się, po prostu. A więc fakty są takie. Po pierwsze, pani Zuberowa i pani Kormanowa to wariatki. Tak, serio, wariatki, proszę pana. Nie takie, co nago po ulicy biegają, jak ta od Egierów, ale gorsze. One się nudzą, książki niby czytają, ale chyba nie te, co trzeba. To są takie gorsze wariatki: one by chciały, żeby całe Mańkowice się zachowywały jak ta Egierówna, a one wtedy by mogły stać i się śmiać. Nie umiem tego wyjaśnić, ale to też jakaś choroba, tylko nie wiem, jak się nazywa. Poznałem to po tym, jak Kormanowa była u mojego dziadka, kiedy psa niby szukali. Po co taka pani do nas na Piaski przychodziła? Sama? Bo jej to przyjemność sprawia. W domu ma wszystko na biało, ale u nas lubi, że wszystko jest brudne. Rozumie pan, o co mi chodzi?

Podkomisarz pokiwał głową. Rozumiał, choć dopiero od niedawna chodziło mu to po głowie. A ten chłopiec wyglądał, jakby takie rzeczy były dla niego oczywiste od urodzenia. Maciek się rozkaszlał, a potem wrócił do wywodu:

– Przyszła, bo słyszała, że dziadek smalec z psów robi. Kazała sobie opowiadać, jak to wygląda. Jak się tego psa łapie, ze skóry obdziera, jak się smalec wytapia... I robiła miny, że ojoj, jakie to brzydkie, ale słuchała dalej. Czy pan też uważa, że ludzie są źli? Bo ja tak uważam, choć może i są wyjątki. Dobrze, wiem, że nie chce pan ze mną rozmawiać na takie tematy. Czyli dziadek opowiadał, a ten jej pies piszczał w klatce, pod stołem. Ona udawała, że nie słyszy. Albo że nie poznaje, że to jej. Niby klatka była przykryta, ale kto piszczenia swojego psa nie poznaje? Dlatego dziadek był taki zdziwiony, jak się dowiedział, że to ten Loro jednak był.

– I nie dała po sobie poznać, że to jej pies?

– Nie. To ona pana prosiła, żeby dziadka wypuścić, co?

Chłopiec zapytał, ale nie czekał na odpowiedź.

– I nie zastanowiło to pana? Tak z dobrego serca to zrobiła? Nie, po prostu ma nadzieję, że dziadek znowu namiesza i coś będzie się działo.

– A czemu myślisz, że pani Zuberowa to też... hm, wariatka?

– Bo we wszystkim naśladuje Kormanową. Co jedna, to druga. Dlatego panu dałem tę kartkę. Notatnika ukraść nie mogłem, bo byłaby awantura... Kormanowa zawsze mówi, co ma robić, nawet jak się ubierać. Ona nic sama nie wymyśli. Nic. Andzię pan zna na pewno?

– Tę... no, znam.

Chłopiec wzruszył ramionami, jakby chciał pokazać, że lekceważy sobie przesądy.

– To jest bardzo miła dziewczyna, nie trzeba o niej brzydko mówić. Jej też pani Kormanowa kazała opowiadać o... zawodzie. Niby że to jak spowiedź. O wszystko pytała, dokładnie. Że jej pomoże, pracę załatwi jakąś inną. Nic nie załatwiła. Andzia mówi, że ona jest gorsza niż te wszystkie dziewczyny razem wzięte.

Hieronim poczuł się trochę jak w jednej z tych powieści, w których zawsze się okazuje, że bogaci są źli i zepsuci, biedni zaś – dobrzy i szlachetni, a jedynie bieda spycha ich na ścieżkę występku. Coś to wszystko za bardzo czarno-białe. Popatrzył na siatkę żyłek, która złowrogo rysowała się na białej dłoni chłopca.

– Nie da się ukryć, że jesteś bardzo bystry. I znasz się na ludziach, chyba aż za bardzo się znasz. Ale powiedz mi, czy to nie jest tak, że ty takich pań nie lubisz, nie lubisz Towarzystwa Higieny i tych wszystkich osób, które przynoszą wam paczki na święta? I dlatego mi sugerujesz, że one są zamieszane w morderstwa? Bo przecież sugerujesz?

– Zaraz wszystkich nie lubię...

Przez chwilę była cisza. Maciek w końcu uśmiechnął się kątem ust.

– Księdza lubię, oczywiście. Pana ciotka też jest całkiem do rzeczy. A tych bab nie lubię, racja. To są kurwy, proszę pana, nawet jeśli nie kurwy.

– No, już sobie nie pozwalaj za dużo – machinalnie powiedział Hieronim, bez przekonania. – Mów dalej – sięgnął do kieszeni – a tu masz landrynki od Fuchsa. Dobre są, ale jakoś straciłem apetyt.

PIĄTEK, 19 STYCZNIA 1923

Od dwóch miesięcy czuł się coraz gorzej. Przypisywał to najpierw swojej ogólnie kiepskiej kondycji. Miał w końcu dużo problemów. Pocił się jak szczur, miał dreszcze. Wczoraj wypadła mu probówka z rąk, oczywiście w samym środku pracy. Jeszcze bardziej go zdeprymował fakt, że oni wcale nie zaczęli się śmiać, nie było nawet typowego szumu tłumionego chichotu, który w takiej sytuacji zawsze przechodził po obecnych. Kiedy pozbierał odłamki i podniósł głowę, zamarł na chwilę. Ci gnoje patrzyli na niego ze współczuciem.

Żona powiedziała, że może powinien iść do lekarza, bo samemu to raczej trudno się zbadać. Urocze z jej strony. Planował udać się do młodego Szulca, który przyjmował prywatnie na zakazanej ulicy Malowniczej. Gorzej było tylko na Piaskach, ale tam oczywiście żaden lekarz zamieszkać nie mógł, nawet taki nawiedzony społecznik jak Szulc. Do gabinetu na Malowniczej jego klientela miała jednak dosłownie kilkadziesiąt kroków.

I tak dyrektor wędrował właśnie przez całe pełne śniegu miasto. Od swojej willi aż do parterowego domku, który dziwaczny Niemiec dzielił z rodziną krawcowej. Potem w ciasnej poczekalni, pachnącej wilgocią, usiadł obok jakiejś szczerbatej kobiety z płaczącym dzieciakiem. Popatrzyła na niego przez chwilę, ale wcale nie wzbudził jej zainteresowania. Poczuł się nieswojo, bo choć bał się spowodować sensację w tym obskurnym miejscu, to jednak obojętność nieprzyjemnie go zdziwiła. Poprawił krawat. Widocznie kobieta miała dość swoich spraw. Dzieciak monotonnie, z sekundowymi przerwami na zaczerpnięcie oddechu, wył jak syrena. I po co ci ludzie się tak mnożą? To potomstwo jakieś takie cherlawe, niewydarzone. Włosy szare, oczy szare, zajęcza warga. Do czego to się przyda na tym świecie?

Z gabinetu wyszła młoda dziewczyna, spłoszyła się na jego widok i wybiegła szybko na dwór. Twarz jakaś znajoma, panna ze sklepu chyba? Albo i nie. Dużo takich podobnych. Dzieciak się uciszył i wraz z matką zniknął za drzwiami. Teraz, kiedy nie musiał się denerwować wrzaskiem, mężczyzna tym bardziej denerwował się samą wizytą. Choć w zasadzie nie powinien. Przecież od dawna wiedział, że to się musi jakoś skończyć, więc może i tak.

Kobieta z dzieckiem poszła. Dobrze. Zapukał i na gromkie „proszę" wszedł. Gabinet urządzony był skromnie, ale było w nim czysto. Wysoki, dobrze zbudowany Adam Szulc ledwo mieścił się za biurkiem. Na jego widok wstał, trochę zaskoczony.

– Dzień dobry, panie dyrektorze. – Podał mu rękę. – Co pana sprowadza? Czemu zawdzięczam te odwiedziny? Czy coś nie tak?

Mrugnął wesoło, jakby przekonany, że wszystko doskonale, a pacjent przyszedł z braku pilniejszych zobowiązań towarzyskich. „Coś nie tak"? Można użyć tego określenia, pewnie, czemu nie. Usiedli, Szulc za biurkiem, on na fotelu.

– Przyszedłem do pana, bo dziwnie się czuję. I mam co do tego podejrzenia. W zasadzie – od dawna już źle się czuję, ale wcześniej myślałem, że jestem bez szans. Teraz jednak postanowiłem spróbować. Mam nadzieję, że po naszej rozmowie nie wezwie pan ambulansu i nie odwiozą mnie do Gniezna.

– Ostatnio Mańkowice miewają tam swoją reprezentację. Ja osobiście uważam, że wśród ludzi zamożnych i dobrze odżywionych większość zaburzeń psychicznych to efekt nudy i apatii, a także braku wystarczających zadań życiowych. Ale pozostali lekarze w Mańkowicach sądzą inaczej, choć...

– Inni lekarze żyją z recept na morfinę i wmawiania zdrowym ludziom, że ich żołądki i głowy są niezwykle wrażliwe, co ma mieć źródło w szlachetnym pochodzeniu lub wrodzonej delikatności – przerwał mu szybko.

Popatrzył na Szulca poważnie. Wciągnął powietrze, zastukał w blat biurka i powiedział:

– Do rzeczy. Opowiem panu o moich objawach, a pan mi powie, czy jestem wariatem.

Szulc wyjął z szuflady pudełko z cygarami.

– Poczęstuje się pan? Z Kościana, pacjent pracuje w fabryce i mi przynosi.

– Znaczy: kradnie?

– Oni go okradli ze zdrowia. Został mu najwyżej rok. Uważam więc, że i tak to on jest bardziej stratny.

– Niech będzie, wezmę.

Pacjent nachylił się nad biurkiem i wziął cygaro. Szulc zapalił, popatrzył na niego spokojnie. W końcu zapytał:

– Ale ma pan świadomość, że jednoznacznej diagnozy co do bycia wariatem lub niebycia wariatem pan u mnie nie dostanie? Nie jestem specjalistą. A w ogóle, interesujący odcień skóry.

– Proszę popatrzeć też na moje paznokcie. Prawda, że ciekawe?

Z pewną przyjemnością zobaczył, że doktor Szulc zrobił minę idioty. Dokończył:

– Nie jest to chyba moja zasługa. Co do diagnozy, to proszę tylko o wysłuchanie i informację, że nie jestem jednoznacznym wariatem.

– Zamieniam się w słuch.

Korman zaczął opowiadać.

NIEDZIELA, 21 STYCZNIA 1923

Czytał i jak dotąd nadal nic z tego nie wynikało.

Tak naprawdę, to sama nie wiem, po co się tą sprawą zajęłam. Oczywiście, z powodu wyrzutów sumienia, ale te przecież potrafiłam jak dotąd w każdej kwestii umiejętnie zagłuszać. Sprawa z mamą była zdecydowanie – obiektywnie patrząc – gorsza. Tu moja wina jest bezsporna. A co do Marianny, to przecież nikt nie jest w stanie upilnować kilkunastu panienek, które rozeszły się po całym budynku szkoły. Nie mogłam być w każdym pokoju, nie mogłam zajmować się wszystkimi. Logicznie rozumując, sama muszę to przyznać. I nikt przecież nie miał do mnie właściwie pretensji. Mam nadzieję, że jutro wreszcie dowiem się czegoś pewnego.

Wszyscy w Mańkowicach twierdzili, że nauczycielka przyrody jest bardzo mądra, ale ten pamiętnik świadczył tylko o tym, że dużo myślała. Za dużo. A nic konkretnego z tego nie wynikało.

Te jej refleksyjne miny opisywane przez uczennice też obiecywały za dużo. Kiedy wgapiała się w okno, nagle milknąc, cała klasa też nabożnie wpatrywała się w ten sam punkt, jakby spodziewając się, że pojawi się jakiś Arystoteles albo Karol Linneusz. Nikt się nie pojawiał, ale to tylko potwierdzało tezę, że one, uczennice, nie są godne takich widzeń. Chyba już wolał zwykłych ludzi, którzy przynajmniej nie udawali, że oto dokonują jakichś odkryć. Wygląda na to, że Kalinowska niczego się nie domyślała, ale poddała dogłębnej refleksji całe Mańkowice i własną przeszłość. Jakby coś z tego miało wynikać. Strata czasu, wysiłku i nerwów. Żałował, że w ogóle się tym zajął. Postanowił zrobić dziś jakiś dobry uczynek i poszedł w odwiedziny do szpitala. Nawet i tu spotkała go porażka: pacjent był już w kostnicy.

Klara dziwnie czuła się bez Melanii. Pusto było bez niej i jej nadmiernie nowoczesnej muzyki. Ich domek, choć miał tylko trzy pokoje, był jednak za duży. Najwłaściwiej pewnie byłoby go sprzedać i zamieszkać przy rodzinie, jak to robiły w Mańkowicach stare panny. Niedoczekanie. Dwadzieścia dwa lata to zresztą jeszcze nie koniec świata. A Melania może wróci, jak jej się znudzi ten bolszewik.

Osamotniona siostra też potrzebowała nowych wrażeń. Dzisiaj była już w kościele, odwiedziła Ratajczaków i przeczytała pół podręcznika do ekonomii. Trzeba się uczyć, nawet jeśli nikt w Mańkowicach tego nie doceni. W zasadzie nie wiedziała, czemu „trzeba się dokształcać", ale od dzieciństwa jej to wpajano, więc się dokształcała. No, ale ileż można? Teraz więc siedziała w fotelu i zastanawiała się, jak wypełnić czas do zebrania. Proszę, zaczęła się gapić w okno. Robi się z niej stara baba, nudna i bez zainteresowań. Nie cierpiała podobnych istot, a była na najlepszej drodze, by tak skończyć.

O czym innym świadczyło jednak przybycie cholernego Zenona Wiśniewskiego. Przez okno mogła się przyjrzeć, jak idzie tym swoim sztucznym krokiem. Znowu jakieś kwiaty niesie. Tym razem jeszcze więcej. Chryste. Powinna udawać, że jej nie ma, ale drzwi są uchylone, więc to mało wiarygodne.

Proszę, nawet nie zapukał. Właził jak do siebie, uśmiechnięty Rudolf Valentino. Ubrany w jasny garnitur, jakby był już czerwiec. Sobowtór Kormana, tylko gęba jakoś bardziej plebejska. Słyszała jego kroki w sieni, potem stanął na progu pokoju, nagle onieśmielony. Podniósł rękę do twarzy. Bukiet gdzieś chyba zgubił między schodami a pokojem.

– Witaj, Klaro! Pozwoliłem sobie wejść, uchylone drzwi same zapraszały. Co robisz w ten piękny dzień?

Same zapraszały, tak. Ostentacyjnie wskazała ręką widok za oknem. Zbyt szybkie przedwiośnie właśnie walczyło z zimą.

– W ten piękny dzień czytam podręcznik ekonomii. Usiądź, proszę.

Spuściła na podłogę nogi, które dotąd trzymała na poręczy fotela. Minimum przyzwoitości trzeba zachować. Wskazała mu nieokreślonym i niedbałym ruchem przestrzeń pokoju. Gdzieś tu miał sobie znaleźć miejsce do siedzenia.

Oczywiście, wziął to za dobrą monetę i uśmiechnięty zajął drugi fotel. Już bliżej się nie dało. Znowu zaczął sobie wyłamywać palce. Jego chrząstki wydawały dziwne odgłosy. Nie, nie można na to patrzeć. Odwróciła wzrok.

– Klaro... – usłyszała szept, ale uparcie wpatrywała się w napis na okładce. – Klaro, zastanawiam się, czy teraz, gdy nie ma twojej siostry, nie czujesz się samotna?

Cisza.

– Klaro, popatrz na mnie!

To chyba miał być męski, stanowczy głos. Wyszło jakieś skomlenie. Popatrzyła, niech ma. Cholera. Spodziewała się tego, ale nie tak szybko. Miała na wyciągnięcie ręki jego piegowatą twarz i miłe oczy. Nieporadnie klęczał.

– Jak może wiesz, pan Holzer zapisał mi majątek. Syna wydziedziczył. Coś tam będę musiał mu dać, takie jest prawo. Ale ogólnie zakład jest mój. Opłacało się być dobrym pracownikiem, pan Holzer jednak mnie doceniał.

Popatrzyła na niego z pewnym zainteresowaniem. Ciekawa historia, powieściowa. Wydziedziczony syn i skromny sierota, który w nagrodę za cnotę dostaje majątek. I chciałby jeszcze do tego kochającą żonę, bo w powieściach tak jest. A podobno to ona była oderwaną od rzeczywistości ofiarą literatury.

– Klaro, wiesz, że będę dobrym mężem... – zawiesił głos.

I co, to ma być wszystko? To mają być oświadczyny? Co za zawód! Popatrzyła na niego z pytającym wyrazem twarzy, jakby nie kojarzyła klęczącej postawy z tą deklaracją:

– Proszę cię...

Westchnął, biedactwo.

– Przecież wiesz, co chcę powiedzieć. Chcę, żebyś ty... chcę zostać twoim mężem. I nie przeszkadza mi nawet, że twój ojciec zmarł w więzieniu, a siostra uciekła z bolszewikiem... oj, przepraszam cię! To są uprzedzenia niegodne nowoczesnego człowieka. A nawet jakby, to ty przecież jesteś inna. O Jezu, zapomniałem, kwiaty!

Wstał z kolan i pobiegł do sieni. Kretyn. Kretyn jej się oświadczał.

Wrócił z kwiatami i buchnął jeszcze raz na kolana. Zakłopotany, ale trochę uśmiechnięty. Pewnie myśli, że jest uroczy z tym gapiostwem. Klara wstała. Obiektywnie Zenon Wiśniewski był dla niej świetną partią.

– Powiedzmy, że zrobimy zakład: jeśli znajdzie się... to znaczy Hieronim nie rozwiąże sprawy zabójstw... nie chodzi oczywiście tylko o to, kto to był, ale i dlaczego.... tak, wtedy wyjdę za ciebie. Jeśli wskaże zabójcę i wyjaśni całą sprawę, nie zostanę twoją żoną. Co ty na to?

Biedny Zenon wytrzeszczył oczy, a jego uszy były całkiem już czerwone.

– Ale co to ma do rzeczy? Jaki to ma sens?

– Żadnego, owszem. Ale tak sobie wymyśliłam. Jeśli chcesz być moim mężem, to się przyzwyczajaj. Jaki jest twój ulubiony miesiąc?

– Klaro, trudno mi nadążyć... no, dobrze już, styczeń. Nowy początek.

– A mój nie. Mój to marzec. Powiedzmy, że dajemy Hieronimowi czas do marca, dobrze?

I nie czekając na odpowiedź, sama siebie poinformowała:

– Doskonale.

WTOREK, 23 STYCZNIA 1923

Właściwie dopiero w dniu pogrzebu uświadomił sobie, jaka była jego, jak to określają w pismach ilustrowanych, kondycja społeczna. Wcześniej wydawało mu się, że oto stanie się cud. Złota rybka, Aladyn, cokolwiek. Teraz wiedział, że jedyną szansą na jakieś w miarę normalne życie było wybranie tego, co radziło mu otoczenie. I pozbycie się jakichś idiotycznych mrzonek.

Świeciło mocno słońce. Ciepłe promienie nie pozostawiały wątpliwości co do tego, że wiosna zacznie się szybciej niż zazwyczaj. Ludzi przyszło dużo i oczywiście było im smutno, że zmarł taki mały piegowaty chłopczyk. Na gruźlicę, gdyż mimo walki o poprawę higieny wciąż jeszcze wieloletnie braki przynoszą kolejne ofiary. Długa droga przed nami, ale wierzymy, że skończy się zwycięstwem.

Było im też żal chudego starszego brata, który stał mocno wyprostowany koło trumny, taki dzielny.

I matki, która niedawno straciła męża, a teraz, proszę, i dziecko. Było dwóch księży, jakby chowano jakąś aptekarzową czy gościa z magistratu. Zawsze żal, jak dziecko niewinne umiera, a tylu złoczyńców i bezbożników po świecie chodzi. Takie oto refleksje, wyrażone w cichych szeptach, towarzyszyły pogrzebowi.

Jednak najważniejszym uczuciem, które przepełniało wszystkich oprócz matki i brata zmarłego, była głęboka satysfakcja, że, niezależnie od wszystkich śmierci i narodzin, słońce wykonuje swoją powinność. Było dwanaście stopni powyżej zera. Upał jak na styczeń. Niektórzy nawet z lekka uśmiechali się, wycierając nosy. A może i ci dwoje, gdzieś tam w głębi, czuli ten sam zew ciepła i jasności.

Dlatego po mszy, pochówku i krótkim poczęstunku na plebanii, ufundowanym przez Towarzystwo Higieny, wszyscy rozeszli się do domów okrężnymi drogami, tak żeby nałapać trochę promieni. Powoli, rozleniwieni i trochę speszeni swoim dobrym nastrojem. Nie można mieć o to pretensji. Na pewne rzeczy nie mamy wpływu, co oczywiście nie przeszkadza nam się za nie wstydzić. Janek wiedział, że człowiek to istota biologiczna, która zawsze znajdzie pocieszenie w świetle, cieple albo kawałku mięsa. Tak to działa.

On z matką wrócił jeszcze na cmentarz. Nic nie mówili, bo niby co tu było do gadania. Maciuś zmarł w końcu w szpitalu, ale chyba tylko po to, by lekarze mieli czyste sumienie. Długoletnie zaniedbania, wilgoć w mieszkaniu, dziwaczna jakaś dieta, kiwał głową doktor Korman i wpatrywał się w swoje paznokcie. I nic nie pomogły pomarańcze, które żona lekarza wraz z nieodłączną przyjaciółką przyniosły małemu pacjentowi. Co właściwie plujący cały czas krwią i zwracający wszystko, czym próbowano go karmić, dzieciak miałby zrobić z tymi owocami, obie panie nie powiedziały. Tym bardziej że Maciuś na ich widok jedynie zaciskał mocniej zęby i, co oczywiście niemożliwe, wydawał się patrzeć na odwiedzające w sposób pełen pogardy. Może to był po prostu jakiś taki grymas przedśmiertny.

Janek ani matka nie odzywali się podczas wizyt szacownych gości, matka z braku śmiałości, a Janek z obawy, że coś chlapnie i będzie żałował awantury nad łóżkiem umierającego. Królowa stała i tylko mruczała modlitwy pod nosem. A Janek od początku wiedział, jak to się skończy. Jego brat nie miał szans wyzdrowieć, bo wyzdrowieć nie chciał. Jakby się mu po prostu odechciało żyć. Janek widział to czasem u starszych ludzi, którzy uznawali, że swoje już na tym świecie zrobili. Kładli się i po paru dniach umierali.

Leżał więc sobie Maciuś i też umierał. Obok siedziała matka oraz Janek, a nad łóżkiem chłopczyka pochylały się zmartwione i zaciekawione twarze. Dużo ich było, bo Mańkowice nie należały do miasteczek, w których często umierano z powodu złych warunków. Były zbyt zamożne, a przede wszystkim za małe, żeby ludzie mogli całkiem obojętnie do takich śmierci podchodzić. Biednych trochę było, ale zawsze w ostatniej chwili robiło się na nich zbiórkę dobroczynną i jechali do sanatorium. Albo nad morze, wdychać jod. Gdzieś się ich wywoziło, w każdym razie. A tu proszę, kiwała głową panna Woźniakówna, jak w jakiejś pozytywistycznej nowelce dziecko umierało z powodu wilgoci w mieszkaniu.

W ogóle Anna zachowywała się jak wariatka, podczas pobytu Maciusia w szpitalu odwiedzając go codziennie i wszystkim napotkanym przedstawiając swój projekt reformy systemu szpitalnego. Nawet sam umierający musiał tego wysłuchać i opisał także swoją koncepcję urządzenia pokoju zabaw dla dzieci w każdym szpitalu powiatowym. Szczegółowo przedstawił urządzenie takich sal, kolor ścian i regulamin pozwalający korzystać z sali jedynie dzieciom do lat dwunastu. Wyraził przy tym żal, że niedługo sam będzie za stary, a potem dodał, że i tak to bez znaczenia.

Wszystko razem wydawało się Jankowi jakimś koszmarem. Długo nie mógł zrozumieć, że ciąg drobiazgów i pustych słów, pomarańcze, pożyczona kołdra i wizje Anny... wszystko to ma naprawdę skończyć się śmiercią jego braciszka. Nie można było mieć wątpliwości: dziecko umierało. Ale nie mógł tego połączyć w całość z tym, że dzieckiem jest jego brat.

Gdy zginął ojciec, nic nie zgrzytało: dla pijaka wpaść pechowo pod jedyny w mieście automobil i umrzeć z twarzą w błocie wydaje się jak znalazł. A tu, choć nie wiedział, jaki właściwie sposób śmierci byłby dobry dla dziesięciolatka, miał pewność, że na pewno nie ten. Kiedy więc w niedzielny ranek przyszli z matką już o szóstej, i tak o godzinę za późno, odczuł mimo wszystko ulgę. Nie ulgę w związku z tym, że Maciuś już nie cierpi, ale że ta pozbawiona sensu sytuacja jakoś tam się rozwiązała.

Żałoba polega na płaczu i żałowaniu zmarłego. Niedawno umarł kolega z klasy. We śnie, podobno się nie obudził. I tyle. Całą klasą płakali, choć przecież już dorośli są. Janek miał swoją teorię na ten temat: każdy z nich po prostu się wzruszył, widząc na miejscu nieboszczyka samego siebie. Człowiek jest nieprzyjemnie zaskoczony, jak mu rówieśnicy umierają, tym bardziej osiemnastoletni. Mimo że wiedział, skąd te łzy, Janek się nie wyłamał i też zaszlochał ze dwa razy. A teraz nic, wcale. Nie był dzielny, po prostu nie płakał już od dnia śmierci brata.

Czuł się teraz bardzo mądry i dojrzały. Tak jakby ktoś nagle zapalił reflektor i ukazał mu całe jego przeszłe i przyszłe życie z bezlitosną jasnością. Doszedł do dwóch końcowych wniosków, których zestawienie jakąś tam strunę humoru w nim mimo wszystko poruszyło. Że, po pierwsze, nie dziwi się bolszewikom. Słowa, tylko słowa, którymi burżuje się uspokajają. Patrzył na Kaczmarkową i już wiedział, że następna sesja Towarzystwa Higieny Moralnej i Cielesnej poświęcona będzie zaniedbaniom w zakresie zwalczania wilgoci oraz ich wpływowi na zdrowie dzieci oraz młodzieży. Należałoby rozstrzelać te babska wycierające czerwone nosy w chusteczki opatrzone monogramami. Ale ponieważ się na to nie zanosi, Janek postanowił: zostanie księdzem, nawet biskupem, a jego matce takie panie będą się jeszcze kłaniać. Potem poszedł do Zuberów. Oddać kołdrę. Jak nie wezmą, to się spali, ale zapytać trzeba.

ŚRODA, 24 STYCZNIA 1923

Marianna była dobrym dzieckiem. Jeśli nawet zrobiła coś złego, to raczej z głupoty niż wyrachowania. Może do niczego nie doszło? Ale po co szesnastolatka spotyka się z mężczyzną, który mógłby być jej ojcem? Może się zwyczajnie zakochała? Gorzej, jeśli robiła to dla pieniędzy. To już naprawdę jest nie do wybaczenia. Ale jak dotąd wiem tylko, że Zuber płacił. On nie zabił, tego jestem pewna. Może chciałby, ale, nieprzyjemnie o tym pisać, do tego potrzebna jest jakaś siła duchowa. Trzeba mieć charakter, zły albo dobry, jakiś jednak na pewno. Zuber to kwilący szczeniaczek, który czuje się niegodny swej pięknej żony (właśnie: co ona w nim widziała?). Głupiutkie szesnastolatki wydają się w sam raz dla niego, już dwudziestolatka mogłaby być za mądra. Jest cwany, ale ograniczony, choć to dziwaczne połączenie. Po co chodził więc dookoła szkoły tego dnia, jeśli nie zabił? Może ktoś go przysłał?

Nie wiem. W to, że panie z Towarzystwa kogokolwiek zabiły, nie wierzę również. Aż tak w szerzenie cnoty to chyba nawet pani Helena nie jest zaangażowana. Któraś by zwyczajnie nie wytrzymała i pobiegła na policję jeszcze tego samego dnia. Skoro Raskolnikow nie wytrzymał, to jak mogłaby wytrzymać aptekarzowa lub córka burmistrza? Jedne ze strachu, inne z głupoty, jeszcze inne, żeby zostać bohaterką dnia... W każdym razie któraś z pewnością by pobiegła na policję.

Coraz więcej osób można wyeliminować, ale jeszcze z tysiąc zostaje. A może ktoś przyjechał do Mańkowic, zabił dwie młode kobiety i pojechał Bóg wie gdzie? I nigdy go nie złapiemy? Przecież my się prawie wszyscy znamy, już choćby dlatego trudno, aby morderca się ukrywał między nami. Jakoś lżej się myśli, że to ktoś z zewnątrz.

Ale jakkolwiek bym to sama przed sobą tłumaczyła, pozostają dwie najbardziej prawdopodobne osoby. K. To osoba niezrównoważona, ciągle czegoś szuka. Możliwe jest zabicie kogoś tylko dlatego, że człowiek się nudzi i potrzebuje wrażeń? Może jedną osobę – to ma sens. Tym bardziej że nie lubiła Wachowskiej, mogła uznać to wszystko za jakąś zemstę. Wiedziała przecież, że po czymś takim szkoła upadnie. Ale drugą? K. numer dwa to z kolei zagadka, przez te wszystkie tajemnice. Nie ma przecież nawet całkowitej pewności co do samego nazwiska. Kto to właściwie jest? Wiem tylko, że zdaniem Marianny nienawidzi jej ojca. I jest człowiekiem z jakąś tajemnicą, która nie polega chyba tylko na tych dziwacznych poglądach.

Ale co do tego miała Hanka, głupsza jeszcze od Marianny? Po co kogoś takiego zabijać? (przekreślone). Znów zapomniałam: walczyć z pogardą, inteligencja jest cechą wrodzoną, nie mamy na nią wpływu. Zresztą, nic o Hance nie wiem, oprócz tego, że wyraz twarzy rzeczywiście miała głupi. A czy ja mam zawsze mądry? Właśnie.

Szacunek dla człowieka: ćwicząc, może w końcu do tego dojdę. Ciężko bez fundamentu religijnego, Kościół ma tu rację. Jak, u licha, szanować idiotów, jeśli nie myślimy o nich jako o bliźnich? Nawet gdy byłam wierząca, nie potrafiłam. I tak, to też pewnie ta klasowa pogarda, która jest chyba jeszcze gorsza. Tak myślę. I to przekonanie, że skoro się puszczała, to musiała być głupia. W ogóle, co to za określenie: puszczała? Siedzą we mnie te wszystkie mądrości i przy byle okazji wyłażą. Panienka ze dworku, w którym niby nikt się nie puszczał. Ale to przecież nazywało się „związek dusz".

Do tematu: Hanka to nie piękna hrabina uduszona przez kochanka przy wtórze skrzypiec, ale ktoś też mógł chcieć ją zabić. Był to niekoniecznie przypadek, może zwyczajnie miała pecha. Skąd się bierze moje przekonanie, że skoro była głupia, to nikt nie ma powodu jej zabijać? Jakby na świecie mordowano tylko mądrych, policja nie miałaby co robić. A ja szukam jakiegoś wyrafinowanego motywu, jak zabawy zdegenerowanych umysłów czy mroczna tajemnica z przeszłości. Ludzie wydają się prości.

I może też niepotrzebnie szukam logiki w drugim zabójstwie. Dlaczego niby miałoby to być logiczne? Nie ma nic logicznego w zabijaniu jako takim.

Hieronim skończył czytać po raz kolejny ten sam fragment. Popatrzył w okno, za którym przebiegła właśnie w dzikim pędzie Egierówna. Kiedyś pewnie wpadnie pod furmankę i tyle. Ocknął się, bo Wasiak przywoływał go ręką. Poszedł do jego gabinetu, zastanawiając się, dlaczego wciąż wraca do pamiętnika Łucji. Z punktu widzenia śledztwa już chyba nic mu to nie przyniesie. Wszyscy czekali tylko na niego, więc poszedł szybko.

– No i chyba będą zmieniać nam komendanta. Głównego. Takie plotki są – obwieścił Wasiak uroczystym głosem.

Trzeba przyznać, że godnie się prezentował przy dębowym biurku. Oni wyglądali nieco gorzej, stojąc stłoczeni w małym pokoju. Było trochę duszno, a Wasiak wydawał się w nastroju monologowym.

– Jak to, znowu? – Nowak dziecięco się zdziwił.

– Wiesz, jaka jest kolejność odzywania się? – zrugał go przełożony. – Ratajczak, co ty na to?

– Myślę, że nie ma to najmniejszego wpływu na Mańkowice. Najmniejszego.

– O, i to jest prawidłowa postawa. Też tak myślę. Ciekaw jestem, kiedy się to wszystko uspokoi. Za Prusaków... zresztą, nieważne. Tutaj jest oficjalny okólnik na temat tego, że powinniśmy współpracować ponad dawnymi granicami państwowymi i dzisiejszymi politycznymi. Bardzo ładnie napisane, możecie sobie przeczytać – wskazał na arkusz leżący na jego biurku – jak się nudzicie. Ale się nie nudzicie, więc lepiej niech mi któryś powie, co z tymi naszymi trupami. Pytam, choć pewnie nic, ale Poznań dzwonił. Mądrale. Tym razem jakiś zupełny Rusin. Litwin mnie chociaż przeprosił, że nie mówi po naszemu. Ten za to jakiś moskalski buc, tak coś seplenił i jakby śpiewał litanię. Gdyby nam nie założyli tego telefonu, nie byłoby problemów, bo wszystko byłoby na piśmie. Papier to papier. Co się, Nowak, podśmiechujesz? Mądry jesteś, bo nie ty musisz do tego pudła gadać. Nikogo nowego nam nie przyślą. „Pan dostarcza mi odpowiedzi, a ja analizuję dane", powiedział mi. Niedługo wszystko na telefon będą załatwiać, choć mnie przez czterdzieści lat uczono, że papier ma być. Ale ci to jakieś inne metody mają, ruskie. Pewnie w Czeka pracował, bolszewik jeden. Ratajczak, co się śmiejesz? Rozumiem, że nic poza ten pokój nie wyjdzie, oczywiście. Musimy się trzymać razem, bo nas ci Azjaci i ich pomysły zjedzą.

Skończył mówić i wyciągnął kanapkę. Zapadła cisza. Wasiak jadł, a Ratajczak, Nowak, Kowalczyk i Hoffmann patrzyli na siebie.

– Informujcie, co tam – zachęcająco rzekł przełożony.

Kolejność odzywania się była oczywista.

– Podejrzewam kogoś. Musimy o tym porozmawiać.

Hieronim powiedział to, przełykając ślinę. Przełożony głośno za to przełknął kęs. Pozostali jak na komendę spojrzeli na Hieronima z przerażeniem w oczach, tak jakby fakt, że policjant kogoś podejrzewa, był niebywale zaskakujący, a nawet wręcz nieprzyzwoity.

– Z Mańkowic?

Ratajczak kiwnął głową. Raz kozie śmierć.

– Panowie, może jednak zrobicie sobie głośne czytanie. Na świeżym powietrzu – powiedział Wasiak do pozostałych, podając Nowakowi kartkę – do zobaczenia za pół godziny.

Wyszli. Wasiak po krótkim namyśle wrzucił kanapkę do szuflady.

Lepiej się nie zastanawiać, jak wygląda jej wnętrze, pomyślał mimochodem Hieronim. Ktoś, kto odziedziczy biurko, będzie miał kupę roboty.

Po godzinie Ratajczak wyszedł na spotkanie z Klarą. Chciał porozmawiać na temat jej ostatnich dziwacznych życiowych decyzji. Siedzieli na ławce pod farą. Jego szwagierka była w krótkim płaszczu i dziwnej sukience, która prawie odsłaniała kolana. Z roku na rok trzeba mniej materiału, nic dziwnego, że fabryki w Łodzi znowu strajkują.

Rozmowa nie przyniosła nic specjalnego, bo bibliotekarka nie była w stanie podać żadnego racjonalnego powodu swojego planowanego zamążpójścia. Hieronim skonstatował, że jako starszy i żonaty mężczyzna nie przekona jej do zalet stanu wolnego. Felicji pewnie lepiej by się to udało. Mogła być żywym dowodem wielu wad posiadania małżonka.

Zrezygnowany wrócił do pracy. Czekało go jednak dziś jeszcze trochę niespodzianek.

– To jest pan podkomisarz Dobosz, z Poznania.

To ostatnie słowo zostało tak zaakcentowane, jakby przybysz pochodził co najmniej z Wersalu lub stolicy państwa Inków. Wasiak wyglądał przy tym na zaskoczonego. Drobny i chudy, za to z wielkim wąsem, podkomisarz Dobosz potrząsnął ręką Hieronima z nadzwyczajną siłą. Nosił przestarzałe binokle, co dziwnie kontrastowało z włościańskim wąsem.

– Przysłano pana Dobosza w ekspresowym tempie, przyznam. Nawet mnie nie zawiadomiono, że już dziś. Jeszcze godzinę temu była wersja, że zaczęli się bać do nas ludzi przysyłać, bo giną. Przy okazji, znowu o nas napisali, pan Dobosz przywiózł.

Z pewnym skrępowaniem Wasiak pokazał płachtę gazety. Hieronim powiedział sobie, że nie będzie tam zaglądał. Nie i koniec. Komisarz pożegnał ich, obwieszczając, że musi zrobić pożegnalne porządki w swoim gabinecie.

– Dobosz jestem – upewnił Hieronima przybyły, potrząsając nadal intensywnie jego własną ręką – Wacław. Przysłali mnie do Mańkowic, bo podobno pechowi jesteście. Ja z kolei jestem szczęściarzem, więc wszystko ma się wyrównać.

Ratajczak postanowił, że nie zapyta, na czym to szczęście polega, bo podkomisarz w widoczny sposób chciał go uszczęśliwić jakąś anegdotą. Ale nie, Dobosz nie potrzebował zachęty. Zasiadł wygodnie w fotelu i zaczął opowiadać:

– To było tak: słyszeliście pewnie o mordercy kwiaciarek? Cztery kobiety zabił. To ja go złapałem. Zdybałem gnoja na Jeżycach, w kamienicy na Kościelnej mieszkał z jakąś dziwką, też zresztą niezłym numerem. A szczęście polegało na tym, że facet wycelował do mnie z mausera, ale mu nie wystrzelił. Myślałem, że po mnie, zimne poty wystąpiły, a tu nic. Żadnego strzału. Ale miał głupią minę. A potem zaatakował mnie świecznikiem. I potknął się o próg. Głową o podłogę rąbnął, a potem stracił przytomność. Wystarczyło go tylko zawinąć w dywan i przynieść na posterunek. No, miałem szczęście, nie da się ukryć. Tego samego dnia była inspekcja i dostałem medal, żeby było jeszcze lepiej. A dwa dni później mój przełożony miał atak serca i oto jestem podkomisarzem do specjalnych poruczeń.

Dobosz poprawił się w fotelu, zakładając nogę na nogę. Hieronim odchrząknął.

– Rzeczywiście ktoś taki jak pan może nam się przydać. Mój przełożony też jest sercowcem. Niezwykłe, niezwykłe szczęście. Zapoznał się pan już z dokumentami? Ma pan jakieś hipotezy?

– Po pierwsze, to ciekawi mnie, dlaczego pan tych wszystkich osób nie zaprasza na komisariat? Przecież macie tu dobre warunki do przesłuchiwania. Świetne umeblowanie.

Ratajczak westchnął. Pytanie sensowne, ale może z perspektywy miasta wojewódzkiego. Wziął od Dobosza księgę sprawozdań. Otworzył i postukał paznokciem w dwa nazwiska.

– To jest, widzi pan, żona kierownika szkoły i córka burmistrza. A to żona dyrektora szpitala, ale jej ostatnio nie mogę zastać. Albo kolejne nazwisko: chłopak chory na gruźlicę, choć udawał, że to grypa. Nikt z nich nie nadawał się do odwiedzin na komisariacie. Z jedną z tych osób zresztą już próbowałem rozmawiać u nas. Telefon odezwał się po dwóch kwadransach.

Hieronim otworzył szafę z zabezpieczonymi dowodami. Dobosz roześmiał się wesolutko i z pobłażaniem.

– A rozumiem, lokalne układziki i koterie. No, ale ja się tym przejmować nie muszę.

– Może i nie. Ale telefon był od pana przełożonego. Zaraz, jak on się nazywa?... Zakrztusił się pan? Proszę uważać na nasze landrynki, ostatnio jakieś dziwne się zrobiły. W każdym razie, lokalne koterie są czasami więcej niż lokalne.

Poznański podkomisarz zarumienił się. Coraz bardziej rzedła mu mina.

– Może wrócimy do tego później. A proszę powiedzieć, czy to na pewno są wszystkie dowody w sprawie?

Ratajczak chwilę się zastanowił. No, niech mu będzie.

– Jest jeszcze dowód, powiedziałbym, pośredni. Pamiętnik osoby, która chciała sama znaleźć mordercę lub morderców.

– I co z tą osobą? Do czegoś doszła?

– Poniekąd. To właśnie nasz trzeci trup.

Dobosz wstał. Był czerwony na twarzy.

– Rzeczywiście, jakoś specjalnie wesoło to nie wygląda. Ale ja – znów się uśmiechnął – jestem, proszę pana, optymistą. Przecież w takim małym mieście morderca nie może się ukryć. Na pewno go znajdziemy. Musimy być tylko pozytywnie nastawieni. Wie pan, że dzięki pozytywnemu myśleniu człowiek może przyciągnąć dobre wydarzenia? Czytałem na ten temat. Trzeba tylko uśmiechać się do świata, a świat uśmiechnie się do nas.

Pewnie. Ciekawych ludzi z tego Poznania przysyłają. To jakiś nawiedzony.

– Pamiętnik jest u mnie w domu. Jeśli pan chce, możemy iść razem. Przy okazji pokażę panu Mańkowice.

Nie zdążył dokończyć tych słów, a Dobosz już wkładał płaszcz. Wcale go nie zdziwiło, że Ratajczak trzyma pamiętnik w domu. Nie takie rzeczy pewnie robi policja w większym mieście.

Szli przez ulice, trochę skrępowani, jak to między świeżymi znajomymi. Dobosz chwalił czystość domów i ulic. Rzeczywiście, Mańkowice były zwykle wspaniale wypucowane, przynajmniej w granicach reprezentacyjnej trasy, którą właśnie podążali.

Nawet topniejący śnieg nie zasłonił bieli firanek w oknach i braku papierów na ulicach. Zadbanie aż biło po oczach. Zazwyczaj Hieronim tego nie zauważał, ale trzeba przyznać, na pewno było tu czyściej niż w Poznaniu, Lesznie czy jakimś innym mieście.

Przechodząc przez rynek, spotkali Annę, która wyszła z budynku poczty z wielką paką. Na ich widok upuściła ją, prosto do kałuży śniegu. Obaj panowie rzucili się pomagać i otrzepywać, ale nie spotkały ich wyrazy wdzięczności. Anna drżącymi rękoma wyrwała Hieronimowi pakę z rąk, a potem bez słowa pobiegła do swojej kamienicy. Albo Ratajczakowi się wydawało, albo skrzywiła się w stronę Dobosza. Nie było to objawem dobrego wychowania, szczerze mówiąc.

– Intrygująca dama – powiedział Dobosz, uchylając kapelusza w ślad za biegnącą Woźniakówną. Poszli dalej.

– Tak, dość chimeryczna, ale bardzo inteligentna. Anna Woźniak. I jedna z najbogatszych w Mańkowicach. Ta kamienica to jej.

– Chyba najładniejsza w miasteczku?

– Owszem, ładna, ale jest kilka... a, kamienica?

Zawstydził się trochę.

– Tak, chyba największa i najdroższa. Podobno ją sprzedaje. Myślę, że znudziło jej się u nas. Ile można – Ratajczak uśmiechnął się – sprowadzać książek z Niemiec przy takim kursie naszej marki?

– Wszyscy chcielibyśmy mieć takie problemy. Pani Anna wygląda raczej na taką, co pończochy sprowadza.

– Zauważył pan? Co za spostrzegawczość! Moja żona musiała mi zwrócić uwagę, bo ja nie widziałem w nich nic niezwykłego, poza tym, że jakoś bardziej się świecą. Ale panna – to słowo zaakcentował – Anna sprowadza przede wszystkim książki. Potem część oddaje do naszej biblioteki, mamy jedną z najlepszych w okolicy. No, właśnie. Mańkowice mają dużą populację niezwykle wykształconych oraz inteligentnych kobiet. Według mojej ciotki to jedna z nich jest morderczynią. Ja co prawda jestem innego zdania, ale logicznie rzecz biorąc, ta opcja też zawiera w sobie jakieś prawdopodobieństwo.

Nie zrobiło to na Doboszu spodziewanego wrażenia. Widocznie kwestia kamienicy była bardziej frapująca:

– Panna, mówi pan?

– Panie Dobosz, słyszał pan? Możliwe, że mamy w Mańkowicach rzadki przypadek morderczyni albo morderczyń. I to nie takich, co zabijają złych mężów. A pan się nad kwestią stanu cywilnego zastanawia. Żony pan szuka? Za wysokie progi, ona oprócz kamienicy ma też jakieś akcje i kawał ziemi. I gazetę, okropny brukowiec. Wszystko w spadku, wcześniej polskiego uczyła i pisała korespondencje do prasy krajowej. Pisze chyba nadal, nie jestem pewny. Mam nawet podejrzenie, że to ona jest autorką pewnego paszkwilu... no, o tym może potem.

Przez chwilę panowała cisza. Dochodzili powoli do domu Ratajczaków. Dobosz jednak wrócił do zasadniczego tematu.

– Powiada pan, że to może morderczyni być, a nie morderca? Seryjna morderczyni młodych kobiet to lepsze niż dzieciobójczyni. Może na przykład zazdrosna o urodę? O mężczyznę? O młodość? No, niezłe – zatarł ręce Dobosz. – Czuję, że ją znajdziemy. Mówię panu, ja mam nosa i szczęście.

– To dobrze, bo ja, obawiam się, nie mam. Szukałem już pomocy bardziej inteligentnych od siebie, ale może ma pan rację, że nos i szczęście przydadzą się bardziej niż inteligencja.

Poznański policjant nie poczuł się urażony, a przynajmniej tego nie okazał. Hieronim bardzo był ciekaw, jak to się teraz potoczy. Wszystko już chyba wiedział, ale ku swojemu zaskoczeniu poczuł, że takie oszukiwanie kolegi po fachu sprawia mu dziwną przyjemność.

Weszli w końcu na ganek domu Ratajczaków. Hieronim otworzył drzwi i uczynił zapraszający gest, ale zatrzymał się w sieni. Obaj z Doboszem spojrzeli na siebie, zaskoczeni. Hieronim już wiedział, że to raczej po raz kolejny jego oszukano.

Znali ten przyjemny męski głos, więc obaj wypowiedzieli głośno te same słowa:

– Matczak, cholera.

W tym momencie najchętniej by się wycofali. Hieronim nie mógł jednak zostawić żony, a jego towarzysz stwierdził, że i tak jest zdemaskowany. Skoro był tu Matczak, to trzeba się zameldować przełożonemu. Weszli więc obaj. Felicja, blada i trochę wystraszona, siedziała na krześle. Z drugiej strony stołu popijał herbatę Florian Matczak, wysoki barczysty facet z rudawą brodą. Na ich widok wstał, zupełnie niespeszony, jakby właśnie z nimi był umówiony.

– Witam, podkomisarzu – wyciągnął rękę do Hieronima gestem gospodarza domu. – Nic dziwnego, że w godzinach pracy starasz się bywać w domu. Urocza małżonka. A ty, Chojnacki – machnął ręką w stronę człowieka, który miał się nazywać Dobosz – zdejmij te cholerne wąsy. Chociażbyś je jakoś kolorystycznie dobrał. Kuglarz z ciebie.

Chojnacki rzeczywiście zdjął wąsy i wcisnął je wstydliwie do kieszeni spodni. Oczom zgromadzonych ukazało się oblicze znerwicowanego inteligenta z przepraszającym wyrazem twarzy. Felicja i Hieronim spojrzeli na siebie. No, tak. Defa w całej krasie.

– Może na to nie wygląda, ale pan Chojnacki to jeden z naszych najlepszych ludzi. Opowiada dziwne historie i czasami przebiera się za kobietę albo ubogiego włościanina. W zasadzie nie wiem czemu, bo wcale się aż tak kamuflować nie musi, zawsze przesadza z wąsami albo okularami. Czy tam sepleni, no nie, Marian? Ale to kwestia poboczna. Oprócz tej dziwnej potrzeby przebieranek, światły umysł i waleczne serce. Chojnacki, przedstaw się pani.

Chojnacki pocałował Felicję w rękę, mrucząc swoje nazwisko.

– Usiądźmy – zakomenderował Matczak, zajmując krzesło – czy możemy prosić o napój równie smaczny, ale alkoholowy?

Zwrócił się do Felicji, która kiwnęła głową i poszła do kuchni. Matczak przestał być jowialny. Zwrócił się do podwładnego:

– Czegoś, głupcze, beze mnie przyjeżdżał? Znowu peregrynacje prowincjonalne sobie urządzasz? Sami samodzielni i z inicjatywą mi się trafiają – obrócił się do Hieronima – a ty? Nadal tu siedzisz, choć u nas miałbyś lepiej. Z taką poczciwą gębą byś się do nas nadał. Cudownie plebejski masz wyraz ogólny. Sklepikarz, urzędnik pocztowy, kupiec z ambicjami. Tyle tożsamości do wyboru. Ale nie, w Mańkowicach chciałeś być, bo ta polityka to taka brzydka rzecz. A polityka sama do ciebie przyszła. Coś się zarumienił? Nas się wstydzisz? No, dobrze. Do rzeczy: nasza informatorka ze zgrabnymi nóżkami doniosła, że Werner, ten bolszewik, wyjechał. Dosłownie w ostatniej chwili. Widziano go pod Łodzią, to z kolei doniósł pewien sympatyczny urzędnik. A potem w Warszawie, razem z ładną brunetką, bardzo podobną do twojej żony, Hieronimie. Dam głowę, że już jest w Rosji. Uciekł nam. A wiesz dlaczego?

Zwrócił się całym potężnym ciałem do Hieronima.

– Bo przestraszył się Trawińskiego i Kamińskiego, tych dwóch mądrali. Jak można wysyłać do takich

Mańkowic ludzi, którzy jeszcze dla Niemców szukali komunistów? Było oczywiste, że zdrowy, wyrobiony odruch im podpowie: bolszewika goń. Ale nie byli przygotowani na to, co zastaną. Pan Werner to nie jakiś żydowski wymoczek, tylko zdrowe chłopskie bydlę spod Leszna. A pomagał mu ktoś znacznie od niego bystrzejszy, kto przechytrzył nas wszystkich. I teraz nie mamy ani bolszewika, ani policjantów. Nie mamy też twojej szwagierki – zwrócił się do Hieronima – ale spokojnie, ona nas nie interesuje. To znaczy sama w sobie, najwyżej jako świadek... No, nie wyszło nam na razie. Tak to jest, gdy ludziom myli się szukanie mordercy i szukanie komunisty. A co jest ważniejsze – zapytał Chojnackiego, podnosząc wysoko palec – hm?

Podwładny wyrecytował:

– Podstawowym naszym celem i zadaniem jest, niezależnie od okoliczności: dopaść, zdemaskować i najlepiej zabić bolszewika.

– Gdyż?

– Gdyż jest on największym wrogiem narodu polskiego.

Hieronim, mimo zdenerwowania, zaczynał się dobrze bawić. Z głupia frant zapytał:

– To jakiś katechizm?

Matczak popatrzył na niego uważnie.

– Nie, mój drogi, to jedynie żelazne zasady. Sformułowałem je ja, bo przysięga była jakaś mętna. Relatywizm z przypisami.

– Wszystko rozumiem, ale dlaczego wcześniej po prostu nie mogliście go zamknąć? Skoro wiedzieliście o jego działalności? Na co tu czekać w takiej sytuacji?

– Na to, żeby złapać kogoś większego – odpowiedział Matczak, gładząc się po brodzie.

Wszystko to mówił tonem nauczyciela pierwszych klas szkoły powszechnej obdarzonego świętą cierpliwością do imbecyli.

– Bo nie on nas interesuje. W Mańkowicach prawie wcale się polityką nie zajmował. To mały brutalny człowieczek jest, choć robi wokół siebie wiele zamieszania. Od roku tu siedział i szykował do załatwiania swoich spraw, zamiast szukać współpracowników, nowych agentów, wysyłać informacje... Nie robił nic, tylko babrał się we własnych historiach z przeszłości.

Hieronim się zarumienił. Miał już pewność, ale nie przyniosła ona żadnej satysfakcji. To miała być piękna chwila, jakaś iluminacja, ale nie była. Nie dlatego, że wcześniej się domyślił. Dlatego, że to wszystko było jeszcze gorsze, niż miało być. Chciał przynajmniej myśleć o Julianie jako o człowieku idei. Głupiej, ale zawsze. A tu tylko historia z przeszłości. Popatrzył na swojego gościa. Matczak był wręcz obmierzły, ze swoim spokojem.

– Czy mam rozumieć, że wpadliście na to, jakie to sprawy? Wiedzieliście, że to on zabijał? Ale z jakichś wielce ważnych przyczyn nie podzieliliście się wiedzą?

Matczak pokiwał głową, wracając do gładzenia brody.

– Owszem, owszem. Nasi mają podsłuch na wszystko. Twojej żonie trzeba gratulować, bo rozwiązała sprawę chyba z tydzień przed tobą. Nie krępowały jej więzy głupiej przyjaźni, tylko od razu wypełniła swój obowiązek. Jest lojalna, za co ją nagrodzimy. Wkrótce.

– Do jasnej cholery! – niespodziewanie dla siebie Hieronim krzyknął bardzo głośno. – To już przesada!

– Uspokój się. Trupy niepolityczne to nie moja sprawa i nie mój obszar działań. Dasz mi trupa politycznego – wytrzasnę ci mordercę choć spod ziemi. Ale na widok niepolitycznego to zwyczajnie wszystko mi opada... dobra, tyle wyznań. Wracając do tematu dla nas najciekawszego: wiemy, że w tym waszym małym stawie pływa duża ryba. Nieproporcjonalnie duża. Po wyjeździe Wernera zamieszanie się wzmogło. Ktoś nam tu bardzo brzydko penetruje pogranicze i kontaktuje z komunistami z Berlina. Rozumiesz, nie dość, że z Niemcami, to jeszcze z bolszewikami? O tego kogoś nam chodzi... Tylko nadal nie wiemy, kto to. Masz jakieś typy? Masz, ale teraz jesteś obrażony. Przejdzie ci. Za to ja mam od razu kilka koncepcji, Chojnacki pewnie też. W każdym razie będziemy szukać. Dlatego zostaniemy u was jeszcze trochę. A ty będziesz mógł sobie wrócić do problematyki cukrowniczej.

Westchnął, jakby zmęczony tym wykładem.

– Pamiętaj, zanim się znowu zdenerwujesz: zasady odnośnie do bolszewików może i dziwnie sformułowałem, ale są żelazne. Ważniejsze od trupów panien na wydaniu i bystrych nauczycielek. Ważniejsze od jakichś historii osobistych. Tu chodzi o sprawę fundamentalną. Jeśli wszyscy będziemy się trzymać pryncypiów, to może jakoś zachowamy to młode państwo?

– A nie kraj? – zapytał kpiąco Hieronim.

Matczak popatrzył na niego bystro. Chojnacki zachichotał dość głupawo, ale umilkł pod spojrzeniem zwierzchnika, który mruknął:

– Dobrze kombinujesz, ale stawiasz tamy swojemu myśleniu. A ty stul pysk, przebierańcu.

Zaraz uśmiechnął się do wchodzącej Felicji. Ratajczak był pewien, że podsłuchiwała.

– Pomogę pani z tacą. Myślę, że może pani zostać przy naszej rozmowie. A nawet bardzo bym prosił, byś nam, Felicjo, towarzyszyła.

– Cóż – Felicja usiadła spokojnie, nic sobie nie robiąc z zachowania męża, który ciężko oddychał – czułam się w obowiązku. Po tym, co zrobiła Melania, musiałam powiadomić o moich podejrzeniach. Odczekałam, szczerze mówiąc, kilka dni, żebyś ty mógł to zrobić... Mniejsza z tym. Może nie robię wrażenia tajnej informatorki, ale wiesz, to jest właśnie cecha tajnych informatorów.

– Myślałem, że masz... powiedzmy, słabość do Wernera, a ty mnie oszukałaś?

– Jak to: oszukałam? To on miał słabość do mnie. To nie z tobą przyszedł się pożegnać, ale ze mną. Ja, odkąd wyszłam za mąż, słabości nie miewam.

Na potwierdzenie tych słów wzruszyła ramionami. Matczak uznał, że powinien się wtrącić:

– Nie do końca rozumiem, o co ci chodzi, mój drogi. Powinieneś być wdzięczny żonie. I nam. Pomyśl, co m y moglibyśmy z tą historią zrobić... i jak to z boku wygląda... Prowincjonalny policjant z przyzwoitą opinią, ale – wybacz – bez większych sukcesów, staje przed okazją, by złapać prawdziwego mordercę, a do tego wroga państwa. Domyśla się, że tym mordercą jest jego własny gimnazjalny kolega, z którym nadal łączą go dobre stosunki, podszyte czymś na kształt poczucia winy. Kiedy otrzymuje dziwacznie napisany list, jest prawie pewien. Kiedy słyszy o zabójstwie tych dwóch pajaców, jest już przekonany. Co powinien zrobić z punktu widzenia interesu ogółu i zwykłej moralności? Wiadomo. Dlaczego tego nie robi? Obiektywnie patrząc: zapewne ma coś na sumieniu, a nawet współpracuje z tym typem? Może sam jest bolszewikiem? Ciesz się, że ja patrzę subiektywnie i wiem: chciałeś być postępowy oraz pozbawiony uprzedzeń. Wolałeś własną ciotkę podejrzewać niż bolszewika, byleby tylko nie wyjść na prowincjusza z wąskimi horyzontami. O tych pozostałych kobietach nie wspominam, bo rzeczywiście choćby ta od kamienicy jest na tyle niezrównoważona, że... nieważne. A więc zamiast złapać mordercę, wyszedłeś na idiotę, a raczej wyszedłbyś, gdyby nie twoja małżonka. Jej precyzyjną informację postanowiliśmy uznać za przekazaną po konsultacji z tobą. W końcu mąż to głowa, żona szyja i tak dalej... Ale na przyszłość pamiętaj: policja polityczna wie wszystko. Jak nie wie, to znaczy, że nie chce wiedzieć. A uprzedzenia w życiu się przydają.

Żona Hieronima westchnęła, blada i znużona:

– Dajmy już temu wszystkiemu spokój. Hieronim wie, kto i dlaczego zabił. Wie, że osądzić mordercy się nie da. Sprawa zamknięta, a wy zajmujcie się dalej polityką. Nie ma sensu do tego wracać.

– Felicja ma rację. W każdym razie zostajemy u was na trochę. I szukamy.

– Proszę bardzo, szukajcie. Ja z wami bolszewików tropić nie będę. Mogę wam zarekomendować takiego młodego Nowaka, co też wszędzie widzi politykę. A ja wracam do swoich spraw – powiedział cicho Hieronim.

Popatrzył na ich trójkę. Jak spokojnie sobie siedzieli przy stole. To chyba pierwsza okazja, kiedy miał w domu aż trzy osoby z Defy. Przy czym jedna z nich powiedziała mu dwa dni temu, że jest w ciąży.

Wstał i zwrócił się do Matczaka:

– Ma pan świadomość, że to nie jest tylko moja wina i gdybyście zamknęli Wernera wcześniej albo przynajmniej podzielili się wiedzą z Wasiakiem, z tą normalną, zdrowo uprzedzoną i zajmującą się banalnymi rzeczami policją, nie mielibyśmy dwóch następnych trupów? Młode kobiety żyłyby nadal? Ciekawe, co jest gorsze: chcieć być postępowym i pozbawionym uprzedzeń czy być zwykłą gnidą?

Matczak uznał za stosowne zrobić wrażenie przejętego. Skłonił głowę, ale Hieronim wiedział, że facet zwyczajnie udaje. Funkcjonariusz Defy był naprawdę przekonany, że cel uświęca wszystkie środki.

– Oj, Hieronimie, przeszliśmy na „pan”? Po tylu latach sympatycznej znajomości?

– Owszem, i tak już zostanie. Wystarczy, że jest pan na „ty” z moją żoną – stwierdził Ratajczak.

Ukłonił się zgromadzonym i powiedział:

– Teraz muszę was, niestety, zostawić. Jestem umówiony, co prawda nie w tak wielkiej sprawie, ale też dość ważnej. Konflikt rodzinny, bez żadnej polityki w tle.

TEGO SAMEGO DNIA, W NOCY

Ratajczak nie mógł zasnąć przez wyrzuty sumienia. Lepiej było dzisiaj nie wstawać. Najpierw policja polityczna, potem grzech cudzołóstwa. Nie, żeby mu się to wcześniej nie zdarzyło. Zdarzyło, ale nie był to grzech pozamałżeński, tylko przedmałżeński. Dwa razy, jeszcze za narzeczeństwa z Felicją, odwiedził z kolegą domek miłych dziewczyn ze Śródki. Za pierwszym razem, bo wygadany Edek twierdził, że inaczej się skompromituje w czasie nocy poślubnej. Za drugim, bo rzeczywiście się skompromitował, ale właśnie podczas pierwszej wizyty. Był zdenerwowany jak diabli. Te panny niby ładne, ale żadna nie umywała się do Felicji. Sympatyczne były i czyste, co podobno jest rzadkością. Obie te wizyty wspominał źle, mimo że z technicznego punktu widzenia druga udała się całkiem przyzwoicie.

Teraz leżał w ciemności i patrzył na Felicję. Spokojnie sobie spała. Z pewnością była dobrą żoną, nawet jeśli miała związki z policją polityczną. I z pewnością na nią nie zasługiwał.

Zaraz po ślubie to on bardziej ją kochał. Ona go tylko lubiła, no i potrzebowała kogoś, kto dołoży się do wychowania młodszych sióstr. Albo raczej – utrzymania. Z jej strony była to więc raczej transakcja handlowa, o czym wiedział. Ale z biegiem czasu coraz bardziej się do siebie przywiązywali. Koledzy czasem z tego kpili, ale wiedział, że to tylko zazdrość. Mało kto miał taką żonę. Ładną, gospodarną, bystrą. Bystrzejszą od niego, co dzisiejsze wydarzenia tylko potwierdziły. Odczuwał więc teraz, podobnie jak podczas wizyty w burdelu, niesmak połączony z głupkowatym samozadowoleniem. Przewracał się z boku na bok w małżeńskiej sypialni i wspominał tę sytuację.

Miała różowy peniuar i gołe stopy, naprawdę śliczne. Kormana nie zastał. To nie był oczywiście przypadek czy nagły atak niezwykłej namiętności. Wszystko było przygotowane. Cały czas miał świadomość, że ta kobieta uwodzi go – zresztą, o ile mógł się zorientować, specjalistą z pewnością nie był, dość nieudolnie – bo chce, żeby dał spokój sprawie. W trakcie myślał głównie o tym, że chyba nie jest tak naiwna i nie liczy na to, że rzeczywiście coś takiego będzie miało miejsce. Przecież była inteligentna, bardzo inteligentna.

W ogóle rzecz nie była specjalnie przyjemna. Wydawała okrzyki i pojękiwania mające zapewne być świadectwem niezwykłej namiętności. Gdyby tego nie robiła, to jeszcze pół biedy. Ale kiedy skończył i uświadomił sobie, że oto stoi z opuszczonymi spodniami, a ona leży na stole wśród płatków róż (co to za pomysł?) i pończocha zwisa jej smętnie z prawej nogi, zamiast poczucia triumfu ogarnęło go współczucie i dziwna tkliwość wobec Kormana. Biedny facet, z taką aktorką i mściwą histeryczką. Owszem, dobrze było go pognębić chociaż w ten sposób, ale od dzisiaj już nigdy nie będzie mu niczego zazdrościł. I to idiotyczne białe wnętrze, jakby nie dość było szpitala.

Potem zaczęła się do niego przytulać, teatralnie pytając, czy się jej brzydzi. Z jednej strony starała się udawać ogarniętą płomieniem miłości, z drugiej – napawała się swoim upadkiem i domniemanym sukcesem aktorskim. W końcu zaczęła płakać i powtarzać:

– Czy wiesz, że dla ciebie poświęciłam swój kobiecy honor?

Nie miał na to dowodów, ale wydawało mu się, że już niejednokrotnie go poświęcała. W dodatku, zdawało mu się, że takie zdanie całkiem niedawno przeczytał w jakiejś odcinkowej powieści. Pewnie prenumerowali te same pisma.

Szybko się ubrał i nie zwracając uwagi na skomlenia doktorowej, wyszedł z tego higienicznego domu. Wsiadł na rower i skierował się w stronę plebanii.

Jadąc, zastanawiał się, dlaczego z niego taki idiota i co to w ogóle miało być. Z tego wszystkiego wjechał w płot domu Klary i znalazł się na ziemi. Nowicka wybiegła z domu, ale Hieronim machnął tylko ręką i pojechał dalej. Płot miał się w porządku, a on uderzył się tam, gdzie zwykle mężczyźni uderzają się w trakcie tego typu upadku. Była w tym jakaś sprawiedliwość, więc zmusił się, żeby nawet nie jęknąć. Wszystko to żałosne. Dojechał do plebanii. Księdza nie było, siostra Benigna poinformowała go, że proboszcz namaszcza chorego. To był jego najgorszy dzień od dawien dawna. I nie mógł porozmawiać o tym z żoną.

ŚRODA, 25 STYCZNIA 1923

Felicja była w kuchni i dostał śniadanie. Ale nie patrzyła na niego. Niewyspany Hieronim umył się w zimnej wodzie i wyszedł. Brnąc przez pokłady świeżego śniegu, który wczoraj jednak znowu spadł, myślał trochę o Kormanie, ale bardziej o sobie.

Czuł się gorszy od zawsze. Do końca nie wiedział dlaczego. Ale z pewnością zazdrościł mu tej inności, która nie brała się wcale z pochodzenia czy wychowania. Był wyrafinowany (jak na gimnazjalistę, oczywiście), dowcipny, zawsze się zdawało, że mówi coś więcej, niż wskazywałoby na to znaczenie wypowiadanych słów. Gnębiony przez szkolnych osiłków, zawsze im się wymykał w pełen wdzięku, koci sposób. Hieronim, ze swoją okrągłą twarzą syna szewca i wiecznym zdrowym rumieńcem, czuł się przy nim prostakiem i ignorantem. Sam nie wiedział, skąd się to brało, bo przecież zdecydowana większość otoczenia ceniła raczej zwyczajną krzepkość Hieronima niż zachowanie jego szkolnego kolegi, który miał zawsze taką minę, jakby chciał zrobić przypis do tego, co właśnie powiedział. Gimnazjalista Ratajczak, ofiara źle dobranych lektur, uważał jednak, że jest w tym jakaś nieokreślona wartość, zapowiedź przyszłych wielkich czynów i myśli wychodzących daleko poza horyzont miasta Leszna oraz jego mieszkańców.

Hieronim szedł do Kormana tylko dla własnej moralnej satysfakcji i aby dowiedzieć się, czy kogokolwiek da się w tej całej sprawie ukarać. Byłoby miło, gdyby choć jedna osoba trafiła do więzienia, bo przecież potrójnemu mordercy krzywda się nie stanie. Chyba że rzeczywiście swoi mu coś zrobią.

Tym razem wszystko ułożyło się idealnie. Był tylko doktor i młoda służąca. Kormanowa z córeczkami przebywała u swoich rodziców, już zresztą od paru dni, jak wyjaśniła Małgosia. Trochę się to nie zgadzało z wczorajszą przygodą Hieronima, ale nie dywagował dalej, bo wolał się nią nie chwalić. A może mu się to wszystko śniło?

Przykryty kocem doktor leżał na szezlongu i szczękał zębami mimo panującego w domu ciepła. Małgosia wprowadziła Ratajczaka i bezszelestnie wyszła. Hieronima uderzyło, że pan i służąca nie odezwali się do siebie słowem. I to, że Korman był już całkiem zielony na twarzy.

– No, jeszcze ciebie tu brakowało – odezwał się nieswoim głosem dyrektor szpitala.

Mimo wszystko Hieronim poczuł się urażony. Nie pasowało to do słynącego z kindersztuby doktora. Zapewne był przekonany, że jak zwykle wszystko mu się upiecze. Hieronim odczuł napływ irytacji. Nieproszony usiadł jednak na krześle i krótko zapytał:

– Co ci jest? A konkretnie: czy jest ci to, co, według leksykonu medycznego, składa się na objawy podtruwania arszenikiem?

Korman wpatrywał się w swoje paznokcie.

– Wydaje się, że tracę cały swój powab – westchnął komicznie. – Cóż powiedzą moje liczne wielbicielki?

– Co wielbicielki, to nie wiem, ale ja chciałbym porozmawiać, zanim wystąpią u ciebie plamy rozkładowe.

Rozmówcy jakoś to nie rozśmieszyło.

– Dobrze, to zacznę z innej strony. Po kolei – Ratajczak poprawił się na krześle – żeby się upewnić: czy byłeś ojcem Marianny Szulc?

Korman pokiwał głową i wzruszył ramionami. Że niby oczywiste.

– To ty na nas doniosłeś wtedy w gimnazjum?

Lekarz przykrył się kocem jeszcze bardziej. Ledwo mu głowa wystawała. Żałosne.

– Tatuś kazał?

Korman popatrzył na niego znad krawędzi koca zmęczonym wzrokiem. Nie potrzebował ironii. Ratajczakowi zrobiło się wstyd. W powieści w odcinkach jakoś lepiej taka złośliwość śledczego wyglądała.

– Myślisz, że zabił ją, żeby się zemścić? A czemu nie – wybacz – twoje młodsze córeczki? Albo żonę? Albo zwyczajnie ciebie?

– Marianna miała opinię taką, jaką miała. Jaka była twoja pierwsza myśl? Że nie warto szukać mordercy, co? Gdyby zabił moje dziewczynki albo uroczą żonę, zaraz wszyscy rzuciliby się na poszukiwania. Wiedział, że mu to ujdzie płazem. A jednocześnie, że ja nie będę mógł nawet okazywać... jakichś uczuć, żeby się nie wydało. I że mam cholerne wyrzuty sumienia. Bo już mój własny ojciec lepiej się sprawdzał niż ja. On tym swoim dzieciom na wsi nawet młyn kupił... Nie, żałosna ta moja opowieść i cała sytuacja. W każdym razie, Werner chciał, żebym podwójnie cierpiał. Żebym miał żałobę i nadal musiał się nosić na biało. Żeby to mnie wezwano do trupa własnego dziecka. Wiesz przecież, że niezły był z niego psycholog. I miał rację, we wszystkim – powiedział poważnie, z prawdopodobnie szczerym bólem w głosie. Prawdopodobnie.

Ratajczak siedział przez chwilę w ciszy. Liczył w myślach do dziesięciu. Kiedy uznał, że wypada już zapytać, odezwał się:

– Myślisz, że zabijając Hankę, pomylił się? Chodziło mu o waszą Małgosię? Dlatego tak zaniemówiłeś wtedy w lesie? A z drugiej strony: dlaczego myślał, że obejdzie cię śmierć służącej? Czy...?

I wtedy, znowu bezszelestnie, weszła Małgosia. Nie zdziwił się, że podsłuchiwała, ale zaskoczyła go tym, że tak wkroczyła. Lekko, ale pewnie. Na czole rysowała jej się podłużna zmarszczka. Ratajczak patrzył uważnie. Do Kormanowej się nie umywała, ale była młoda i świeża.

– Tak... jesteś w tym trochę nudny i przewidywalny, wiesz?

– Wiem, ale nic się nie martw. To był ewidentnie ostatni raz.

Korman mówił coraz ciszej i wolniej.

– Słuchaj, ja nie jestem twoją żoną, nie musisz mi głupot opowiadać. To nie jest ostatni raz, a wyjdziesz z tego z pewnością. Nie jestem też księdzem, ale czy nie uważasz, że te wszystkie przygody z kobietami nadmiernie komplikują życie?

Powiedział to zupełnie szczerze, głosem uczciwego małżonka. A po chwili przypomniał sobie wczorajszy dzień i zarumienił się. Tak siedzieli obok siebie, zielony i czerwony. Oraz blada Małgosia, która aż się zachłysnęła z oburzenia i chciała coś powiedzieć, ale dyrektor szpitala machnął ręką.

– Ależ, teoretycznie, całkowicie się z tobą zgadzam. Nie dałeś mi jednak dojść do słowa, Hieronimie. Po kolei: mojej żonie znudziła się ta sytuacja. I dlatego, jak stwierdził mój kolega po fachu, od ponad dwóch miesięcy ewidentnie mnie podtruwała. Arszenik – klasyczne rozwiązanie sprawy niewiernego małżonka. Nawet nie pytasz, skąd go miała. Więcej: ty się nawet nie dziwisz. Tak, w Mańkowicach jest tylko jeden doktor chemii, ze srebrnym medalem za rozprawę o truciznach. E, nie będę cię katował tytułem, ale przypominam, że wzmianka o medalu była w naszej ulubionej gazecie. Do Zubera nie mam pretensji, on robi wszystko, co mu każe żona. A jego żona – to, co każe jej moja żona. Czyli pretensje mogę mieć głównie do siebie. Dlatego nie życzę sobie jakiejś sprawy z policją, to byłby żenujący skandal. Rozmawiam z tobą jak z przy... kolegą z gimnazjum. Nie jak z podkomisarzem.

Korman otarł pot z czoła i przez chwilę patrzył na nieskazitelnie biały dywan. Po czym mówił dalej:

– Nasz Judym twierdzi także, że albo pojadę dzisiaj do Poznania i wywołam plotki, oddając się w ręce najlepszych specjalistów i tłumacząc im, co mnie spotkało, albo nie dożyję lutego. Dlatego czekam teraz na Szulca, żeby mógł mnie jednak trochę poprzekonywać. Choć mam przeczucie, że już jest za późno. Może to zresztą i lepiej? – powiedział, a głowę miał już prawie całą pod kocem.

Hieronim miał zaprzeczyć i powiedzieć coś o tym, że dyrektor szpitala jest pożyteczną i szlachetną jednostką, nawet mimo pewnych upadków. Ale milczał. Patrzył na Kormana, który wyglądał teraz całkiem żałośnie na tle bukietu białych róż. Estetyka wnętrza, tak silnie naznaczona wpływem pani Kormanowej, musiała być dla ewentualnego przyszłego nieboszczyka wyjątkowo irytującym tłem do rozmyślań.

Nie da się ukryć, że gimnazjalny kolega podkomisarza był żałosny. Równie żałosny był zresztą on sam,

Hieronim. Kormanowa miała świadomość, że mąż nie będzie chciał skandalu. Wiedziała o ich starym konflikcie i przespała się z Hieronimem tylko po to, by się dodatkowo zemścić na doktorze. Co za przewrotna kobieta. Ale Hieronim wcale się zdradzanemu mężowi swoim sukcesem nie pochwalił. I zdecydowanie nie miał takiego zamiaru.

Za winy jedynie moralne nie wsadza się u nas do więzienia. Kormanowi więc też włos z głowy nie spadnie. Teraz, kiedy, wiercąc się na niewygodnym białym krześle, Hieronim analizował sprawę, coraz więcej rzeczy układało mu się w całość nie tyle logiczną, ile sensowną. Zresztą, od początku mogło się układać, gdyby nie szukał przyczyn wszędzie, tylko nie we własnej klasie gimnazjalnej.

– Musiałeś go podejrzewać – odezwał się Korman. – Nie jesteś przecież idiotą. Tylko chciałeś być taki oryginalny. Wtedy na strychu też czytałeś Marksa, by samemu sobie zaimponować, że taki bystry jesteś mimo niskiego pochodzenia. Głupoty to były, nie? Właśnie. A ten Kropotkin... ciekawe, czy to na trzeźwo pisane? Nie robię ci wyrzutów, nie obrażaj się. Ja nawet nie czytałem... myślałem, że Werner przyniósł jakieś fajne obrazki z babami, a potem wstyd się było wycofać. Dopiero potem, jak chciałem zobaczyć, o co ta awantura... Dobrze, do rzeczy: dla wszystkich Werner był podejrzany z racji pochodzenia i poglądów. Dla nas dwóch jeszcze bardziej z tej prostej przyczyny, że go najlepiej znaliśmy. Ja miałem nadzieję, że jeśli się nie odezwę, w końcu da mi spokój... A ty? Nie chciałeś być prowincjonalnym policjantem, który szuka wszędzie komunistów i Żydów? To nie byłeś. Jeśli przeżyję, zgłoszę cię do konkursu na najbardziej postępowego i pozbawionego uprzedzeń funkcjonariusza. Zdaje się, że nic tego nie przebije.

„K" jak *komunista*. Łucja czego jak czego, ale komunizmu nie mogła znieść, bo zawsze powtarzała, że to ustrój dla niewolników. Werner przestał być dla niej Julianem w momencie, kiedy stwierdziła, że to on mógł zabić, dlatego został już tylko *komunistą*. *Wszyscy go lubili*, bo dla Łucji wszyscy w miasteczku to nie byli wszyscy. Ona, ksiądz Berent, Anna i Ratajczak, jedyni ludzie, z którymi spotykała się w Mańkowicach towarzysko. Oprócz tego kontakt miała tylko z uczennicami i nauczycielkami, a tych od początku nie brała pod uwagę. Ta trójka – to byli dla niej *wszyscy*, inni jej nie obchodzili. Od razu powinien był na to wpaść.

Popatrzył jeszcze przez chwilę na Kormana, który chyba zasnął. Przystojny skurczybyk, nawet taki podtruty. Małgosia wyszła. Była jednak zdecydowanie subtelniejsza niż siostra, bo zamiast beczeć, rozmazując łzy po twarzy kułakami, poszła szlochać do służbówki.

Na progu stanął za to Szulc, zmęczony i podenerwowany. Hieronim popatrzył na jego za małą marynarkę i za długą brodę, z którą wyglądał jak niedobitek powstania styczniowego. Dobrze, że są i tacy lekarze.

Szulc przywitał się szybko z Hieronimem, potrząsając krzepko jego ręką. Następnie podbiegł do pacjenta, obejrzał jego źrenice i cmoknął ze zniecierpliwieniem. Zwrócił się do Hieronima:

– Dzięki Bogu, że już pan na pewno wszystko wie. Żona do więzienia, doktor do szpitala. To chyba oczywiste, prawda? Pewnie, że pan grzeszył – zwrócił się do rozbudzonego Kormana – sam bym panu przetrzepał skórę. Ale to nie znaczy, że żona miała prawo bawić się w Balladynę. A teraz proszę o klucze do automobilu i jedziemy. Już na nas czekają.

Korman uśmiechnął się cierpko i jak automat zaczął zgarniać z siebie koc. Postanowił udawać rześkiego złośliwca.

– Tak, wy społecznicy jesteście zawsze na posterunku. Hieronimie, dlaczego się nie odzywasz? Poraziła cię światłość bijąca od naszego doktora?

– Zastanawiam się nad ideą przemiany moralnej. W życiu, obawiam się, wychodzi to zwykle tak samo jak w literaturze. Mało wiarygodnie.

Szulc nie odezwał się. Podał za to ramię pacjentowi i rzucił mu poważne spojrzenie. Dwaj lekarze, jeden podtrzymując drugiego, stanęli na progu. Ratajczak nie wiedzieć czemu pomachał im. Szulc przewrócił oczami na tę błazenadę. Korman uśmiechnął się żałośnie.

– Ja tu jeszcze, panowie, zostanę – powiedział Hieronim – poszukam dowodów. Ale nie martw się – zwrócił się do szkolnego kolegi – będę sam. Dopóki nie zdecydujesz się na oskarżenie żony i jej, hm, wspólników, nikomu nic nie powiem.

– Dosyć tego – zniecierpliwił się Szulc – idziemy.

Hieronim patrzył, jak przemierzają schody. Z salonu odezwał się nagle jakimś szalonym rytmem patefon. Ratajczak zajrzał tam i zobaczył, że Małgosia skacze po kanapie, wymachując nogami. Szykuje się kolejna pacjentka szpitala w Gnieźnie.

Sam zabrał się do pracy. Coś mu mówiło, że zbieranie dowodów należy zacząć od buduaru pani domu. I poszukać w nim swojej policyjnej czapki.

– A ty co? – zapytał inteligentnie, stając na progu.

O dziesiątej wieczorem raczej nie spodziewał się gościa, który siedział na fotelu, uparcie odmawiając zdjęcia futra. Gość trząsł się i szczękał trochę zębami. Mimo zmęczenia Ratajczak uśmiechnął się.

– Zawróciłam spod Wilna. Za zimno było – powiedziała zgryźliwie Melania, odwracając głowę i patrząc w okno.

Siedziała nad filiżanką nietkniętej herbaty. Obok niej na krześle kiwała się Felicja, walcząc z sennością. Przyjazd siostry zrobił na niej wrażenie, owszem, ale w obecnym stanie, jak za każdym razem, chciała głównie spać.

– Co na to Werner? I od razu ci powiem, że on zdecydowanie już nigdy tu nie przyjedzie.

– Pojęcia nie mam. Był na zebraniu, jak wyjeżdżałam. Nie wiem, co to za zebranie i z kim dokładnie się spotkał. Ale możliwe, że do dzisiaj jeszcze z niego nie wrócił. Trzy dni jechałam.

– Nie była to więc wielka miłość? – zapytał Hieronim i pokiwał głową, ale zaraz się zawstydził tej złośliwości.

– Nie, to była kontrabanda. Przewoziłam różne rzeczy. Kobiety mniej kontrolują. Do tego byłam potrzebna. I miałam łazić po wsiach z jakimiś głupimi gazetkami. Że nie ma Polski, nie ma Litwy, tylko jest jedna wszechświatowa ojczyzna proletariatu. Żeby nie włączali się w sztuczny konflikt, bo nieważne, czyje jest Wilno. Ważna jest własność środków wytwórczych. Jak to, u licha, nieważne, czyje jest Wilno? Nasze jest! No, jak to brzmi? Kto normalny w to uwierzy? Nawet ci chłopi się stukali w głowę. Szczuli nas psami czasem. Wyobrażacie to sobie? I jak tam brudno – rozpędzała się coraz bardziej – u nas chłopi wyglądają jak ludzie, potrafią czytać. A tam chodziłam z gazetkami do niepiśmiennych! Jakie środki wytwórcze, powiedzcie mi? Jak ja żałuję tego wszystkiego!

Wybuchnęła płaczem.

– Wiemy – powiedział Hieronim, uśmiechnął się do niej i podał chusteczkę.

– Powinieneś mnie zadenuncjować. Alež ze mnie idiotka.

– Chyba oszalałaś. Rodzina nie denuncjuje.

Spojrzał jednak nie na Melanię, ale na swoją żonę.

– Jeszcze nie jesteśmy w państwie proletariatu. Ale w Mańkowicach wszyscy wiedzą, że uciekłaś z Wernerem.

– Jak to: uciekłam? A co, męża miałam, że musiałam uciekać?

– Ej, Mela. Wiesz, że z Mańkowic się zawsze ucieka. To jak dezercja. W każdym razie wydaje się, że nie ma co tu deliberować. Może Poznań? Albo nawet Warszawa? Pomożemy ci na początek finansowo.

Popatrzył na Felicję, która kiwnęła głową. Siedziała bledsza nawet niż Melania, trzymając rękę na brzuchu.

– Jesteście pewni, że nie da się tego jakoś... przecież ludzie zapomną i zaraz będą o czym innym mówić.

– Obawiam się, że nie. Werner ma większe grzechy na sumieniu. I długo jeszcze będziemy o nim mówić. Starczy tematu na jakieś sto lat.

– Nie wiem, czy możliwe, że większe. On...

– Tak, wiem – przerwał jej Hieronim – i tu trzy osoby.

Melania zrobiła się zielona na twarzy.

– Te osoby? – zapytała z naciskiem, a widząc, że Hieronim kiwa głową, uderzyła ręką o czoło. – Czyli jednak. W co ja się wpakowałam? Wiecie, co jest najgorsze? Że już od Warszawy miałam takie podejrzenia. Ale ja się naprawdę w nim zakochałam. Może być coś gorszego?

Zapadła cisza. Hieronim wolał nie odpowiadać, a Felicja nadal się kiwała.

– Nie wiem, co mnie podkusiło – wybuchnęła znowu Melania. – Co ja sobie wyobrażałam? Czego mi się zachciało, jakichś chorych konspiracji? Przecież on nawet nie jest przystojny. I wcale nie taki wykształcony. Powiedziałabym nawet, że ograniczony umysłowo. Kto mądry w te brednie uwierzy? I nie przyjmą mnie z powrotem do tej pracy u Sondermanów! I nawet porządnym Żydem nie jest, bo jego matka nie jest Żydówką, wyobrażacie sobie? Jest nieślubny, nazwisko ma po ojcu, bo jak w końcu stracił nadzieję na syna z małżeństwa, to go usynowił. Taki więc z niego Żyd jak ze mnie Pola Negri. Matka to jakaś chłopka spod Leszna, przyznał się.

Tu zatrzymała się na chwilę i popatrzyła na nich. Wyrzuciła z siebie szybko:

– Zapomniałam wam pogratulować! Czyli się pogodziliście?

Nie czekała jednak na odpowiedź i wróciła do monologu:

– A ojciec był koszernym rzeźnikiem... – zająknęła się, jakby dopiero teraz ta informacja jakoś bardziej ją uderzyła – albo skłamał, bo chciał na tej wsi być wiarygodny. Wszystko jedno. Przyznał mi się, że uciekł od matki po tym, jak go wyrzucili z gimnazjum. Gdzieś tam pływał, potem trafił do Rosji. I tyle. Szczegółów żadnych nie podawał, bo mówił, że jeszcze nie może mi całkowicie ufać. Że dopiero w Rosji, gdy poznam z bliska ustrój i moralność nowych ludzi, będę godna, by dowiedzieć się więcej. I Sondermanów też oszukał. Nie pozwolą mi wrócić. Co ja mówię, nawet ich nie zapytam. A to byli najlepsi pracodawcy pod słońcem. Nikomu krzywdy nie robili, chociaż śmiali się i z bolszewików, i z endeków, i w ogóle ze wszystkich. I ze mnie trochę też, że tak się egzaltuję. I mieli rację! To są psychicznie niezrównoważeni ludzie, ci ideowcy. Histerycy, którzy się nudzą. Najgorsze grzechy są z nudy i nieróbstwa, jak mawia ksiądz Berent.

Hieronim się rozkaszlał, ale Melania nie zwróciła na to uwagi.

– Sonderman mówił, że jeśli człowiek pracuje cały dzień, a w wolnych chwilach czyta rozsądne rzeczy, to nie ma możliwości, żeby uwierzył w jakąkolwiek ideologię. Czemu ja go nie słuchałam? Co ja będę robić? Boże, co za sytuacja. Żeby chociaż on był tego wart, a to jest jakiś... jakiś zbrodniarz pospolity i nic więcej! Wcale nie człowiek idei, tylko świnia!

I znowu w płacz. Felicja popatrzyła na nią, tłumiąc ziewanie.

– Jeśli cię to jakoś pocieszy, prawie wszyscy daliśmy się nabrać. To naturalne. Hieronim i ja na pewno. No, Hieronim bardziej. Werner był taki z innego świata, z tymi książkami i teoriami. A my, biedni prowincjusze, czuliśmy się zaszczyceni nawet tym, że z nami rozmawiał. Ja, kobieta z czwórką dzieci, ciągle sprzątająca i biegająca wokół domu. Hieronim, czytelnik powieści w odcinkach, znudzony tymi kradzieżami cukru...

Popatrzyła na męża, mrugając do niego wesoło. I dodała:

– Człowiek czuje się lepszy, kiedy ktoś taki jak Julian zaszczyca go uwagą. Sprytnie to wykorzystał. Chyba tylko komisarz Wasiak się nie nabrał, co?

Od początku go nie lubił i kazał śledzić. To jednak niezły policjant. I wyszło na jego: wszystkiemu, co złe, winni są bolszewicy. Przynajmniej w Mańkowicach.

Hieronim popatrzył na swoją żonę. Tak. To dlatego się w niej zakochał. Nikt nie miał tak trzeźwego osądu rzeczywistości jak ona. Może była trochę przyziemna, ale zbyt wiele ostatnio rozmawiał z nieprzyziemnymi kobietami, żeby tego nie docenić. Pochylił się nad ręką żony, złożył pocałunek i stwierdził:

– Jesteś moją ulubioną kobietą z czwórką dzieci. I z piątką też.

Uśmiechnęła się, ale zaraz popatrzyła na siostrę uważnie. Wciągnęła ze świstem powietrze i wolno zaczęła mówić:

– Słuchaj, a to futro... czy czasem... – rzuciła spojrzenie na Hieronima, ale stwierdziła, że nie ma co się bawić w konwenanse – ty też nie jesteś w ciąży?

Melania zarumieniła się, ale nie z zawstydzenia. Raczej chyba z powodu czegoś na kształt wściekłości. Popatrzyła na siostrę ponuro:

– Nie, to całkowicie niemożliwe. Fizycznie.

Hieronim spojrzał na nią i ledwo wymamrotał przez zduszone gardło:

– Ja cię, Melu, naprawdę bardzo przepraszam, ale nie wytrzymam. Nie bierz tego do siebie.

Wybuchnął śmiechem, bo tego wszystkiego to już naprawdę było za dużo jak na jednego prowincjonalnego policjanta. Nawet takiego, który zawsze był postępowy. Oraz pozbawiony uprzedzeń.

SOBOTA,
28 STYCZNIA 1923

Następne dni w pracy nie przyniosły nic nowego. Jedynie Wasiak poinformował go, że panowie polityczni przyjechali do Mańkowic. Ale to podkomisarz już wiedział i zdążył się do tej wiedzy przyzwyczaić. Z przyjemnością zajął się więc przekładaniem papierów oraz temperowaniem ołówków. Bardzo miła była taka rutyna.

Za to sobota zapowiadała się interesująco. Umówieni byli na piątą. Doktor czekał już w Ratuszowej nad kuflem piwa. Obok stał drugi, pusty. Niezbyt to pasowało do dyrektora szpitala. Hieronim uśmiechnął się ze skrępowaniem i podszedł do Kormana:

– Nie skróci ci to życia o jakieś trzydzieści minut?

Doktor podniósł twarz, a dłonie oparł o krawędź stołu, jakby chciał się podtrzymać. Od sąsiedniego stolika jakiś nieznany Hieronimowi młodzieniec rzucił im przelotne spojrzenie.

– Uwielbiam twoje poczucie humoru, powinieneś zostać felietonistą w piśmie dla pań. Wyobraź sobie, że zrobili mi tylko płukanie żołądka i lewatywę, zapisali pigułki, kazali się oszczędzać oraz pobyć trochę nad morzem. Chemik z medalem chyba trochę mnie lubi. W każdym razie, spodziewałem się, że będzie bardziej dramatycznie i widowiskowo. Przy okazji: zauważyłeś, ile nowych twarzy pojawiło się ostatnio w Mańkowicach?

Ratajczak pokiwał głową, a młodzieniec wstał i wyszedł. Ciekawe. Korman miał brudne mankiety. Hieronim usiadł koło niego. Doktor popatrzył za wychodzącym i wrócił do rozmowy:

– Analizuję to, jak udało mi się zostać swoim własnym ojcem. Tyle gadania, a teraz piję ciepłe piwo z kufla. Ja miałem leczyć dzieci w Afryce, a ty szukać skarbów. Niezbyt nam wyszło, co? Choć tobie lepiej, przyznaję.

– Z mojej trampoliny łatwiej się było odbić. Ale twój ojciec był bardziej estetyczny, przyznaję.

– Fakt.

– I nie rzygał na szkolnych kolegów syna.

– Nie rzygał. Ale i tak kawał gnoja. Spał chyba ze wszystkimi pacjentkami. Marię też mi dokładnie obmacał przed ślubem, na okoliczność macierzyństwa.

Korman westchnął.

– Wybacz, ale jesteś hipokrytą. Sam też tak robiłeś i nie ma co zwalać na ojca. A co z tą Marianną właściwie? To nie do końca tyczy się sprawy, ale chciałbym wiedzieć, jak Werner wyśledził, że to twoje dziecko?

– Najpierw wyśledził, że się z nią spotykam. Wysnuł oczywiste na pierwszy rzut oka wnioski. I dostałem list, anonimowy niby, że romans z nieletnią może popsuć biel mego kitla. Wiedziałem, że to on.... więcej, ja wiedziałem, że on coś mi zrobi, coś obrzydliwego, jak tylko się tu pojawił. Zobaczyłem go na rynku i poznałem natychmiast. Podszedł, podał mi rękę i wiedziałem, że już po mnie. Zastanawiałem się tylko, w jaki sposób mnie załatwi. Powiedział, że będzie tu u nas prowadził księgarnię. Pamiętam tę myśl, która mi przeszła przez głowę: *W Mańkowicach? Tu się tylko podręczniki sprzedają*. Ale wiem też, że ta myśl była tylko po to, żebym mógł zapomnieć o drugiej, która mi się cały czas kołatała po głowie: że przyjechał się zemścić. Powinienem walczyć, coś robić, ale naczułem, że jakieś bagno powoli mnie wciąga. I natychmiast zacząłem tę głupią historię z Małgosią, chyba tylko po to, żeby sobie samemu pokazać, co ze mnie za lichy człowiek.

Korman na chwilę przestał mówić. Hieronim nie popędzał go. Tacy ludzie jak jego gimnazjalny kolega przyznają się do wszystkiego, bo lubią robić wrażenie na rozmówcy. Złe czy dobre, ale duże. Prawdopodobnie lekarz wyobrażał sobie, że przez prostodusznego Ratajczaka przechodzi teraz dreszcz obrzydzenia.

Nie kłamał, ale przedstawiał się jako bardziej jeszcze nędzny niż w rzeczywistości.

Korman znowu zaczął opowiadać:

– W każdym razie, po tym liście wystraszyłem się i na miesiąc przestałem się z Marianną widywać, choć oczywiście dowodów na romans nikt by nie znalazł, z wiadomych względów. Ale bałem się, że jak podrąży, to się dowie, że rzecz jest jeszcze bardziej skomplikowana. Rozumiesz, co innego romanse z paroma – zaznaczam, że paroma, większość plotek to były bzdury – pacjentkami, a co innego nieślubne dziecko. To by mi opinię zniszczyło całkowicie. Ale wpadł na to. Przez Łucję, która mu powiedziała, że szkoła trzyma za darmo różne ubogie zdolne panienki. A nawet te niezdolne. Konkretnie jedną: Mariannę. Julian wywnioskował z tego, że może ktoś jednak płaci w jakiś sposób za niezdolną i leniwą uczennicę. Oczywiście, ja płaciłem, w naturze. Byłem szkolnym lekarzem na zawołanie, choć przecież dyrektor szpitala czymś takim zajmować się nie powinien. Do licha, przecież nawet nie miałem na to czasu. Zebrał fakty i doszedł do tego, że jestem ojcem. A zastanawiasz się może, dlaczego taki społeczny pasożyt i wybrakowana jednostka jak ja postanowiła zadbać o swojego bękarta?

– Myślę, że wiem... – wolno powiedział Hieronim, wpatrując się w okno. – Chciałeś być lepszy od swojego ojca. Stąd też ta twoja obsesja na punkcie córeczek. Legalnych.

Korman pochylił się bardziej nad stołem. Patrzył na Ratajczaka z napięciem.

– Chciałem się z jej matką ożenić. Jak Boga kocham.

– Tatuś? Ale z Bogiem to już sobie daj spokój.

– Tatuś. Ze śpiewaczką wstyd, więc je zostawiłem. A jak zrobiłem jedną obrzydliwą rzecz, to potem poszło z górki.

Usłyszeli syrenę w cukrowni. Znowu jakiś wypadek. Doktor Korman podniósł się odruchowo, ale mruknął:

– Judym już pewnie na miejscu.

Usiadł. Przez chwilę była cisza.

– Co teraz?

Korman zapytał bezradnie, jakby spodziewał się, że stróż prawa wskaże mu najwłaściwszą ścieżkę powrotną do krainy cnoty. Hieronim wzruszył ramionami. Pomilczeli jeszcze chwilę. Korman zrobił gest, jakby chciał jeszcze coś powiedzieć. Ale nie powiedział, tylko popatrzył na Ratajczaka w oczekiwaniu na zachętę.

– Mów. Wiesz, że z tą wiedzą nic nie zrobię. Chciałbym tylko wiedzieć, jak było dokładnie.

Lekarz uśmiechnął się cierpko i stwierdził:

– Wszyscy mamy jakieś choroby zawodowe. Dalej było po prostu tak, że najpierw wysłał parę prezentów i zaprosił ją do Moserowej. Marianna była niezbyt lotna, to prawda, ale zanim się nią zajął, całkiem niewinna. A potem zaczęła się puszczać, tak jakoś głupio, na oślep. Nie wiem, czy z tego miała jakąś przyjemność, ale on tak. W ogóle w szkole zrobiła się taka atmosfera...

Kilka następnych panienek zaczęło dostawać prezenty. Dobrze, to nie należy do zasadniczego wątku. W tym wszystkim ręce maczał Werner. Nie cierpiał Mańkowic, a szkoła irytowała go szczególnie. Moralność burżuazyjna i tak dalej. Stwierdził, że gnębiąc mnie, przy okazji popsuje jeszcze pseudopostępowy, jak to nazwał, projekt wychowawczy Wachowskiej. Tak przynajmniej wynika z listów, anonimowych oczywiście.

– Rozumiem, że listy niszczyłeś?

– Jednak się nie znamy, Hieronimie. Gdzie tam, zbierałem. Ich czytanie sprawiało mi przyjemność. Byłem jak świnia, co specjalnie właził w pokrzywy. Ale listów nie ma. Zniknęły tego samego dnia, gdy zabił Hankę. Stwierdził pewnie, że są zbyt łatwe do rozszyfrowania.

Przez chwilę znów nic nie mówił, a potem podjął opowieść:

– Byłem w szachu, bo coraz trudniej było dopilnować Marianny, gdy łaził za mną ten cholerny Zuber napuszczony przez moją żonę. Ale co miałem zrobić: przyjść do was i powiedzieć, że śledzi mnie kierownik szkoły męskiej przebrany za dostarczyciela mleka? I że to robota mojej małżonki? Ciebie też chciała wziąć pod pantofel, co?

Hieronim zarumienił się. Jak dużo Korman wie na ten akurat temat? Widocznie albo wiedział mało, albo nie chciał wiedzieć zbyt wiele.

– Myślałem, że zabicie Marianny mu wystarczy. Do cholery, przecież chodziło o gimnazjalne porachunki. Po paru dniach zacząłem więc nawet odczuwać jakąś ulgę, że to już koniec, że zemścił się stosunkowo małym kosztem... tak, nie krzyw się. Masz minę jak Najświętsza Panienka. W każdym razie, kiedy znaleźliście Hankę, pomyślałem, że nie, ten facet będzie tak długo mnie dręczył, aż sam sobie czegoś nie zrobię. Wiedziałem, że jest jedno honorowe wyjście. Ale zawsze byłem za dużym tchórzem na takie gesty. Czekałem więc. Sam siebie obserwowałem jak pod mikroskopem. Takie duże, niby estetyczne w kolorystyce, ale obleśne po bliższym poznaniu stworzenie.

Hieronim słuchał spokojnie. Też odczuwał wstręt. Co ciekawe, Julian nadal budził w nim inne uczucia, wśród których było nawet kilka cieplejszych. Wydaje się, że kiedy zło jest małe, depczemy je przy nadarzającej się okazji. Kiedy jest duże, zaczyna budzić w nas podziw. Jako policjant nie powinien się do takich myśli przyznawać nawet przed sobą. Pocieszające było jednak to, że w Mańkowicach najprawdopodobniej nie czeka go już spotkanie z tym wymiarem zła, które reprezentował Werner.

Ratajczak przyjrzał się jeszcze raz gimnazjalnemu koledze. Miało się wrażenie, że jego regularne rysy uległy pewnemu zniekształceniu. Małemu, ale sprawiającemu, że robił się odstręczający także z wyglądu. Choć możliwe, że to tylko oświetlenie w Ratuszowej odbierało mu urok.

– Zabójstwa Łucji w pierwszej chwili nie mogłem zrozumieć, ale dotarło do mnie, że skoro spotykała się z nim często, to pewnie się czegoś domyśliła. Pokrojona była świetnie, mistrzowsko. No i to właściwie koniec historii, bo mój... niech będzie, że konflikt z żoną, nie ma tu nic do rzeczy. Objawy trucia zacząłem zauważać pod koniec roku, ale w pierwszej chwili po prostu stwierdziłem, że mam za swoje. Wpatrywałem się więc z pewną satysfakcją w te wzorki na paznokciach. I myślałem, że Maria podjęła decyzję, na którą mnie nie było stać. To byłoby niezłe zakończenie w teatrze, prawda? Wiarołomny mąż przyjmuje z godnością karę z pięknych rączek swej żony. To jednak też popsułem. Miałem się położyć i umrzeć, ale zaczęło świecić słońce, dzień się trochę wydłużył... i ja poczułem, że chcę żyć. Nawet z wyrzutami sumienia. Nawet całkiem skompromitowany. Bez rodziny, porzucony przez przyjaciół i pacjentów... Tak, sentymentalny trochę jestem. Albo nawet i nie ja, ale takie coś w środku się odezwało, taka dziwna siła... nie, to nie jest dobre słowo, instynkt lepiej. Wiesz, nawet nędzny robak chce toczyć tę swoją kulkę gnoju, kiedy świeci słońce. Dokładnie wiem, kiedy postanowiłem się jednak leczyć: w dniu pogrzebu tego małego Króla. Krygowałem się, udawałem, że nie chcę do szpitala, ale to wszystko po to, by mnie Szulc bardziej prosił, żebym się leczył. Sprawiało mi to przyjemność. Tym bardziej że on nazywa się tak jak Marianna i jej matka. Wmawiałem sobie, że też by chciały, żebym wyzdrowiał. Dobrze, to może nie jest wszystko logiczne, ale ułożyło mi się w taką całość właśnie. Jak teraz o tym myślę, to pewnie nie chciałyby. Wolałyby, żebym się smażył w piekle... To podobno nawet arszenik nie był... choć objawy podobne. Dobrze, że Zuber to taki tchórz, inaczej już przed świętami bym nie żył. A może rzeczywiście się pomylił? Co o tym sądzisz?

– Nie jestem od sądzenia.

Hieronim wzruszył ramionami. To wszystko było obliczone na efekt. Bardzo pasowali do siebie z żoną. Pewnie się jeszcze dogadają.

Doktor napawał się teraz swoim upadkiem moralnym, ale przecież nie zapomniał wypolerować paznokci, bardziej już różowych. Ratajczak patrzył na jego długie palce. Kiedyś mu tych rąk zazdrościł, ale teraz skojarzył je z mackami kałamarnicy. Korman zarumienił się, jakby zrozumiał mimowolny grymas warg Ratajczaka. Zmienił temat, bardzo niezręcznie:

– Zimno, prawda? Tak – odpowiedział sam sobie i odchrząknął – chyba najlepiej stąd wyjechać? Dostałem propozycję z Gniezna.

– Od tych wariatów?

– Od naczelnego lekarza. Ale to chyba za blisko. I specjalizują się w histeryczkach. A już mam dość kobiet, na razie przynajmniej. Poszukam jakichś innych wariatów, gdzieś dalej. Przy okazji, bo zapomniałbym: Zuber, wyobraź sobie, awansował na inspektora od nowego roku szkolnego. Dlatego do Poznania się przeprowadzają. Cnota i kierowanie się radami świątłej małżonki oraz jej najlepszej przyjaciółki zostały wynagrodzone.

Hieronim chwilę milczał. Pozostawała jeszcze sprawa z punktu widzenia Kormana najważniejsza. Pytać o nią było jednak pewną niedelikatnością, a tego Ratajczak unikał zawsze wtedy, gdy nie chodziło o sprawy zawodowe. Korman zawołał chłopaka, który pełnił w Ratuszowej rolę kogoś na kształt kelnera i porządkowego jednocześnie. Chudzielec podszedł do stolika i lekarz poprosił:

– Daj nam to coś, co nazywacie czerwonym winem. Wypijemy za początek nowego życia.

Chłopak odszedł, a Korman dodał, nie czekając na pytanie:

– Wybraliśmy separację. Oczywiście, nieformalną. Trzeba dbać o dobre imię damy. Dziewczynki zostają z nią. Dlatego szukam czegoś w miarę niedaleko. Gniezno byłoby odpowiednie z tego względu. Ale, dobry Boże, naprawdę muszę odpocząć już od kobiet... Dom sprzedajemy i kupujemy coś w kamienicy dla niej i dzieci. Oczywiście w Poznaniu, w pobliżu Zuberów. Będę się więc z nimi prawdopodobnie spotykać na niedzielnym obiedzie. Urocze, prawda? Chyba muszę zatrudnić... jak on się nazywał... taki człowiek do próbowania potraw, który w razie czego truł się zamiast króla? No, nieważne zresztą. Wszyscy udajemy, że nic się nie stało. Zuber mi się kłania, ja jemu. Zuberowa nadal mnie odruchowo kokietuje. Ta kobieta jest niezrównana... I niech tak zostanie. Jak wyglądałby świat bez hipokryzji? Rozumiem, że mogę liczyć na twoją dyskrecję...

Raczej stwierdził, niż zapytał, więc Hieronim nie odpowiedział. Nie czekał też na wino, bo jakoś nie miał mimo wszystko ochoty świętować nowej drogi życiowej pana doktora. Wstał i odruchowo wyciągnął rękę do Kormana. Nie wypadało potem jej cofnąć, więc musiał zetknąć swoją dłoń z trochę wilgotną i śliską ręką lekarza. Już się odwracał, kiedy przyszło mu coś na myśl.

– A Małgosia? Nie szuka pracy? Bo my nadal nie mamy nikogo. Wiem, że pewnie u was miała lepsze warunki... no, ale... zawsze coś.

Korman zmieszał się widocznie. Uśmiechając się dość głupio, odparł:

– Nie, zabieram ją ze sobą. Muszę mieć przecież jakąś gospodynię. Czy kogoś takiego.

– Oczywiście, nie pomyślałem – odpowiedział Hieronim.

Nie, nie chciał zatrudnić Małgosi. Był tylko ciekaw, czy Korman chociaż sam przed sobą nie udaje. Najwidoczniej jednak na ścieżkę moralnej odnowy postanowił wkroczyć w towarzystwie tej świeżej panny.

Ratajczak, schodząc po schodach, nie oglądał się za siebie. Jak zwykle, obiecywał sobie półgłosem:

– Nigdy więcej nie pójdę do Ratuszowej.

PONIEDZIAŁEK, 30 STYCZNIA 1923

– Tak, panie komisarzu.

Ratajczak popatrzył spokojnie. Już sobie w końcu wcześniej tę sytuację wyobrażał. Udało mu się zachować kamienną twarz. Wasiak uśmiechnął się jednak tak, jakby wiedział, że Ratajczak ćwiczył przed lustrem: *Awans? No, cóż, doprawdy, niech będzie*. Siedzieli po obu stronach najelegantszego w Mańkowicach biurka.

– Na początku chcieli wam kogoś przysłać za mnie. Ale zrezygnowali, rozumiesz, pechowi jesteśmy. No i ty masz szczęście w tym pechu. Choć ja myślę, że limit już się wyczerpał. Teraz przez następne pięćdziesiąt lat żadnych trupów. Chyba że jakaś, tfu, wojna.

Ratajczak pokręcił głową:

– Nie, no już chyba nikt tak głupi nie jest, żeby nową wojnę zaczynać.

– Ja tam nie wiem, zawsze się mogą jacyś wariaci pokazać. Co do awansu, to gdyby rzecz była planowana, wiedzielibyśmy już w grudniu. Czyli to świeży pomysł. Myślę, że Matczak maczał w tym palce. Może stwierdził, że dobrze się będzie z tobą współpracować? Mówił mi, że masz analityczny umysł. Dodał, że Felicja ma jeszcze bardziej analityczny. I nawet jeśli ty niekoniecznie nadajesz się na komisarza, to ona na komisarzową z pewnością. Ale to chyba żart, co?

Uśmiechnął się dobrodusznie. Ratajczak uprzejmie, choć bez entuzjazmu, odwzajemnił uśmiech. Jednak polityczni potrafią popsuć człowiekowi każdą radość. Wasiak wstał i podał Hieronimowi rękę.

– Chociaż Wernerowi włos z głowy nie spadnie, to przynajmniej dobrze, że wiemy, kto to wszystko zrobił. I to ty do tego doszedłeś. Niedosyt oczywiście jest. Powinien wisieć, bez dwóch zdań. Ale już widzę, jak Wernera nam z Rosji przysyłają, żebyśmy go mogli osądzić. Pomyśl, że tamta kobieta – ta od tasaka, która męża w końcu zatłukła – dostała piętnaście lat, a męczyła się z nim trzydzieści... Taaa. Ale powiem ci, że oni tam siebie wyrzynają, bo taka ich natura, więc i kolega Werner może dostać kulkę od towarzyszy. Tym się pocieszajmy.

Ratajczak popatrzył na swojego przełożonego, który wypowiadając te słowa, wyglądał na bardzo zadowolonego.

– Ale ma pan też satysfakcję, że wyszło na pana?

– Mam. Ale nie dlatego, że bolszewik, *k* jak *komunista* – uśmiechnął się – tylko dlatego, że czasami rzeczy są dokładnie takie, na jakie wyglądają. I nie ma co kombinować. Wystarczy patrzeć... miło o tym pomyśleć przed emeryturą. Czarne jest czarne. I tak dalej... teraz możemy zamienić się miejscami. Chociaż nie, czekaj.

Otworzył szufladę swojego biurka.

– Tak, najpierw trzeba posprzątać.

Doszedł ich w tym momencie dramatyczny sopran, słyszalny nawet przez zamknięte drzwi. Nowak i Hoffmann coś perswadowali jakiejś osobie płci żeńskiej, ale ta osoba nie wydawała się przekonana. Hieronim poszedł z Wasiakiem do głównej sali.

– Są i wasi zwierzchnicy, wy ignoranci. Panowie – zwróciła się do dawnego i nowego komisarza – przyszłam się oddać w ręce władzy.

Anna Woźniakówna stała na progu komisariatu i dramatycznym gestem krzyżowała ręce na piersiach, wcześniej uchylając woalkę. Po krótkiej pauzie dodała:

– Współpracowałam bowiem z mordercą.

Już kiedy ją zobaczył, Hieronim zaczął robić rozpaczliwe miny, byleby tylko tego nie chlapnęła. Anna jednak zachowywała się trochę jak w transie. Nie mógł do końca ocenić, czy jedynie gra, czy też po prostu jednocześnie jest i szczerze wzruszona, i napawa się dramatyzmem sytuacji. W pokoju oczywiście zapadła cisza. Hoffmann popatrzył ze zgrozą na przybyłą. Ratajczak wybuchnął śmiechem, w miarę nawet naturalnym.

– Szanowna pani, chodźmy może porozmawiać na świeżym powietrzu.

Nie pytając o zdanie, wziął posiadaczkę kamienicy pod łokieć i wyprowadził na zewnątrz. Odeszli kilkadziesiąt kroków od budynku. Usiedli na ławce, jednej z tych, których domagał się od władz „Goniec Mańkowicki". Anna była cała roztrzęsiona.

– Oszalałaś? Ile jeszcze kobiet... powiedzmy, że współpracowało z Julianem? Miałem dziś wieczorem do ciebie przyjść, ale oczywiście mnie ubiegłaś. Nie rozumiem tej twojej potrzeby robienia scen. Myślisz, że to coś pomoże? Tylko plotki z tego będą.

Anna go nie słuchała, nagle milcząca i zajęta swoimi myślami. Aż w końcu odchrząknęła i zapytała niby to obojętnym tonem:

– Było nas więcej? No, nic dziwnego. Ciekawe, co obiecał innym.

– Tak, jeszcze przynajmniej jedna. Tej obiecał małżeństwo, życie pełne walki o idee oraz wyjazd z Mańkowic.

Przez chwilę panowała cisza. Anna pociągnęła nosem.

– To dla mnie miał inny zestaw: życie pełne walki o idee, wyjazd z Mańkowic oraz wolny związek, nieskrępowaną wspólnotę dusz i ciał.

Hieronim starał się nie uśmiechać. Starał.

– Widzę, że dla każdej miał to, co jej najbardziej odpowiadało. Przewoziłaś jakieś gazetki, broń czy coś takiego?

– Nie, ja byłam od dawania pieniędzy.

– Tak. Ile?

Powstrzymała się z odpowiedzią. Oboje byli prawdziwymi Poznańczykami.

– W każdym razie, półroczny zysk z kamienicy.

– Mniej więcej mogę sobie policzyć.

– To mniej więcej sobie policz.

Takie sumy były zdecydowanie poza zasięgiem podkomisarza, a nawet komisarza mańkowickiej policji.

– Kupa forsy.

– Owszem. I nie dość, że wspomagałam go finansowo, to przeze mnie zginęła Łucja.

Spojrzała na Hieronima, który w pierwszej chwili pomyślał, że jednak się pomylił i dał się komuś nabrać. Ale Anna zaraz rozwiała jego wątpliwości:

– Zobaczył pamiętnik, kiedy poszedł do jej pokoju poszukać Darwina. Dlaczego się uśmiechasz? Nasz związek opierał się na wspólnych zainteresowaniach czytelniczych, jakkolwiek to głupio teraz brzmi.

Ratajczak zastanowił się chwilę, patrząc na farbę obłażącą z ławki. A przecież ustawiono ją dopiero w zeszłym roku.

– Dlaczego nie zniszczył tego pamiętnika? Jeśli już ją zabił? Zachował się dziwacznie i nielogicznie.

– Ależ zniszczył. Nie wiedział tylko, że Łucja zrobiła odpis. Wiesz, że była przezorna. To, co znalazł w jej pokoju, to gruby brulion ze złoconym napisem *Pamiętnik*. Czyli coś, co chyba po prostu miał znaleźć, nie wiem dokładnie, jakie na początku były jej intencje. To był taki... ostentacyjny pamiętnik. A był przecież jeszcze ten drugi, ukryty w śpiewniku ewangelickim.

– A ty skąd o tym wiesz? Że w śpiewniku właśnie?

– Jak to skąd? Przecież mieszkała w mojej kamienicy... dlaczego tak patrzysz? Tak, ty pewnie nikogo nie podglądasz i cudzych pamiętników nie czytasz? A powiedz mi jeszcze, czy do tych współpracowniczek Wernera należała jeszcze Klara?

– Nie, ktoś inny. Moja druga szwagierka.

– Sympatyczna z was rodzina. Kiedy znalazłam ten prawdziwy pamiętnik po śmierci Łucji, było już wiadomo, że Łucja miała rację. Gdy zaczęło się to zamieszanie na rynku, od razu pobiegłam do jej pokoju. I znalazłam ten właściwy pamiętnik, od razu, wiedziałam przecież, że śpiewnik ewangelicki do niczego jej nie był potrzebny, w końcu nie umiała śpiewać i nie chodziła do zboru. Przeczytałam ostatnie kartki i odłożyłam, żebyś ty mógł znaleźć. To była ostatnia rozsądna decyzja, bo potem dostałam ataku... nie ma co się oszukiwać: ataku histerii. Ale wracam do tego, co było przed śmiercią Łucji. Sama go wysłała do swojego pokoju. Siedzieliśmy i kłóciliśmy się na nasz ulubiony temat, czyli jak zwykle dobór ludzi w pary. Naprawdę śmiesznie to teraz brzmi. Ona powiedziała Wernerowi, żeby poszedł i przyniósł Darwina. Ten pamiętnik znalazł oczywiście i zajrzał, każdy przecież by zajrzał, prawda? Nawet pomyślałam, że to zbyt grubymi nićmi szyte. To znaczy, potem pomyślałam.

– Ja miałem opory przed zaglądaniem.

– Bolszewicy i kobiety nie mają – powiedziała ponuro Anna – w każdym razie Łucja chciała go sprowokować, to wiem na pewno. Tak mi powiedziała, kiedy byłyśmy same. Stwierdziła, że jeśli po tej wizycie w pokoju zechce się z nią spotkać na osobności, jeśli będzie zdenerwowany i zachowa się jakoś nietypowo, to będzie znaczyło, że on jest zabójcą. I że na przykład będzie ją chciał zaszantażować czymś, nastraszyć albo nawet po prostu zabić. Zrobiła tylko dziwny błąd: myślała, że zaproponuje jej spotkanie na osobności. Ale plan był taki: on proponuje spotkanie, ona zgadza się i umawia choćby na kolejny dzień, a potem biegnie na policję. Ale Werner z Łucją wcale się nie umówił, nie dał nic po sobie poznać. Wesolutki krzyczał jeszcze na schodach, że miał rację co do Darwina. A potem przyszedł w nocy i ją zabił. Bez zachowania form towarzyskich, że tak powiem.

Hieronim spojrzał na nią. Też kiepsko dowcipkuje, gdy jest zdenerwowana. Siostra w niedoli. Mówiła dalej:

– Pewnie się zastanawiasz, dlaczego inteligentna osoba wymyśliła coś tak głupiego... Myślę, że to nadmiar psychologii. Wszyscy tworzyliśmy niespotykane kombinacje, nie tylko Łucja i ja, ty też, prawda? Po co niby miałbyś w godzinach pracy przesiadywać w bibliotece i czytać Dostojewskiego. A śledztwo Towarzystwa Higieny to już było w ogóle jakieś komediowe... Ale wracając do Łucji i jej pomysłu... Wydawało mi się to nielogiczne, ale dałam się jej przekonać: ktoś, kto nie był mordercą, nie przyznałby się do czytania cudzego pamiętnika. Udawałby, że całej sytuacji nie było. Najwyżej by się obraził na Łucję za niesłuszne podejrzenia, ale głośno by tego nie powiedział. A mordercy wszystko jedno, bo co to za grzech w porównaniu z zabójstwem? Tak mi to Łucja tłumaczyła. I dodała, że mam się trzymać z daleka od Wernera, bo on jest inny niż my wszyscy. Myślałam, że chodzi o pochodzenie, i bardzo się wzburzyłam. Pokłóciłyśmy się trochę. Pamiętam jak dziś: siedzimy w salonie i debatujemy szeptem o psychice zabójcy, konspiratorki z bożej łaski. Ale, jak mówiłam, Werner wrócił po paru minutach jak gdyby nigdy nic. Uśmiechnięty, zadowolony. Łucja potem stwierdziła, że chyba nie miała racji, była bardzo zmieszana. A ja triumfowałam, bo Julian nie tylko nie prosił jej o spotkanie, ale był ożywiony i bardzo wesoły cały wieczór. Tyle że następnego dnia Łucja zniknęła i odnalazła się dopiero w dniu wizytacji biskupa. Nie doceniła zimnej krwi Juliana. W dodatku ja byłam tak naiwna, że nie do końca chciałam połączyć te dwa fakty. Powinnam od razu do was pójść, ale bałam się. I do końca się łudziłam, że Łucja zawstydziła się swych podejrzeń i wyjechała. Albo sama sobie to wmówiłam, nie wiem. Z drugiej strony, Łucja stwierdziła, że musi załatwić do końca sprawy spadkowe. Dostała jakiś telegram od szwagra. I nie zdziwiłam się specjalnie, że do mnie nie napisała: na koniec nazwałam ją pełną uprzedzeń parafianką z Kongresówki. Tak, to były moje ostatnie słowa do niej.

Hieronim pokiwał głową. Ciekawe, czy jego rozmówczyni wstydzi się, że morderca nie uznał jej za zagrożenie? Werner nie zainteresował się nią, bo wiedział, że jest zbyt tchórzliwa, żeby pójść na policję i narazić na jego zemstę. Co innego Łucja, ta mniej gadała, ale była odważniejsza. Teraz tanim kosztem kamieniczniczka chciała zrobić z siebie bohaterkę, albo przynajmniej ofiarę. Anna zarumieniła się, jakby ta niepochlebna opinia odbiła się na twarzy Hieronima. Powiedziała:

– W każdym razie, musicie mnie aresztować.

Konkluzję wygłosiła z naciskiem. Potem opuściła głowę i wpatrywała się w oparcie ławki. Ratajczak też chwilę milczał. Gryzł landrynkę, która, nie wiedzieć skąd, znalazła się przed chwilą w jego kieszeni. Ostatnio te cukierki od Fuchsa straszliwie się popsuły, dziwnie kwaśne, jakby ktoś oszczędzał na cukrze.

Dobrze byłoby mieć choć jedną oskarżoną, skoro Werner był nie do złapania. Sama się przyznała, dowody są. Ale sprawiedliwość wymagałaby wtedy, żeby przed sądem stanęła jeszcze jedna osoba – jego szwagierka.

– Mam dla ciebie propozycję. Oryginalną, ale w twojej sytuacji pewnie i tak niezłą. Jak może już zauważyłaś, kręcą się u nas ci polityczni. Kogoś w końcu będą chcieli zamknąć. I zamkną. Ale ja im pomagać nie będę. Nie może być tak, że z powodu jakichś bolszewickich historii cierpią dobrzy, choć naiwni, obywatele naszego młodego kraju. I państwa.

Podniosła głowę, zezując lekko ze złości. Powiedział spokojnie:

– Wynajmujesz kamienicę za symboliczną opłatę, wyjeżdżasz i nie wracasz.

Zrozumiała.

– A wynajmuję komu?

– Nam, policji. Potrzebujemy więcej przestrzeni. I nie targujesz się. Całego budynku nie chcemy, strych możesz wynająć komuś innemu. Ze swojej strony służę całkowitą amnezją.

– A co na to Wasiak?

– Zapytam go pro forma, ale komisarzem od lutego jestem ja.

Uśmiechnęła się. Teraz mogła pozwolić sobie na złośliwość.

– Gratulacje. Czyli nie trzeba złapać mordercy, żeby awansować?

– Nie, jak widzisz. Czasami trzeba tylko wystarczająco długo czekać.

Przez chwilę była cisza. W końcu Anna potrząsnęła krótkimi włosami i celując palcem wskazującym w Hieronima, stwierdziła:

– Żal mi tylko „Gońca Mańkowickiego". Kto się tym zajmie?

– Jak to: kto? Twoja dobra przyjaciółka, a moja szwagierka. Klara. O, redakcja może być nadal na strychu. Klara będzie zachwycona. Właśnie zerwała zaręczyny, dzięki Bogu, więc będzie szukała dodatkowego zajęcia. I może wreszcie będziemy mieć lepsze układy z prasą.

Po omówieniu szczegółów poszedł z powrotem na komendę. Wieczorem miała się odbyć pożegnalna kolacja, ale chciał już teraz zadać Wasiakowi jeszcze jedno pytanie. Był ciekaw, co właściwie robi policjant na emeryturze.

– Co robi? – Wasiak podrapał się w łysą głowę. – Pewnie nie powinien dożyć emerytury. No, ale ja jadę do Lwowa. Oboje jedziemy z żoną. To na razie tajemnica, dopiero wieczorem wszystkim powiemy. Pożegnalna kolacja będzie naprawdę pożegnalna.

– Ale do Lwowa? To prawie koniec świata.

– Mamy tam siostrzenicę z mężem. Jedyna nasza rodzina. Wiosną urodzi im się dziecko, więc jesteśmy zaproszeni. Jak ktoś nie ma własnych dzieci, to i do Lwowa pojedzie, żeby dziadkiem zostać. Czasem się tylko martwię, jak my się tam dogadamy. Słyszałeś, jak oni mówią? Ale jakoś będzie, z Bożą pomocą. Można powiedzieć, że i ja się przyłożę do łączenia zaborów.

Uśmiechnął się i upewnił:

– Czyli o siódmej w Ratuszowej, tak? Będzie Maurycy – ściszył głos – ostatni raz pogadamy sobie o Piłsudskim, bo tam w tym Lwowie to chyba lepiej być czujnym.

PONIEDZIAŁEK, 6 LUTEGO 1923

Dzień ten komisarz Ratajczak rozpoczął od lektury artykułu z „Gońca Mańkowickiego". Tak samo zresztą go skończył, bo jakoś nie mógł się powstrzymać. Tekst na pierwszej stronie podpisała osoba ukrywająca się pod inicjałami K.N., a zdobiło go zdjęcie komisarza na tle ośmiu worków z cukrem. Pewien zgrzyt, zdaniem Ratajczaka, stanowiła postać pana Poniedziałka, widoczna na drugim planie. Cukrownik stał, trzymając wiązankę kwiatów ozdobioną wielką szarfą z napisem *Dziękujemy*. Ten dysonans łagodziła jednak treść samego artykułu:

Bohaterska postawa naszych policjantów w walce ze złodziejami cukru

Od dawna już nękała nasze miasto plaga kradzieży cukru. Niskie instynkta, które przejawia mniej oświecona część społeczności, znajdowały ujście w łamaniu siódmego przykazania. Kto był winien? Zagadka długo czekała na rozwiązanie. Jednak, w wyniku przeprowadzonego ze znawstwem i bystrością umysłu śledztwa, komisarz Ratajczak odkrył, że w mańkowickich domach pojawiają się podrabiane landrynki (bliskie w smaku znanym cukierkom od Fuchsa). Skojarzył ten fakt z kradzieżami. Stąd był już tylko krok od wskazania sprawcy, którym okazał się Zenon Król, rzeźnik, upadły moralnie wskutek nałogu. Ten sam człowiek odpowiedzialny był za psi smalec, który jakiś czas temu pojawił się w Mańkowicach w dużej ilości. Wtedy jednak uniknął kary, bo postępek okazał się zbyt małym, by Król trafił do więzienia. Ironią losu nazwać można fakt, że i tym razem w jakimś stopniu uniknął sądu, choć czeka go Boski trybunał. W trakcie aresztowania Król źle się poczuł i upadł na progu swojej szopy. Wskutek wzruszenia sytuacją przestępca doznał udaru. Było to o tyle zaskakujące, że, jak nam powiedział przybyły na miejsce doktor Adam Szulc, Król cieszył się dotąd doskonałym zdrowiem, mimo podeszłego już wieku.

Można więc powiedzieć, że w jego śmierci odnaleźliśmy widomy znak Opatrzności, która karze za łamanie przykazań i nagradza uczciwe postępowanie. Czasami wcześniej, czasami później. Zawsze jednak nieuchronnie.